Голос Сердца

Maggi
CHARLES

It Must Be Magic

Diamond Moods

Мэгги ЧАРЛЬЗ

Спуститься с небес

Приглашение к счастью

Романы

МОСКВА
«ЭКСМО-ПРЕСС»
2001

УДК 820(73)
ББК 84(7 США)
Ч 20

Maggi CHARLES
IT MUST BE MAGIG
DIAMOND MOODS

Перевод с английского *Е. Тарасовой, Н. Холмогоровой*

Серийное оформление художника *С. Курбатова*

Серия основана в 1997 году

Чарльз М.

Ч 20   Спуститься с небес. Приглашение к счастью: Романы / Пер. с англ. Е. Тарасовой, Н. Холмогоровой. — М.: Изд-во ЭКСМО-Пресс, 2001. — 384 с. (Серия «Голос сердца»).

ISBN 5-04-007659-2

Джо Беннет давно дала себе слово — никогда не смешивать дела и удовольствия. Но вот на горизонте девушки появляется неотразимый Алекс Грант, в котором она узнает кумира своей юности — рок-певца Дэнни Форта, по необъяснимым причинам исчезнувшего в свое время с небосклона шоу-бизнеса. Сможет ли Джо противостоять искушению? Ведь Алекс — мужчина, о котором она мечтала всю жизнь!(«*Спуститься с небес*»)

«Как убедить Джоша, что я его люблю?» — тщетно спрашивает себя Марта. Джош Смит, пострадавший в автокатастрофе, уверен, что Мартой движет не любовь, а жалость, и безрассудно отталкивает от себя горячо любимую женщину.

Немало времени требуется влюбленным, чтобы разобраться в собственных чувствах и преодолеть стену непонимания...(«*Приглашение к счастью*»)

УДК 820(73)
ББК 84(7 США)

ISBN 5-04-007659-2

Спуститься с небес

Роман

Глава 1

— Джо, тебя опять спрашивает этот мужчина!

Джозефина Беннет подняла глаза от стопки счетов, которые ей предстояло просмотреть. Она как раз размышляла над тем, что, судя по ним, фирма «Гринскейпс инкорпорейтед» стоит на пороге больших дел. Столько работы! Новые торговые комплексы, рестораны, жилые кварталы, новые предприятия всех типов, размеров и назначений... и всем нужны профессиональные услуги озеленителей.

Это же просто чудо! Даже ее отец, всегда свято веривший в будущее «натуральных украшений», как он это называл, удивился бы такому успеху своей компании, возглавляемой теперь его дочерью. Он наверняка гордился бы ею!

Кларк Беннет умер два года назад, но Джо по-прежнему так не хватало его — и как руководителя, и как нежного, заботливого отца, которого она любила всем сердцем. Вздохнув, Джо повернулась к секретарше, терпеливо ожидавшей в дверях ее ответа.

— Извини, Мардж. Что ты сказала? Я задумалась и не слышала.

— Снова звонит этот мужчина, Алекс Грант. Он звонит уже в пятый раз. Я все время говорю, что тебя нет на месте или что ты занята, и каждый раз мистер Грант злится все больше и больше. Сейчас он уже почти рычит.

Джо сложила счета в стопку и отодвинула ее на край стола.

— Что у него за дело, не знаешь?

— Понятия не имею. Он настаивает на том, что должен обсудить это с тобой лично.

Джо очень хотелось попросить Мардж как-нибудь придержать нетерпеливого Алекса Гранта до завтра. Сегодня был тяжелый день, и оставалось еще столько дел, что вряд ли удастся покинуть питомник до темна. Утром она принимала клиентов, которым захотелось осмотреть обширные владения фирмы. Затем у Джо был деловой ленч в расположенном неподалеку городке Брэдентоне с клиентами, открывающими большой мексиканский ресторан. Им нужны были экзотические растения для интерьера испанского дворика. Если Джо уложится в их смету, ее фирма будет обслуживать также другие заведения, которые вскоре намерена открыть та же компания. Потому Джо постаралась как следует и была почти уверена, что от рестораторов последует звонок, подтверждающий их заказ.

Ленч затянулся, и Джо вернулась в свой офис в разгар дня. Она немедленно занялась разборкой бумаг, накопившихся на столе, и как раз начала вникать в суть дела. Сейчас был не самый удачный момент для ответа на звонок этого незнакомого, но, судя по всему, очень сердитого Алекса Гранта.

— Как, ты сказала, его имя, Мардж?

— Алекс Грант.

Джо не могла вспомнить среди своих знакомых человека с таким именем.

Поморщившись, она подумала, что нет смысла откладывать объяснения с рассерженным мужчиной.

— Скажи мистеру Гранту, что я отвечу на его звонок через две минуты, — решилась Джо, затем добавила с невеселой улыбкой: — Дай мне время отшлифовать любезный тон, хорошо?

Мардж согласно кивнула и вернулась за свой стол. Две минуты спустя, когда Джо здоровалась с человеком на другом конце провода, тон ее был безупречно выверен. Чуть виноватый, но не слишком. Немного резкий, но в меру. Любезный, с интересом к потенциальному клиенту, но в то же время ясно дающий понять, что его собеседница слишком занята, чтобы вникать в проблемы, которые ее не касаются. Если этот мужчина — клиент, тогда совсем другое дело. Проблемы клиентов всегда становятся ее проблемами. Итак...

— Мистер Грант? Извините, что заставила вас ждать...

В телефонной трубке невозможно услышать гром, и

тишина не всегда кажется зловещей. А затаенное напряжение не ведет к тому, что сердце начинает биться сильнее от беспокойства. Почему же тогда Джо показалось вдруг, что она слышит в трубке зловещую тишину, сквозь которую прорываются раскаты грома, и чувствует себя так, словно ее опутала паутина беспокойства, тонкие нити которой обвивают ее все крепче?

— Мистер Грант? — повторила она.

— Я действительно наконец-то говорю с мисс Беннет?

Глубокий, чуть хрипловатый голос был полон сарказма. Джо поборола желание ответить что-нибудь резкое и любезно произнесла:

— Да, это действительно мисс Беннет.

— А я уже начал сомневаться в вашем существовании. Мне показалось, что вы — что-то вроде логотипа фирмы.

— Что?

— Ну, вроде Бетти Крокер, тетушки Джемаймы... Продолжить список?

— Не думаю, что в этом есть необходимость, — невозмутимо ответила Джо. — Как я уже сказала, мне жаль, что вам не удалось связаться со мной раньше. Может быть, вы сообщите о цели своего звонка?

— С восторгом, — теперь голос его казался подозрительно вежливым. — Честно говоря, я специально отложил вылет, чтобы лично объяснить вам, почему я потратил столько времени, пытаясь связаться с вами, мисс Беннет. Садитесь-ка в машину и приезжайте ко мне в офис. То, что вы увидите, наверняка сделает ситуацию предельно ясной.

— Сейчас уже довольно поздно, мистер Грант, — терпеливо произнесла Джо. — К тому же я понятия не имею, где находится ваш офис. Но даже если бы имела, у меня просто нет времени мчаться туда по первому зову. Кстати, завтра у меня также весьма напряженное расписание.

— Расписание можно пересмотреть, мисс Беннет, — проинформировал ее хриплый голос. — Вы не были в последнее время в торговом центре «Мимоза»?

— Торговый центр «Мимоза» откроют не раньше чем

через неделю, — в голосе Джо начинало проскальзывать раздражение.

— Совершенно верно. Но «Гринскейпс» поставила в «Мимозу» растения. Ваша фирма, так сказать, разработала и осуществила проект внутреннего озеленения комплекса, и, согласно контракту, вы должны поддерживать жизнедеятельность посаженных вами растений. Я не ошибся?

— Нет. — Позже Джо спрашивала себя, почему именно в этот момент у нее в мозгу не зазвучал сигнал тревоги.

— Тогда, — продолжал Алекс Грант, — позвольте мне снова предложить вам как можно скорее приехать в мой офис. Думаю, название моей компании покажется вам более знакомым, чем мое имя. «Моллз интернэшенэл». Вы ведь слышали о нас?

Трудно было представить себе более саркастическую реплику. Джо почувствовала предательскую слабость в коленях. Алекс Грант оказался одним из важнейших на данный момент клиентов «Гринскейпс», к тому же новым клиентом, доверие которого еще предстояло завоевать! Джо мысленно обругала себя за то, что не вспомнила фамилию Грант. Но имя Алекс Грант действительно ничего для нее не значило. Президента «Моллз интернэшенэл», которого она никогда не видела, звали, судя по документам, Дэнфорт А.Грант.

Когда с этим клиентом подписывался договор, Джо открывала филиал фирмы в Майами, который должен был обслуживать побережье Флориды. Все переговоры с «Моллз» вел ее кузен Тим. А от имени клиента действовал представитель, а не президент. Джо очень захотелось, чтобы Тим, который работал теперь директором филиала в Майами, был сейчас здесь и сам разобрался с этим клиентом.

Соглашаясь встретиться с Алексом Грантом в «Моллз», как только она сможет туда добраться, Джо продолжала спрашивать себя, что же могло пойти наперекосяк. Она лично проверила работу в «Мимозе» несколько дней назад, когда завезли и установили растения. Помещение комплекса было огромным, от Джо и ее сотрудников потребовалось огромное мастерство, чтобы добиться эффекта изобилия тропической зелени, которого требовал клиент.

Джо припомнила, что Дэнфорт Грант был в то время в Италии, где открывал новый торговый комплекс неподалеку от Рима. И почему он там не остался!

Торговый комплекс «Мимоза» располагался по обе стороны границы между Сарасотой и Брэдентоном. Пресса совершенно справедливо называла его крупнейшим торговым комплексом на побережье Флориды. Его площадь составляла около ста тридцати акров, на которых располагалось пять огромных магазинов, сто шестьдесят кафе и магазинчиков поменьше. Архитектура в византийском стиле, огромный стеклянный купол над центральной пешеходной аллеей с внутренним парком и дюжиной кафе «под открытым небом». От парка, подобно спицам колеса, отходили узкие переходы, каждый из которых заканчивался «уникальным в своем роде» бутиком. Боковые сектора называли «базарами», каждому было дано название в стиле знаменитых арабских сказок Шехерезады.

Снаружи комплекс был отделан в пастельных тонах — бежевым, розовым, зеленым и бирюзовым, — вместе все это выглядело просто восхитительно. Когда Джо последний раз видела комплекс, она была просто в восторге от этого проекта. И справедливо считала, что ее фирма внесла свою лепту в его удачную реализацию. Внутренний сад под стеклянным куполом был самым прекрасным оазисом, какой только может померещиться усталому путнику, бредущему по пустыне.

Вспоминая свой последний визит, Джо вступила под купол центральной ротонды... и застыла на месте, пораженная увиденным.

Все было по-прежнему идеально — кроме сада. Перед Джо стояли деревья с опущенными ветками, желтеющие растения и опадающие кусты. Словно ударили вдруг неожиданные заморозки, нарушив тщательно продуманный людьми температурный режим. Ничего похожего на оазис, где мечтает отдохнуть усталый погонщик верблюдов.

Наблюдая крах усилий своей компании, Джо внутренне содрогнулась. Будь она трусихой, она бы тут же повернулась и убежала. Но спасаться бегством было не в ее стиле. Как в личных, так и в профессиональных делах Джо предпочитала не уклоняться от ответственности. Тем не менее мысль о неизбежной встрече с Алексом Грантом вдруг показалась ей особенно отвратительной.

Джо расправила плечи, пытаясь одновременно собраться с мыслями. И тут она заметила мужчину, наблюдавшего за ней из-под навеса одного из кафе. Джо тут же поняла, что ей не придется далеко ходить в поисках владельца торгового комплекса.

Мужчина медленно приблизился к ней. Джо старалась казаться спокойной. Она была немного близорука — за рулем и в кино надевала очки, — поэтому Гранту пришлось подойти довольно близко, прежде чем она смогла отчетливо его разглядеть.

А разглядев его, она снова задержала дыхание, словно пораженная громом. Прошло немало лет — около двенадцати, быстро подсчитала в уме Джо, — и стоящий перед ней мужчина, несомненно, выглядел старше. Теперь он носил элегантный деловой костюм, а не джинсы и футболку. Не было и бус на шее. Наверное, мало кто из тогдашних поклонников этого человека узнал бы его сейчас. Но Джо не могла ошибиться. Ведь она была безумно влюблена в него когда-то.

Дэнни Форт. Он был известен под этим именем, когда Джо заканчивала школу. К сожалению, кумир любителей рок-н-ролла никогда не приезжал в Сарасоту, и Джо не довелось увидеть его на концерте. Приходилось довольствоваться клипами и фильмами с его участием, проводя каждую субботу именно в том кинотеатре, где показывали Дэнни Форта, на которого можно было мечтательно глядеть сквозь стекла очков в роговой оправе.

Изрядную часть своих карманных денег она тратила на альбомы Дэнни. У нее и сейчас сохранились эти альбомы. Она нашла их год назад, когда переоборудовала свой дом с окнами на залив Сарасота в дополнительное помещение для офиса — уж очень тоскливо было жить там одной после смерти отца. Теперь альбомы пылились на полке в чулане.

Прошли годы с тех пор, как она последний раз слушала песни Дэнни Форта, да и с тех пор, как он исчез со сцены, как неизбежно исчезают с небосклона даже самые яркие звезды. Она давно уже не слышала об этом человеке и, увидев его сейчас, невольно отступила на шаг назад. Джо никогда не думала, что Дэнни такой высокий. Он возвышался над ней подобно огромной башне, но девушка могла бы поспорить, что в этом огромном теле нет ни грамма лишнего жира. У стоявшего перед ней человека была фигура атлета.

— Мисс Беннет? — спросил он. — Я — Алекс Грант. — Хриплый голос казался теперь совсем другим.

Это только подогрело любопытство Джо. Какое-то смутное воспоминание на задворках памяти тревожило ее, но она никак не могла вспомнить, какое именно.

«Вспомню потом», — пообещала себе Джо, мысленно захлопывая дверь в прошлое и поворачиваясь лицом к настоящему.

Она снова окинула взглядом ротонду. Потом поглядела стоящему перед ней мужчине прямо в глаза и произнесла:

— Честно говоря, я даже не знаю, что вам сказать. Не могу понять, что здесь произошло. Эти растения находятся здесь всего три недели. Я проверила. Ими занимались в прошлый понедельник и завтра должны заняться снова.

— Думаю, — сказал на это Алекс Грант, — здесь больше подойдет слово «заменить».

Джо не видела смысла спорить с его оценкой. Большинство кустов и деревьев действительно придется заменить. Ей оставалось только надеяться, что удастся вернуть им жизнь в питомнике. Иначе фирма понесет чудовищные денежные потери. Но самым разрушительным для «Гринскейпс» была бы потеря репутации.

— Это только начало, — пообещал Грант, бросая взгляд поверх головы Джо в сторону одного из коридоров, — пройдемся?

— Видимо, придется, — с неохотой согласилась Джо.

Она едва поспевала за широко шагающим Грантом. В ней было пять футов пять дюймов[1], но рядом с этим человеком она чувствовала себя просто крошечной. Он подавлял ее, а может, просто раздражал. Джо несказанно удивилась тому, что можно, оказывается, невзлюбить с первой встречи человека, которым ты когда-то так восхищалась.

Она не заметила в нем никакого особого обаяния, которое помнила по прежним годам. Теперь этого человека интересовал только бизнес. Что ж, тем лучше для нее. Профессиональные качества выступили на первый план, заслонив собой волнение от встречи с воспоминаниями.

Что-то продолжало беспокоить ее. Что-то, чего она не могла высказать словами. Джо наморщила нос, словно действительно чувствовала в воздухе запах беды, но тут же поняла, что дело не в том, что чувствует ее нос, а в том, что видят глаза.

Они остановились во внутреннем дворике, возле фонтана, брызги которого падали в красиво выложенный мозаикой бассейн. В прошлый визит у Джо захватило дух от красоты этого места. Теперь же фонтан едва струился.

Но почему?

И тут Джо вдруг неожиданно открылся ответ. Он был так прост и ясен. И как она не поняла сразу?! Джо повернулась к Гранту, испепеляя его взглядом.

Хозяин комплекса стоял всего в нескольких шагах от нее, так близко, что, повернувшись, девушка чуть не наткнулась на него. Она тут же подалась назад, карие глаза ее сердито сузились.

— Освещение! Вот в чем дело! Что вы с ним сделали?

Прежде чем Грант успел ответить, Джо подняла голову и поглядела на купол. Прищурившись, она достала из сумочки очки, надела их и снова посмотрела вверх.

— Так я и думала! — воскликнула она. — Вы закрыли все световые проемы!

— Не закрыли, — поправил ее Алекс Грант, — а покрасили.

---

[1] Соответственно 1 м 63 см.

— Покрасили?! — в голосе Джо звучал неподдельный ужас.

— Именно так, мисс Беннет, — кивнул он, а затем добавил с невинным видом: — Что-то не так?

Джо сняла очки, слишком разгневанная, чтобы произнести хоть слово. Она подошла к ближайшей группе растений и осторожно потрогала листья. Несколько из них оторвались от стеблей и слетели на землю.

Затем Джо повернулась, и Алексу Гранту захотелось поежиться под взглядом ее мечущих молнии карих глаз.

Он никогда не испытывал ничего подобного. Алекс удивленно смотрел на Джозефину Беннет, пораженный своей реакцией на эту девушку. С того момента, когда он увидел сегодня утром пожухлые, вянущие растения, он относился к мисс Беннет достаточно враждебно. Теперь же Алекс чувствовал, как неприязнь его испаряется.

Девушка была хорошенькой. Когда она повернулась к растениям, Алекс воспользовался этим, чтобы изучить ее повнимательнее. Джозефина была ниже его, но вовсе не казалась малышкой. Ее трудно было назвать смазливой. Скорее Джозефина Беннет обладала глубокой и долговечной красотой, которая сильнее проявляется с возрастом, когда женщина становится более зрелой. И еще в ней была какая-то неявная, но отчетливая сексуальность. Наверное, мисс Беннет даже не подозревала, насколько соблазнительно она выглядит, особенно когда напускает на себя деловой вид.

Алексу понравился ее маленький аккуратный носик, изящно очерченные скулы, полные чувственные губы, спускавшиеся до плеч волосы цвета янтаря — и при этом темные выразительные глаза. Но было еще что-то, чего он не мог объяснить словами, что подогревало его интерес.

Ей было около тридцати. На несколько лет моложе его. Слишком молода, чтобы управлять одной из ведущих компаний, занимающихся озеленением во Флориде.

Она все еще не сказала ему, почему нельзя было покрасить многочисленные световые проемы купола. На взгляд Гранта, это делало интерьер комплекса еще симпатичнее.

— Так почему их нельзя было красить? — спросил он.

Джо глядела на него так, словно усомнилась вдруг в его нормальности.

— Неужели вы действительно не понимаете, что, закрасив проемы, лишили растения драгоценного света, необходимого для их жизни? — Она снова огляделась вокруг, недоуменно качая головой. — Результат вы видите сами, мистер Грант. Большинство этих растений требуют яркого света. Естественного или искусственного — неважно. Его должно быть столько же, сколько получали бы эти растения под открытым небом. Два главных условия роста — свет и вода. Эти растения выглядят так, словно им не хватало света. И это не могло произойти по вине моей компании. Какую краску вы использовали?

— Я могу узнать поточнее, — пробормотал Алекс. — Я сказал своему менеджеру... Крейгу Фрэни, вы ведь знаете его...

— Да, мы знакомы.

— Так вот, я объяснил Крейгу, какого эффекта мне хотелось бы добиться, а уже он разговаривал с малярами. Это было перед моим отъездом в Италию, с месяц назад. Наверное, до покраски дело дошло уже после того, как ваши люди привезли и установили растения.

— Разумеется! Иначе мы просто не стали бы их высаживать!

— Мисс Беннет!

— Да?

Алексу Гранту давно уже не приходилось приносить кому-либо свои извинения. Он вел бизнес очень осторожно, не допуская ошибок и не давая совершать их другим. Что же касается личных дел...

Алекс приказал себе не думать об этом.

— Мисс Беннет, — снова произнес он.

— Мистер Грант, — подчеркнуто вежливо ответила Джо.

— Я понимаю, что напрасно набросился на вас, — признался Алекс, хотя стоявшая перед ним девушка не могла понять, насколько тяжело ему давались эти слова. — И... я извиняюсь. Я не имел права делать столь поспешные выводы.

— Это вполне понятно, — сказала Джо. — Я не узнала

сначала вашего имени, но, когда вы объяснили, кто вы, я вспомнила все статьи об удачливом бизнесмене Дэнфорте Гранте.

В уголках рта Алекса появилась улыбка.

— Нельзя верить всему, что читаешь, мисс Беннет, — сказал он.

Джо заметила улыбку, и ее снова охватили воспоминания. На экране его полуулыбка была просто неподражаема. А эти серые глаза...

В голове ее роилось множество вопросов. Конечно, все звезды меркнут. Но сейчас, по прошествии времени, казалось, что Дэнни Форт сошел со сцены намного быстрее, чем другие. Она потеряла его след, учась в колледже и увлеченно занимаясь изучением патологии растений. Затем Джо снова обратила свои взоры к миру развлечений, но на его небосклоне сияли уже другие звезды. Честно говоря, в то время она не часто думала о Дэнни Форте. Он стал частью ее детства, так же как огромные пузыри из жевательной резинки, ужасное красное вино на школьных вечеринках, джинсы по последней моде... а также наивное доверие ко всему.

Как все самое важное в жизни, подумала Джо. Дом, семья, любовь.

Она рано узнала цену доверию и наивности. Задолго до того, как стала взрослой. Ей было всего восемь, когда погиб во Вьетнаме ее брат Боб. Если бы не это, кто знает, что бы из нее получилось. Может, она стала бы балериной. Или актрисой. Археологом. Она много мечтала в детстве о старинных склепах, хранящих в себе несметные сокровища.

Но после гибели Боба Джо точно знала, кем станет. Ей предстояло продолжить дело отца и брата — она будет управлять «Гринскейпс». Лишь однажды она свернула с намеченного пути. Вскоре после выпуска Джо сбежала с Джимом Лансингом, футбольной звездой своего класса. Они доехали до Алабамы, чтобы пожениться. Как ни странно, именно родители Джима, а не ее, настояли на том, чтобы брак был аннулирован.

Больше всего Лансингов волновало, не окажется ли Джо беременной. Она до сих пор сомневалась, как повели бы себя эти люди, если бы их подозрения подтвердились...

— Мисс Беннет? — отвлек ее от воспоминаний голос Алекса.

Джо попыталась сосредоточиться на настоящем.

— Извините... Я задумалась... обо всем этом.

Взгляд ее снова скользнул по погубленным растениям и остановился на стоящем рядом мужчине. Он наверняка пользуется услугами личного лондонского портного. Светло-серый костюм сидел безукоризненно. И еще у него был отличный парикмахер, который знал, как следует уложить эти непослушные темные волосы, чтобы прическа выглядела аккуратной. Джо вспомнила, что во времена сценической карьеры он носил волосы до плеч, торчавшие во все стороны.

Сейчас он вежливо смотрел на Джо, ожидая, что она скажет. Джо взглянула в его глаза, казавшиеся в зависимости от освещения то голубыми, то серыми. И вдруг подумала о том, что этот человек может оказаться очень сильным противником.

Он прошел огонь, воду и медные трубы и сейчас наверняка крепче любой стали.

— Я думаю, — осторожно начала она, — что ответственность за все это лежит на вас, мистер Грант.

В глазах Алекса мелькнуло что-то похожее на восхищение, но Джо тут же сказала себе, что не стоит толковать это в свою пользу. Она ждала ответа и едва смогла подавить изумление, когда Грант сказал:

— Может быть, вы сможете что-то исправить?

Наверное, все дело было в том, что он стоял так близко. Джо чувствовала исходивший от него свежий запах — смесь мыла и лосьона после бритья. Или во всем был виноват его настойчивый взгляд, говоривший о том, что Грант с нетерпением ждет ее ответа? Или воспоминания о юности? Но Джо тут же поняла, что недооценила опасного обаяния этого человека. Как бы там ни было, неожиданно она почувствовала, как все тело ее задрожало от прилива чувственности.

Она овладела собой и почти спокойным голосом произнесла:

— Как я уже говорила, всем растениям необходим свет. Много света. Закрасив световые проемы, вы лишили их источника света. Неужели вам не пришло в голову, что ваш архитектор не случайно запланировал в конструкции купола столько стекла? Это было сделано именно для того, чтобы обеспечить жизнь вашим маленьким оазисам.

— Наверное, это так, — кивнул Алекс.

— И что же теперь?

Нахмурившись, Алекс пояснил:

— Я ведь тоже неспроста велел закрасить стеклянные проемы. Это было необходимо для решения проблемы.

— Какой проблемы?

— Когда я приехал сюда месяц назад, был полдень, и солнце, проникавшее внутрь ротонды, чуть не ослепило меня. Лучи его били прямо в глаза. Это не понравилось мне, и я подумал, что это не понравится также покупателям. Тогда я подумал, что тонкий слой краски сделает освещение более приемлемым. И людям будет удобнее прогуливаться здесь. — Алекс Грант сделал паузу и сокрушенно покачал головой. Затем, к удивлению Джо, он снова одарил ее своей знаменитой полуулыбкой. — Итак, — закончил он с неотразимой простотой, — кажется, я сел в лужу.

Глава 2

Джо была настолько зачарована близостью Алекса Гранта, что не нашлась сразу, что ему ответить. Улыбка этого человека словно возвращала ее в детство. А уж искреннее признание в собственной неправоте — последнее, что она ожидала услышать от владельца «Моллз интернэшенл».

Она с неохотой призналась себе, что мужчина, с такой легкостью признавший свою ошибку, не может быть твердым и несгибаемым, как подобает добившемуся успеха бизнесмену. Кажется, она поторопилась с выводами. Конечно, ему не занимать твердости. Но расположение, которое испытывала к нему Джо, наводило на мысль о том, что наряду с твердостью человек этот обладает и куда более приятными качествами.

От взгляда Алекса Джо овладело беспокойство. Наверное, все дело в освещении, но глаза его казались удивительно теплыми.

— Кажется, мы оба сели в лужу, — с сомнением произнесла Джо. — Прежде чем приехать сюда, я просмотрела записи. Неудивительно, что в первый раз человек, ухаживающий за вашими растениями, ничего не заметил. Но во второй раз он должен был понять, что растения развиваются не так, как им положено.

Подумав об этом, Джо нахмурилась. Бригаду, отвечавшую за растения в «Мимозе», возглавлял Лен Фарадей. Она всегда безоговорочно доверяла этому человеку. Лен занимался озеленением многие годы и работал в «Гринскейпс» почти со дня основания фирмы. Она не могла даже представить себе, чтобы Лен упустил какие-то детали, касавшиеся столь важного проекта.

Снова посмотрев на увядающие растения, Джо поморщилась.

— Независимо от того, кто виноват, — сказала она, — это ужасно и мы должны все немедленно исправить. Но есть одно условие.

— Какое же? — поинтересовался Алекс.

— Надо удалить краску со световых проемов. Иначе все повторится снова.

Сложив руки на груди, Алекс Грант обдумывал ее слова.

— Не хочу показаться упрямым, — сказал он после долгой паузы, — но мне не хотелось бы этого делать. Солнечный свет кажется чересчур назойливым.

— Вы ведь были здесь до того, как посадили растения, — напомнила ему Джо. — Обилие листьев смягчает резкость солнечных лучей, даже самых ярких. Уверяю вас. Я сама проверила работу в день высадки растений и вернулась на следующий день, чтобы посмотреть еще раз. Погода была ясной, и казалось, что я гуляю по мокрому от дождя лесу, в который уже проникли солнечные лучи. Здесь было так красиво! — Лукаво улыбнувшись Гранту, девушка добавила: — И мне не пришлось даже надевать солнечные очки.

Он не улыбнулся в ответ и не сразу ответил Джо. Вместо этого, закинув голову, Алекс стал разглядывать купол.

— Мы должны обсудить это, — произнес он наконец. — Но дело в том, что у меня нет офиса в этом торговом комплексе, мисс Беннет. Штаб-квартира нашей компании находится в Нью-Йорке. Большую часть времени я провожу там. Однако мне приходится постоянно путешествовать по разным филиалам фирмы. И для деловых свиданий я использую обычно офисы главных менеджеров филиалов. В данном случае, кабинет Крейга Фрэни. Сейчас мы можем поговорить там. Хотя Крейгу и без того уже не по себе от всего происходящего.

— В этом ведь нет его вины, — чисто автоматически произнесла Джо.

— Я знаю, но он смотрит на все несколько иначе. — И снова мелькнула его неотразимая полуулыбка. — Наверное, я слишком сурово отчитал его, — признался Алекс. — Когда я пришел сюда сегодня утром... я был в шоке. Если бы кто-то преднамеренно захотел нам навредить, трудно было бы изобрести лучший способ. И я буквально набросился на Крейга. Мне казалось, что он должен немедленно исправить сложившуюся ситуацию. А теперь я вспоминаю: он ведь говорил, что некоторые растения, кажется, увядают.

— А он звонил в питомник?

— Да. Крейг говорил с Леном Фарадеем. Ведь это он отвечает за растения?

— Да.

— Я не могу процитировать дословно, что ответил Крейгу ваш человек, но смысл сводился к тому, что это временные недостатки, которые несложно будет исправить. Судя по всему, мистер Фарадей не заметил ничего особенного во время своего визита на прошлой неделе. Он обещал приехать со своими людьми завтра и позаботиться обо всем. И Крейг согласился с этим. А я нет.

Джо посочувствовала про себя Крейгу Фрэни. Они встречались несколько раз, чтобы обсудить дизайн оазисов и скоординировать озеленение с остальными стадиями отделки. Крейг был милым и сговорчивым человеком средних лет. Весьма компетентным и опытным в своей работе. Но сейчас она подумала, что Крейгу было далеко до владельца «Моллз интернэшенэл».

— В общем, — продолжал Алекс, — мне кажется, нам лучше поговорить где-то в другом месте.

— Если хотите, можно использовать мой кабинет, — предложила Джо. — Ла-Флорес всего в двадцати минутах езды отсюда.

Алекс Грант посмотрел на золотые часы на запястье:

— А как насчет коктейля в тихой непринужденной обстановке? Сейчас самое время для коктейля.

Джо собралась напомнить, как трудно найти тихое место на побережье Флориды в середине марта. Это пик туристического сезона, и все клубы и рестораны, которые приходили ей на ум, наверняка полны народу. Джо попыталась вспомнить место поспокойнее, но, прежде чем она успела хоть что-нибудь предложить, Алекс произнес как ни в чем не бывало:

— У меня номер во «Флоридиане». Почему бы не пойти туда?

Джо заколебалась. «Флоридиана» — новый отель в нижней Сарасоте, построенный прямо напротив гавани. Джо как-то обедала там с друзьями, и отель показался ей слишком вычурным — обилие розового, слишком много пальм, слишком много керамических фламинго, вымученный тропический пейзаж. Там не хватало только собственной отполированной луны, прилепленной к пластиковому небу.

Джо была несколько удивлена тем, что Алекс Грант остановился во «Флоридиане». Впрочем, это проливало свет на еще одну сторону его характера. Может быть, ему нравятся искусственные пейзажи, которыми изобилует жизнь удачливых бизнесменов.

— Так уж случилось, — пояснил Алекс, словно прочитав ее мысли, — что я вложил деньги в этот отель. Увидев его вчера, я пожалел об этом. Хотя, должен признаться, отель наверняка принесет доход.

Джо улыбнулась.

— Думаю, — сказала она, — нам лучше пойти в одно небольшое уютное заведение, о котором я только что вспомнила. Это примерно в пяти милях отсюда, в районе, который знают не все туристы. Так что у нас есть шанс найти там свободный столик.

— Как пожелаете, — согласился Алекс. — Ведите — я следую за вами.

Джо отметила про себя, что у Алекса простенькая машина, наверняка взятая напрокат. И это снова удивило ее. Она ожидала увидеть что-нибудь более шикарное или хотя бы более дорогое. Может быть, «Порше» или «Мерседес», думала она, осторожно двигаясь среди оживленного потока транспорта. Но с каждой милей Джо становилось все труднее сосредоточиться на дороге. Она думала о мужчине, сидящем за рулем следовавшей за ней машины.

Если бы не полуулыбка и не обезоруживающее признание, что он сел в лужу, Джо сочла бы Алекса Гранта весьма привлекательным, но чересчур банальным образом богатого и удачливого бизнесмена. Именно таким он и выглядел. Она могла представить его путешествующим по стране в собственном самолете, иногда, когда есть настроение, даже сидящим за штурвалом. Или устраивающим светские приемы, на которых хозяйничает безукоризненная во всех отношениях жена. Она ясно видела его на международных конференциях бизнесменов. Этот человек должен был преуспевать во всем — от тенниса до смешивания мартини. И наверняка делал он все это с неизменной грацией, мастерством и уверенностью в себе. Но все это была лишь игра, вроде той, что вел когда-то Дэнни Форт. Жизнь на сцене.

Джо всегда считала, что у людей типа Дэнфорта А.Гранта в голове калькулятор, а вместо сердца — компьютер. Но его обаятельная улыбка и откровенное признание не соответствовали этому образу.

Они припарковали машины на стоянке перед выбранным Джо небольшим клубом. Она надеялась, что в это время здесь еще не очень много народу, и оказалась права. Они нашли в углу свободную кабинку, и Алекс заказал бурбон, а Джо отдала предпочтение розовому вину. Тихо

играла музыка, освещение было чуть притушено. Слиш
ком поздно Джо подумала, что надо было выбрать заведе
ние с менее интимной обстановкой. Здесь оказалось та
мило, что нетрудно было забыть об истинной цели и
приезда.

— Кстати, о растениях, — начала Джо, твердо намере
ваясь свести разговор к обсуждению дел, пока Алекс н
увел разговор в сторону.

Алекс усмехнулся.

— Ну хорошо, — сказал он. — Когда Крейг Фрэни по
казал мне контракт с вашей фирмой, я заметил, что ег
подписал некто Дж. А.Беннет, президент. Я предполо
жил, как нечто само собой разумеющееся, что вы — муж
чина. И еще больше уверился в этом, когда услышал, чт
вас называют Джо Беннет. И только когда ваша секретар
ша повторила мне несколько раз, что мисс Беннет не мо
жет со мной говорить, я осознал свою ошибку.

— Что ж, многие ошибаются точно так.

— Итак, Джо — это сокращенно от Джозефины?

— Да, — кивнула девушка. — И — я скажу сама
прежде чем вы успеете спросить — «А» означает Анже
ла. — Она пригубила вина из бокала. — Что ж, раз уж мы
обсуждаем имена...

— И что же?

— Вы ведь не назвались Дэнфортом А. Грантом
Иначе моя секретарша сразу бы поняла, с кем говорит.

— И тогда бы вы подошли к телефону скорее?

— Боюсь, что нет, — честно призналась Джо. — Мен
действительно не было в офисе, когда вы звонили. Но
тогда я хотя бы поняла, что вы звоните по важному делу
И вся дрожала бы от страха, — поддразнила его девушка.

— Я вовсе не люблю, чтобы люди дрожали передо
мной от страха, Джо.

Алекс как ни в чем не бывало назвал ее по имени, но
сердце Джо вдруг учащенно забилось. Трудно было пове
рить, что она действительно сидит напротив кумира сво
ей юности в обстановке, о которой не могла бы тогда да
же мечтать.

— Иногда, — отрывисто произнес Алекс, — я устраиваю бурю независимо от своего желания, а потом спохватываюсь. Но специально я никогда никого не пугаю.

— Придется поверить на слово. — Джо быстро пригубила вино, вдруг почувствовав, как у нее пересохло в горле.

— Позвольте задать вам один вопрос, — продолжал Алекс. — Вы действительно являетесь владельцем «Гринскейпс инкорпорейтед»? Или пост президента — чисто представительский?

От этого вопроса Джо почему-то стало не по себе, хотя причин для этого не было. Прежде чем она успела ответить, Алекс произнес:

— Если так, то это замечательная стратегия.

— Спасибо за комплимент, мистер Грант, — холодно ответила Джо. — Но я вовсе не представительская фигура.

— Пожалуйста, называйте меня Алекс, — попросил он.

— Хорошо, Алекс. Так вы что же — хотите услышать историю нашей компании?

— Хочу...

— Хорошо. Мой отец основал «Гринскейпс» двадцать пять лет назад. Сначала это была небольшая фирма, но потом мы стали одной из самых крупных компаний, занимающихся озеленением во Флориде. Пока еще не самой большой, но мы продолжаем активно расширяться. Мой отец несколько лет болел, а два года назад умер, так что мне пришлось принять на себя руководство фирмой гораздо раньше, чем это случилось бы при других обстоятельствах. Но отец оставался президентом до самой своей смерти. А потом я заняла эту должность. У нас есть несколько верных фирме сотрудников и превосходный совет директоров. Мой кузен Тим — первый вице-президент. Сейчас он руководит только что открывшимся филиалом в Майами. У нас также весьма компетентные руководители филиалов в Тампе, Санкт-Петербурге[1], Клиаутере, Форт-Майерс и Неаполе. Если не считать Майами, мы не освоили пока Восточное побережье. Но

---

[1] Имеются в виду города США.

мы изучили ситуацию на рынке, и я думаю, вскоре откроем свои офисы в Вест-Палм-Бич, Дейтона-Бич и Джексонвилле. Вы получили ответ на свой вопрос? — спросила Джо, выдержав паузу.

На этот раз обаятельная улыбка Алекса показалась ей не слишком веселой.

— Да. И вы здорово поставили меня на место. Впрочем, я вовсе не хотел принизить ваше положение, задав свой вопрос. А получилось именно так. Я честно хотел сделать комплимент хорошо проделанной работе. — Джо ничего не ответила, и Алекс продолжал: — Я понимаю, что значит добиться успеха в современном деловом мире, полном кровожадных конкурентов. Поэтому я готов искренне поздравить вас. Конечно же, мне хорошо известна репутация «Гринскейпс», иначе мы не обратились бы к вам с предложением украсить торговый комплекс. Именно поэтому я был в таком шоке, когда пришел туда сегодня утром. — Джо хотела было перебить его, но Алекс знаком попросил ее помолчать. — Не стоит снова искать виноватых. Сейчас важно решить, есть ли у нас время исправить ситуацию до официально объявленного открытия «Мимозы», которое должно пройти через неделю. Если времени недостаточно, я хотел бы услышать об этом сейчас. Я просто перенесу открытие, пока все не будет в порядке. Но хотелось бы немедленно сделать об этом заявления в прессе. Представьте себе пять тысяч машин, кружащих вокруг комплекса в поисках открытой двери!

— Представляю, — серьезно ответила Джо. — Мы можем управиться до объявленного вами числа — если вы прикажете счистить краску со световых проемов.

— Вы настаиваете на этом?

— Иначе я не стала бы предлагать. Завтра утром мы увезем отсюда все растения. Очень много времени ушло на фитодизайн. А зная точно, куда какое растение ставить, команда мистера Фарадея может посадить их дня за два-три. Но прежде чем сажать их на место, они изучат и удобрят должным образом почву. Как только пробы будут закончены, все пойдет быстрее. — Джо перевела дыхание. — Вас устраивает такой вариант?

— А сколько времени уйдет на пробы? — спросил Алекс.

— Самое большее — несколько часов.

— Вы уверены?

— У меня степень магистра патологии растений, Алекс. Я твердо уверена, что проблемы с растениями возникли из-за отсутствия света. Пробы почвы можно сделать прямо на месте. Я на девяносто девять процентов уверена, что они не нужны, но не стоит оставлять для риска даже один процент.

— Да, действительно, — согласился Алекс. — Я, со своей стороны, распоряжусь, чтобы завтра же наняли рабочих привести в первоначальное состояние купол. Крейг Фрэни все устроит.

Джо кивнула, затем спросила:

— Предположим, что, когда работа будет закончена, вы придете в «Мимозу» и вам снова ударит в глаза яркое солнце?

— Я прищурюсь и надену темные очки, — угрюмо произнес Алекс. Затем он вдруг рассмеялся. — Ну вот. Я уже признался, что был не прав. Трудно сдержаться, когда ожидаешь попасть в определенную атмосферу, а вместо этого... ну, вы знаете.

— Вы думали, что попадете в «Мимозе» в одну из арабских сказок, да?

— Что-то вроде этого.

— У вас будет ваша арабская сказка, — пообещала Джо. — Наберитесь терпения. А вы собираетесь присутствовать на открытии?

Просмотрев меню, Алекс предложил заказать начо.

— Звучит заманчиво, — откликнулась Джо.

Алекс кивнул официантке и сделал заказ. Только после этого он ответил наконец на вопрос Джо:

— Да, я собираюсь быть на открытии. Когда мне удается, я всегда присутствую на подобных церемониях. Это позволяет разглядеть и почувствовать местных потребителей. Когда нет возможности побывать на открытии самому, кто-нибудь из представителей компании делает для меня подробный отчет. На этот раз...

Джо вопросительно взглянула на Алекса.

— Завтра я улетаю в Нью-Йорк, но это всего на пару дней. Потом вернусь сюда, чтобы отдохнуть недельку. Я решил, что заслуживаю отдыха. Погреюсь на солнышке. А потом отправлюсь в Китай.

— В Китай? — удивилась Джо.

Алекс кивнул:

— Консультировать по поводу открытия большого торгового комплекса под Шанхаем. Я лично не участвую в этом проекте, но меня попросили провести там неделю в составе консультационной группы. — Он снова улыбнулся. — Честно говоря, я был очень польщен этим предложением. И я слишком большой эгоист, чтобы не ехать туда самому, а послать кого-нибудь из специалистов компании.

— Трудно винить вас в этом. — Переварив полученную информацию, Джо поняла вдруг, что хотела бы узнать об Алексе гораздо больше. Хотелось бы восполнить пробел между настоящим и теми годами, когда Алекс был рок-звездой. Ей не терпелось узнать, почему он оставил карьеру певца на гребне успеха. И как стал строить и открывать по всему миру торговые комплексы? Что происходит в его личной жизни? Какую кухню он предпочитает? Каким видом спорта занимается? Есть ли у него время на какое-нибудь хобби? Где он живет? Какая у него жена?..

Джо стало вдруг не по себе. Они с Алексом ели начо и болтали о расширении бизнеса по всему «солнечному побережью» Флориды, но она все время возвращалась мыслями к этому вопросу. Пожалуй, ей была неприятна мысль о том, что у Алекса есть жена.

Вскоре она обнаружила, что Дэнфорт Александр Грант был не только красивым мужчиной, но и весьма интересным собеседником. Джо чувствовала себя рядом с ним удивительно спокойно и в то же время весело. Это было странно, учитывая обстоятельства, которые заставили ее несколько часов назад встретиться с этим человеком. Слишком легко оказалось забыть, что он был одним из важнейших клиентов ее фирмы — а ведь Джо давно знала, что нельзя смешивать работу и удовольствия. Для нее это стало первым уроком в книге об успешном бизнесе.

Но с Алексом Грантом она почему-то чувствовала себя так, словно сегодня было их первое свидание. Легко было представить себе, что он позвонил ей сегодня не по делу, а просто чтобы предложить вместе отдохнуть. Иногда Джо звонили знакомые ее знакомых, которых она едва помнила, и предлагали повеселиться. Она соглашалась пойти с ними куда-нибудь выпить или пообедать. Но всякий раз это заканчивалось разочарованием. А с Алексом... пожалуй, если бы Алекс пригласил ее на свидание еще раз, она встретилась бы с ним...

Но у него наверняка хватит хорошего воспитания распрощаться с ней через пару часов, а в следующий раз они уже встретятся на открытии комплекса. Оставалось только надеяться, что в этот день у него будет повод поздравить ее с отлично проделанной работой по восстановлению оазиса. А потом Алекс улетит в Китай, и на этом их знакомство завершится.

Она чуть не вздрогнула, когда Алекс неожиданно спросил:

— Могу я рассчитывать на экскурсию по вашему питомнику, когда вернусь из Нью-Йорка?

— Конечно, — быстро ответила Джо. — Только дайте мне знать, когда вам будет удобно.

— В любое время, когда вы свободны.

Джо решила не говорить ему, что очень редко сама ходит с посетителями по питомнику. Хотя как раз сегодня утром она показывала свои владения хозяевам кинотеатра из Тампы. Но во время этой экскурсии они обсуждали, каким образом расширить один из кинотеатров, присоединив к нему «зеленое» кафе с экзотическими растениями, кофе по-восточному и разными десертами. Если идея окажется плодотворной, они сделают то же самое с еще тремя своими кинотеатрами.

Как правило, экскурсии по питомнику проводил кто-нибудь из персонала Джо. Но сейчас она быстро убедила себя, что должна проводить Алекса сама, потому что Дэнфорт Александр Грант, безусловно, куда более важный клиент, чем владельцы кинотеатра или рестораторы, с которыми она встречалась за ленчем. «Моллз интернэшенэл» — очень крупный клиент. И президент компании имеет право ждать от нее, что она лично покажет ему питомник.

— Мы назначим экскурсию на удобное для вас время, Джо, — продолжал Алекс. — В этот приезд у меня будет много свободного времени. Я не так часто позволяю себе отдых, так что хотелось бы как следует расслабиться и развлечься. Я уже был здесь несколько раз по делам, связанным с открытием «Мимозы», но у меня не нашлось времени исследовать как следует эту часть Флориды. Один раз я побывал на Сент-Армандз-Ки и Лидо-Бич, а во второй приезд — на Сиеста-Ки. Мне очень понравилось. Я даже подумываю, не купить ли там что-нибудь — небольшое бунгало, просто чтобы спрятаться иногда от суеты.

Сердце Джо вдруг учащенно забилось от одной мысли, что Алекс, возможно, будет приезжать сюда почаще.

— Итак, — продолжал Грант. — Если не считать встречи с агентом по продаже недвижимости и открытия «Мимозы», я буду практически свободен. И готов приехать осмотреть ваши владения в любое время. — Он подал знак, чтобы им принесли счет. — Я свяжусь с вами, как только вернусь.

— Хорошо, — медленно произнесла Джо.

Алекс, достававший из кармана кредитную карточку, не заметил выражения ее лица. Но от него не укрылось, что ответ ее прозвучал без особого энтузиазма.

А чего он, собственно, своими резкими нападками ожидал? Что она подпрыгнет от радости при мысли об очередной встрече с ним? Он наверняка произвел на Джозефину Беннет не лучшее впечатление. В общем, сначала и она не произвела на него особого впечатления. Но ему сразу понравилось, что девушка решительно вступила с ним в бой. Несмотря на то что он наверняка считался особо важным клиентом фирмы, которая могла потерять деньги на его недовольстве, Джо не побоялась отстаивать свое мнение.

Профессиональную честь Джо Беннет ставила выше прибыли. Алекс всегда уважал это качество в партнерах по бизнесу. Он вовсе не собирался приглашать ее выпить. Они вполне могли бы поговорить в офисе Крейга Фрэни. Но Алекс неожиданно почувствовал, что ему хочется получше узнать эту удивительную женщину. Хотелось разглядеть ее где-нибудь подальше от торгового комплекса, где все настраивало на деловой тон.

И вот она сидит перед ним. Алекс не мог вспомнить, когда он последний раз чувствовал себя таким расслабленным и непринужденным, как сидя вот здесь рядом с рыжеволосой специалисткой по растениям и рассуждая о стремительных темпах роста бизнеса во Флориде.

Неожиданно внимание Алекса привлекла звучавшая в кафе музыка. Он чуть не поморщился, узнав одну из песен, которую исполнял когда-то. Иногда по-прежнему больно было думать о том, что он больше не может петь. Но он быстро прогонял от себя подобные мысли.

Алекс поднял глаза на Джо, и в голове его мелькнула сумасшедшая мысль о том, что хорошо бы пригласить ее на танец. Он был неплохим танцором, но чаще всего ему приходилось танцевать с женами своих деловых партнеров. А вот с Джо наверняка было бы приятно закружиться в танце.

— Пойдемте? — тихо спросил Алекс, хотя на самом деле ему хотелось остаться. Конечно, можно было предложить ей пообедать вместе. Когда он вернется во «Флоридиану», обед придется заказать в номер. Ему надо сделать множество деловых звонков. К тому же что за удовольствие обедать одному в ресторане отеля. Интересно, сколько пищи перетаскали в его номера посыльные гостиничных служб и сколько еще одиноких обедов ждало его в отелях по всему миру.

Впрочем, Алекс вынужден был признаться себе, что в большинстве случаев оставался один по собственной инициативе. Куда бы он ни ехал, никогда не было недостатка в приглашениях от людей, готовых оказать ему гостеприимство. Но внимание и восхищение окружающих слишком давно перестали доставлять ему удовольствие.

Джо взяла сумочку и явно собиралась уходить. Алекс понял, что пропустил момент, когда можно было пригласить ее на обед. С испорченным настроением он последовал вслед за Джо к выходу из клуба. Облака, двигавшиеся к ним весь день, добрались наконец до места назначения, и теперь все кругом поливал теплый тропический дождь.

— Придется бежать до машины, — сказала Джо. — Спасибо за коктейль, Алекс. Буду ждать вашего звонка

Алекс хотел бы услышать на прощание что-нибудь более прочувствованное. Интересно, думал он, глядя вслед удалявшейся машине Джо, что она сказала бы, если бы узнала, что еще сегодня утром он вовсе не собирался устраивать себе неделю отпуска во Флориде.

Эта идея пришла ему в голову, когда он сидел напротив Джо и слушал описание местных красот. Джо родилась и выросла в округе Сарасота, и у нее был легкий южный акцент — еще одна интригующая подробность. Но в основном она предпочитала изображать из себя торгово-промышленную палату в одном лице, и это тоже удавалось ей неплохо.

В свой прошлый приезд Алекс действительно проехал вдоль Сиеста-Ки, задумавшись мимоходом о том, что неплохо было бы купить в этих местах уединенный домик с пирсом и лодкой. Но лишь несколько минут назад он твердо решил заняться поисками такого места.

И все из-за Джозефины Беннет?

Что же в ней такого особенного? Алекс знал много женщин, куда более привлекательных внешне. Честно говоря, в его записной книжке было множество телефонов потрясающих красоток по меньшей мере из двенадцати стран мира, не говоря уже о многочисленных американских знакомых. Безусловно, Джо нравилась ему. Темнокарие глаза, гладкая розовая кожа, чувственные губы, потрясающие волосы янтарного цвета. Но Алекс почему-то был уверен, что секрет обаяния Джо таился где-то глубже. Нетрудно было угадать, что ей приходилось переживать тяжелые времена, особенно когда умер ее отец и Джо пришлось принять на себя руководство фирмой. И ей удалось выстоять благодаря своей смелости и независимости.

Алексу нравилось, как быстро и профессионально Джо разобралась с испорченным оазисом. Она готова была взять часть вины на себя, но не стеснялась в выражениях, обнаружив, что растения погибли из-за того, что был покрашен купол.

Алекс улыбнулся, глядя сквозь дождливые сумерки куда-то вдаль. Немногие его партнеры посмели бы говорить с ним так резко, как Джо Беннет. Алекс почти намеренно создал себе в деловых кругах репутацию тирана. Хотя, в общем, он слыл в этих самых кругах человеком суровым, но справедливым. Люди, имевшие с ним дело, знали, что Алекс ищет для своих сделок самых выгодных условий, не терпит вмешательства в свои дела и редко отступает... потому что почти всегда оказывается прав.

Такая самооценка вовсе не была завышенной. Он приобрел свой опыт, пройдя тяжелым путем ошибок и разочарований.

Впереди маячили огни «Флоридианы». Отель казался почти дворцом, своими гигантскими размерами и «тропическим» шармом он наверняка понравится многим, но Алекс прекрасно понимал, что Джо Беннет вряд ли будет в их числе. Ему тоже не очень нравились подобные места, но бизнес есть бизнес, и «Флоридиана» — отличное вложение капитала.

Он подумал о том, чтобы забронировать для своего неожиданно наметившегося отпуска бунгало на пляже Сиеста-Ки, но тут же решил, что это было бы пустой тратой времени. У такой привлекательной женщины, как Джо Беннет, не только дни, но и вечера наверняка расписаны. Вряд ли стоит особо надеяться на то, что он сумеет урвать достаточно ее свободного времени во время своего отпуска. Хорошо, если вообще удастся с ней повидаться.

Алекс доехал до отеля, поднялся на персональном лифте в пентхаус и приступил к деловым звонкам. Проговорив по телефону около часа, он позвонил в сервисную службу отеля и заказал в номер бифштекс из индейки и чашку кофе. Затем он снова поднял трубку и огорошил Энди Карсона, своего заместителя, сообщением о том, что берет неделю отпуска. Это означало, что Энди и Крейгу придется взять на себя его работу.

Тяжелую цену приходится платить за успех огромной корпорации. Положив трубку, Алекс подумал, не слишком ли порой велика эта цена?

Глава 3

На следующий день после встречи с Алексом Грантом Джо, приехав в офис, немедленно вызвала к себе Лена Фарадея. Она редко позволяла себе подобное поведение, но, проведя почти бессонную ночь, Джо пришла к выводу, что ключ к разгадке неудачи в комплексе «Мимоза», возможно, находится у Лена.

Когда несколько минут спустя Лен появился на пороге ее офиса, Джо несколько встревожил его вид. Лен выглядел усталым, постаревшим и похудевшим. Джо вдруг подумала о том, что давно она с ним не виделась. Их пути редко пересекались, так как Лен в основном находился в разъездах, контролируя многочисленные проекты. И все же раньше они встречались чаще.

Прежде чем Джо успела открыть рот, Лен произнес:

— Я знаю, зачем ты вызвала меня. Неудача в торговом комплексе?

Джо мысленно обругала себя за то, что не подумала, как быстро эта новость долетит до Лена. Ведь, еще не встав утром с постели, Джо подняла трубку и оставила на автоответчике Мардж указание немедленно послать в «Мимозу» бригаду рабочих, чтобы начать выкапывать растения.

Только теперь Джо поняла, что, отдав подобное указание, она действовала в обход одного из своих лучших и наиболее лояльных сотрудников. А ведь Лен отвечал за этот проект. Надо было объяснить ему ситуацию и предоставить самому распорядиться действиями бригады. Джо

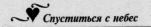

невольно нанесла удар самолюбию Лена. Но разве не он сам навлек на себя все случившееся?

Несмотря на то что внешний вид Лена встревожил ее, Джо требовательно спросила:

— Так что же случилось в «Мимозе»?

— Ну, прежде всего я не был там неделю назад, — признался Лен. — Я совещался с бригадой, проводившей инспекцию. Боб Хоули сказал мне, что не все растения выглядят хорошо. Он волновался по поводу полива и в конце концов решил, что растениям необходима подкормка. Упомянул, что воздух под куполом очень сухой.

— Итак, — с горечью произнесла Джо, — растения были перекормлены удобрениями, а воду не проверили как следует.

— Боюсь, что так, — сокрушенно признался Лен. — Мне... очень жаль. Надеюсь, ты сможешь объяснить клиенту ситуацию, и он позволит нам попытаться ее исправить. Поверь, я понимаю всю важность этого проекта. И проклинаю себя за то, что не отправился туда сам немедленно после разговора с Бобом. Но раньше он никогда не ошибался.

— А почему ты сам не поехал в «Мимозу»?

Подбородок Лена Фарадея стал вдруг каменным, а все тело, казалось, напряглось. Подняв глаза, он твердо произнес:

— Джо, около месяца назад у меня обнаружили рак. На прошлой неделе я проходил первый сеанс химиотерапии. После этого я чувствовал себя ужасно и позволил себе остаться дома.

— Господи, Лен! — воскликнула Джо. — Почему ты не рассказал мне об этом? — Проблема с «Мимозой» была забыта. Джо смотрела во все глаза на человека, который столько лет был частью «Гринскейпс». На близкого друга своего покойного отца.

— Потому что на твои плечи и так взвалено достаточно, — рассудительно произнес Лен. — И уже давно. Доктора сказали мне, что этого демона можно задушить в зародыше с помощью химиотерапии. Операции пока не требуется. Несколько месяцев — и я буду как новенький, — Лен выдавил из себя улыбку.

— Лен Фарадей! — дрожащим голосом произнесла Джо. — Ты немедленно берешь отпуск по болезни!

Лен невесело рассмеялся:

— Ты очень похожа на своего старика, когда говоришь таким тоном. Но я собираюсь не подчиниться тебе, как не подчинился бы и ему. Я не буду брать отпуск. Это убило бы меня.

Джо с удивлением посмотрела на Лена.

— Но это же смешно! Тебе необходим полный покой!

— Вовсе нет!

— Да!

— Послушай, Джо, давай договоримся о компромиссе. Я буду брать выходной в те дни, когда хожу на процедуры, если мне будет совсем плохо. Если же нет, придется потерпеть меня здесь.

Лен был вдовцом, у них с женой никогда не было детей. Джо знала об этом, но только сейчас она поняла, как много значила для него «Гринскейпс». И как он, должно быть, ужасно чувствует себя после фиаско в «Мимозе».

— Но только если вы будете чувствовать себя на все сто, мистер Фарадей, — строго сказала Джо.

— Много ли вы знаете людей, которые могли бы честно сказать, что чувствуют себя на все сто, мисс Беннет?

— Послушай, Лен, в том, что случилось в «Мимозе», на самом деле нет вины «Гринскейпс».

— Откуда ты знаешь?

Джо рассказала ему об указании Алекса Гранта закрасить световые проемы в куполе, чтобы не так ярко бил в глаза солнечный свет. И о том, что убедила Алекса немедленно приказать счистить краску, если он хочет, чтобы специалисты «Гринскейпс» продолжали заниматься озеленением его объектов.

Когда она закончила, Лен рассмеялся:

— Хотелось бы мне видеть, как ты набросилась на него. Я знаю кое-кого из рабочих на строительстве комплекса. Так что можешь мне поверить — когда там появляется Грант, всех их немного потряхивает. Они говорят, что он выжимает из людей все соки, пока его комплекс не доведут до окончательного совершенства, но в общем человек справедливый.

Даже эта сообщенная мимоходом информация заинтриговала Джо. Несмотря на славу удачливого предпринимателя, Дэнфорт А.Грант вел себя достаточно замкнуто. Иначе о нем чаще писали бы в газетах и журналах — включая истории о его чудесном перевоплощении из рок-звезды в капиталиста.

Лен Фарадей выпрямился:

— Если не возражаешь, Джо, мне пора отправляться в «Мимозу».

— Послушай, Лен, — Джо не покидало беспокойство по поводу его здоровья. — Тебе нет необходимости ехать туда сегодня. Ребята сами выкопают увядшие растения. Это проще простого. Но я хотела бы поручить тебе самому проверить пробы почвы. Можешь также еще раз сдать на анализ воду из «Мимозы», чтобы мы убедились, что она действительно такая чистая, как нам казалось. А потом, когда туда доставят новые растения, тебе придется взглянуть на них и...

Джо осеклась, увидев в глазах Лена ироническую ухмылку.

— Ты учишь меня работать? — поинтересовался он.

— Ты ведь знаешь, что я никогда не осмелилась бы, Лен.

На секунду полуулыбка Фарадея напомнила ей Алекса Гранта. Потом он серьезно произнес:

— Я собираюсь вылечиться, Джо. Так что не трать свое драгоценное время на беспокойство обо мне.

— Хорошо, — пробормотала девушка. — Хорошо.

Как только Лен ушел, Джо принялась просматривать бумаги, сложенные стопкой на столе. Казалось, эта стопка никогда не уменьшается, сколько бы времени ни посвящала бумагам Джо. Конечно, обилие бумаг было одним из проявлений успеха фирмы, и Джо оставалось лишь надеяться, что весть о фиаско в «Мимозе», произошедшем в результате досадной комедии ошибок, не повредит репутации «Гринскейпс».

— И может быть, это научит Алекса Гранта не торопиться с выводами, — задумчиво произнесла она вслух. Слава богу, в кабинете никого не было, а за стеной стрекотал принтер компьютера Мардж.

Прошел день. Потом еще один. И еще один. На четвертое утро после знакомства Джозефины Беннет и Алекса Гранта Мардж сообщила по селектору:

— Опять звонит тот мужчина, Джо.

Не понадобилось долго объяснять, о ком идет речь.

— Я прилетел вчера поздно вечером, — сообщил Алекс. — Наверное, сегодня вы слишком заняты, чтобы сопроводить меня на обещанную экскурсию по питомнику.

Джо понимала, что должна немедленно ответить что-то вроде: «Да, мне очень жаль, но это так», — но она не в силах была произнести этих слов.

— Ну...

— Послушайте, Джо. Не надо спешки, — сказал Алекс Грант. — Как я уже говорил, у меня нет никакого конкретного расписания, и я готов приспособиться к вашему. Я свободен до открытия комплекса во вторник.

— Это просто потрясающе, Алекс, — выдавила из себя Джо.

— К тому же, — продолжал Грант, — я решил продлить свой отпуск на пару дней. Сначала я планировал отдохнуть эту неделю, а потом мне пришло в голову, что нет смысла возвращаться в Нью-Йорк в пятницу.

Алекс говорил так, как будто включал в свои планы Джо. У нее перехватило дыхание. Она изо всех сил пыталась следовать своему решению никогда не смешивать бизнес и удовольствие. Но губы ее словно сами собой уже произнесли:

— Если хотите приехать сегодня днем, Алекс, я найду время поводить вас по питомнику.

— Найдете время или выкроите его? — уточнил Алекс.

Джо рассмеялась.

— Если честно, скорее выкрою, — призналась она. — Но только лишь потому, что я решила посвятить сегодняшний день бумажной работе. Если не разгребать периодически бумаги, в один прекрасный день они просто завалят меня.

— Можете не рассказывать, — сказал Алекс. — Так во сколько мне прийти?

— Я освобожусь в три.

— Буду у вас в три, — пообещал он.

Алекс приехал в офис Джо на пять минут раньше. Она как раз оставила бесплодные попытки надиктовать вразумительно деловое письмо, поняв, что только наделает еще больше ошибок.

Как только Джо услышала в приемной хрипловатый голос Алекса, у нее вдруг задрожали колени. Когда Мардж зашла доложить о нем, а вслед за ней порог кабинета перешагнул сам Алекс, Джо снова почувствовала себя той молоденькой дурочкой, млевшей от одного взгляда на Дэнни Форта в темноте кинотеатра.

Алекс выглядел потрясающе, но вовсе не походил на симпатичного преуспевающего джентльмена, с которым Джо сцепилась четыре дня назад в торговом комплексе «Мимоза». Сейчас на нем была бледно-желтая рубашка с расстегнутым воротом, удобные шорты цвета хаки и кожаные сандалии. Он даже успел немного загореть — как подозревала Джо, у бассейна «Флоридианы».

Такой Алекс выглядел моложе. Следы напряжения, которые отметила Джо при их первой встрече, сейчас исчезли, он выглядел здоровым и отдохнувшим. Джо приходилось слышать, что по-настоящему удачливые люди умеют не только работать, но и отдыхать как следует. Ей пока еще не удалось этому научиться. Дела отнимали слишком много времени и сил. Она почти забыла, что такое отдыхать и веселиться.

Зато Алекс, судя по его виду, научился балансировать на грани полезного и приятного. Что ж, Джо тоже когда-нибудь овладеет этим искусством.

«Может быть, Алекс согласится дать мне уроки?» — от этой мысли у Джо закружилась голова.

Алекс отметил про себя, как замутился вдруг ее

взгляд, и подумал, что, наверное, оторвал ее от каких-то важных мыслей.

— Послушайте, — быстро сказал он. — Если вы пытались на чем-то сосредоточиться, я могу подождать.

— Вовсе нет, — поспешно ответила Джо.

Она расправила голубую хлопчатобумажную юбку, которую надела сегодня вместе с белой блузкой и красивым темно-синим поясом ручной вязки. Это был пятый наряд из всего, что она перемерила, вспомнив утром, что именно сегодня может позвонить Алекс. Она хотела выглядеть буднично и повседневно, чтобы ни в коем случае не было заметно, что она одевалась специально для него. И сейчас взгляд Алекса ясно показал, что она сделала правильный выбор.

Джо задержалась в приемной, чтобы дать указания секретарше. Мардж была счастлива в браке, и у нее подрастали двое детишек, но это не помешало ей окинуть Алекса оценивающим взглядом и одарить его ослепительной улыбкой.

Наверное, подумала Джо, Алекс действует таким образом на всех женщин. А ведь он ничего для этого не делает! И как он мог не понравиться ей тогда, в «Мимозе»?

— Почему бы нам не начать экскурсию прямо отсюда? — усилием воли Джо заставила себя вернуться к реальности.

— Чудесная мысль, — согласился Алекс.

— Итак, — начала Джо, — вы видите перед собой фермерский дом, в котором я выросла. После того как умер отец, мне пришла в голову мысль переделать его в главный офис. До этого мы использовали старый трейлер, в котором, естественно, не хватало места. Пришлось снести здесь несколько стен, пристроить крыльцо, поставить стеклянные скользящие двери — и, пожалуйста, штаб-квартира готова.

— Здорово! — одобрительно произнес Алекс. Он стоял, засунув руки в карманы, и выглядел расслабленным и непринужденным. Но его проницательные глаза жадно вбирали все, что он видел вокруг, и мозг напряженно работал.

Они вышли на улицу. Алекс старался приспособить

свой широкий шаг к походке Джо, которая подвела его к ряду современных оранжерей. Вопросы Алекса были короткими и деловыми. Не могло быть никаких сомнений — он искренне заинтересовался увиденным.

Джо по праву гордилась своим питомником и вскоре расслабилась настолько, что поделилась с Алексом своими чувствами в отношении оставленного ей отцом наследства:

— Концепция отца не отличалась оригинальностью, но он четко следовал своим правилам. Главной его идеей было перенести в помещение красоту окружающей природы, чтобы растения стали не просто декоративными композициями, а функциональной частью дома или офиса, от которой зависит атмосфера в том месте, где люди живут, работают или отдыхают. Психологические тесты показали, что люди лучше чувствуют себя в помещениях, украшенных живыми растениями.

— Нетрудно в это поверить, — кивнул Алекс.

— Опросы показывают, что, когда растения устанавливают на рабочих местах, сотрудники реже болеют. Люди чувствуют себя более счастливыми, и в конечном итоге это положительно сказывается на производительности их труда. К тому же клиенты, посещающие офисы, оформленные живыми растениями, получают благоприятное первое впечатление, и это зачастую помогает заключению контрактов. Ведь первое впечатление очень важно.

Джо замялась, вспомнив, какое впечатление сложилось поначалу у президента «Моллз интернэшенл» о ее работе.

— Не стоит расстраиваться, Джо, — тихо произнес Алекс, словно угадав ее мысли. — Неудача в «Мимозе» произошла из-за меня, а не из-за вас. Не сомневаюсь: через несколько дней зеленый пейзаж торгового комплекса сможет принять участие в любом конкурсе. Я видел это, даже когда смотрел на увядшие растения.

— А как насчет краски? — поинтересовалась Джо.

— К завтрашнему вечеру от нее не останется и следа.

Разговаривая, они осматривали ту часть питомника, где росли образцы деревьев. У Джо возникло вдруг странное впечатление, будто они проникли на чужую территорию, хотя она сотни раз прогуливалась вдоль этих самых деревьев. Позже она спрашивала себя, что же заставило ее споткнуться именно в этот момент — собственное состояние или действительно торчавший из земли корень.

Ей почему-то казалось, что корень не случайно торчал именно в этом месте. Как не была случайной и реакция Алекса. Конечно же, он протянул руку, чтобы удержать ее от падения, но рука эта так и осталась лежать на плече Джо, и она обернулась, чтобы посмотреть на Алекса.

Они были близко, так близко друг от друга посреди зеленого оазиса, под ярко-синим небом. Алекс медленно привлек девушку к себе. Глаза его сверкали. В голове Джо звучало предупреждение — не надо, не надо мешать бизнес и удовольствие. Она ведь приняла решение не замечать внимания Алекса.

Но тут Джо с удивлением поймала себя на мысли, что ей вовсе не хочется сопротивляться. Алекс нежно обнял ее, и губы их сомкнулись в поцелуе.

Поцелуй этот был нежным и в то же время страстным. Словно что-то растаяло внутри Джо, и тут же ушли прочь все сомнения. Она готова была отдаться во власть чувств, позволить себе забыть о разуме и логике. Она знала, как действует на Алекса и что испытывает при этом сама. И когда он попытался отстраниться, мысль об этом показалась невыносимой. Без слов, одними глазами она словно приглашала его к продолжению.

Но тут... они неожиданно услышали голоса. По питомнику всегда ходило много народу, и Джо знала почти всех, кто мог оказаться там в эту минуту. Поэтому осторожность взяла верх, и она сделала шаг назад.

Убрав со лба растрепавшиеся волосы и поправив юбку, Джо призналась дрожащим голосом:

— Не знаю, что это на меня нашло.

— Тут вы не одиноки, — тихо прошептал Алекс. — Может быть, все дело в этом тропическом великолепии?

— Слишком много пальм? — попыталась пошутить Джо. Но внутри ее бушевал огонь.

Они походили по питомнику еще минут десять, и все это время Джо пыталась заставить себя не думать о поцелуе Алекса. Потом они вернулись в офис. Увидев, что Алекс явно никуда не торопится, Джо предложила ему выпить:

— Может быть, чаю со льдом? Мардж всегда держит на кухне полный кувшин.

— С удовольствием, — ответил Алекс, устраиваясь поудобнее на кожаном диване напротив ее стола.

Потягивая холодный чай, он снова стал задавать вопросы о «Гринскейпс», и Джо с удовольствием отвечала на них. Ей надо было как-то отвлечься от головокружительных воспоминаний о поцелуе, снова обрести ясность мыслей.

— Флорида — главный рынок страны в плане озеленения, — говорила Джо. — В основном благодаря тому, что климат круглый год благоприятствует развитию растений. Почти все, что мы используем для своих композиций, выращивается здесь.

— Но почему я не видел в питомнике цветов? — поинтересовался Алекс.

— Вот их мы как раз предпочитаем покупать. Лилии, хризантемы, гладиолусы, тюльпаны — мы покупаем все это по мере необходимости в других питомниках. Отец подумывал о том, чтобы заняться также разведением цветов, но потом решил, что лучше специализироваться в своей области, чем пытаться делать сразу все.

— Честно говоря, все это произвело на меня огромное впечатление, — признался Алекс. — Я интересуюсь озеленением интерьеров с тех пор, как начал открывать торговые комплексы, но мне никогда еще не приходилось бывать в таком большом питомнике. Это настоящее предприятие. Все организовано безукоризненно, и это наверняка ваша заслуга.

— Спасибо, — Джо вдруг почувствовала, как краснеет. — Я проходила курс менеджмента, это, конечно, помогло, но...

— Но самому главному вас научил отец, — закончил за нее Алекс.

— Да, — кивнула Джо.

— А ваша мать? Кто она?

— Мама умерла девять лет назад. Я училась тогда на втором курсе.

Алекс на секунду замолчал, потом спросил:

— Чтобы управлять «Гринскейпс», надо постоянно держать руку на пульсе, не так ли?

— Да уж. Мы свято верим в то, что растения, как дети, нуждаются в нашей нежной заботе. И наши сотрудники окружают их этой заботой. Поэтому у меня больно сжалось сердце, когда я увидела в тот день, что творится в «Мимозе».

Алекс поморщился:

— Давайте больше не касаться этой темы.

— Трудно будет удержаться, — призналась Джо. — Если честно, я еще долго буду вспоминать этот кошмар. Но теперь я хоть знаю, почему это произошло. — Джо вовсе не собиралась рассказывать о болезни Лена Фарадея, помешавшей ему как следует за всем проследить. Но и сама не успела понять, как получилось, что она в деталях изложила все Алексу.

Он слушал сочувственно, а когда Джо закончила, очень серьезно произнес:

— Всегда надо учитывать человеческий фактор, Джо. Иногда это нелегко. Но у всех у нас есть недостатки, которые мешают подчас справиться с работой. Иногда этого можно избежать, иногда — нет. Мне кажется, этот ваш Лен Фарадей — очень отважный человек. Успокойте его по поводу «Мимозы». Кажется, там уже закончилась пересадка растений. Я гарантирую вам одобрение клиента.

Глаза Джо удивленно расширились.

— Но зачем говорить об этом сейчас? — резонно заметила она. — Там еще нечего одобрять. Подождите, пока не взглянете на новую композицию, а потом уж решите, стоит ли она вашего одобрения.

— В этом нет необходимости, — заверил ее Алекс. — Моя фирма связывалась с местным Советом по развитию бизнеса, и нам сказали, что на вашу компанию не поступало ни одной жалобы за все время ее существования. Двадцать пять лет без жалоб — это просто невероятно.

— Мы стараемся, — Джо даже покраснела немного от смущения.

Алекс взглянул на часы и присвистнул:

— Уже почти шесть. Я и не думал, что так поздно. — Улыбнувшись Джо, он добавил: — Мне не хотелось отрывать вас от работы. А как же ваша секретарша?

— Мардж давно уже ушла. Она помахала мне на прощанье.

— За моей спиной?

Алекс смотрел на свой пустой стакан, и Джо поняла вдруг, что он думает сейчас вовсе не об уходе Мардж. Медленно подняв глаза, он спросил:

— Сегодня у вас найдется время пообедать со мной?

Джо с неохотой покачала головой:

— Сегодня я не могу. Мне очень жаль.

— Мне тоже.

Не понимая, как это получилось, Джо сказала вдруг:

— Честно говоря, я иду на день рождения. Может быть, вы составите мне компанию?

— Я? — удивился Алекс.

Джо рассмеялась:

— Вам понравится. Это уникальная возможность увидеть жизнь Флориды с другой стороны.

— Как это?

— Около года назад у нашего лучшего дизайнера Фреда Бакстера был инсульт. Он сейчас более или менее восстановился, но пока ходит с палочкой. Фред делает для нас иногда кое-какую работу. Но когда он только начал выкарабкиваться после инсульта, они с женой решили продать свой дом и перебрались в домик на колесах — таких много в парке над Манати-ривер. В общем, сегодня Фреду пятьдесят два.

— Он слишком молод, чтобы выпасть из жизни, — заметил Алекс.

— Да, ему пришлось очень тяжело. И, наверное, тяжело до сих пор. Но он старается не подавать виду. И ему в этом очень помогает жена. Мирна — настоящее сокровище. Вот и сегодня она хочет устроить для мужа день рождения-сюрприз. Это будет в парке, в центре развлечений. Мирна завлечет туда Фреда под предлогом того, что хочет поиграть в бинго. Но никакого бинго, конечно, не будет.

— Фред знает, что вы приедете?

— Фред вообще ни о чем не знает, в том-то и дело. Я заказала торт — его надо забрать по дороге. Но супермаркет работает допоздна, так что времени еще куча.

— И вы действительно приглашаете меня поехать туда с вами?

Джо не знала, как реагировать на подобный вопрос.

— Да, Алекс, — произнесла она с некоторым напряжением. — Я пригласила вас на полном серьезе. Но вполне пойму, если вы решите заняться во время отпуска чем-нибудь более веселым. Это будет не самое захватывающее развлечение.

«Там просто будет много добрых, хороших людей», — чуть не сказала она, но вовремя осеклась.

Алекс выглядел сейчас почти таким же непробиваемым, как при их первой встрече.

— Поймите меня правильно, Джо, — сказал он. — Не то чтобы я жаждал захватывающих развлечений... разве что в обществе людей, к которым я искренне неравнодушен.

Неравнодушен...

Фраза эта эхом отдалась в ушах Джо. У нее вдруг закружилась голова. Она так мало знала об Алексе. Практически ничего о его личной жизни, о том, какую роль играли в ней женщины. Была ли у него любовница или жена?

Джо с ужасом услышала собственный голос:

— Вы женаты, Алекс?

— Женат? — изумленно повторил он, явно обескураженный ее вопросом. — Нет, я не женат. Неужели вы думаете, что я попытался бы ухаживать за вами, будучи женатым? — Прежде чем Джо успела ответить, Алекс продолжал: — Надеюсь, что «мисс Беннет» также означает, что вы не замужем?

— Угадали, — улыбнулась Джо.

— Так почему же вы решили, что я женат?

— Ну, вы заговорили о том, что приятно разделить удовольствие с человеком, к которому неравнодушен.

— Такого человека сейчас нет, Джо. Вернее, не было долгое время. Романы — да, — честно признался Алекс. — Короткие и ни к чему не обязывающие. Наверное, у меня не самый легкий характер...

Он улыбнулся, и сердце Джо сладко заныло.

— Честно говоря, у меня были серьезные отношения с одной женщиной — очень давно. Она ушла от меня. Понадобилось время, чтобы пережить, но я справился. После этого — никаких разбитых сердец, никакой неразделенной любви. Я люблю женщин, Джо. Но последние десять лет я был слишком занят, чтобы завести с кем-нибудь серьезные отношения. — Сделав паузу, Алекс добавил: — Вот вам мое признание. А как насчет вашего?

— Оно... пожалуй... напоминает ваше, — задумчиво произнесла Джо. — Это тоже было давно. Я сбежала с одним парнем сразу после школы. Его родители добились объявления нашего брака недействительным.

— Его родители?

— Именно так. Это стало для меня тогда большим ударом. Но, как и вы, я сумела от него оправиться. И никаких разбитых сердец, — улыбнулась Джо, повторяя слова Алекса. — Никакой неразделенной любви. Я тоже слишком занята для серьезных отношений.

— Что ж, мы оба стоим на одних и тех же позициях, — заметил Алекс.

Джо не была уверена, что именно он имел в виду. То, что оба они привыкли срывать цветы удовольствия, когда и где возможно, не связывая себя обязательствами? Может быть, она и поступала так несколько раз, но Джо точно знала, что с Алексом Грантом так не получится.

Если их роман закончится крахом, она будет разбита целиком и полностью и никогда уже не станет снова собой.

— Можно мне пойти с вами на день рождения Фреда, Джо? — тихо спросил Алекс. — Вы уверены, что вашим друзьям не помешает присутствие постороннего?

— Им это очень понравится, — пообещала Джо.

Говоря это, она понимала, что сообщила Алексу лишь часть правды. Конечно, Фред и Мирна будут рады видеть его у себя. Алекс мог бы служить истинным украшением любой вечеринки. Но Джо пригласила его ради самой себя, а вовсе не ради хозяев. И это означало играть с огнем.

Бизнес и удовольствие, снова напомнила себе Джо. Но одного взгляда на невероятно красивое лицо Алекса было достаточно, чтобы забыть обо всем.

Глава 4

Джо вызвалась вести машину, поскольку знала дорогу.

Они заехали за тортом и вскоре уже мчались по объездной дороге, ведущей к шоссе номер сорок один. Как и предполагала Джо, на развязке было не продохнуть от машин.

— Неудачное время? — сочувственно поинтересовался Алекс, после того как они в третий раз встали в пробке.

Джо покачала головой.

— Здесь почти всегда так, — призналась она. — Кроме, наверное, трех часов утра. Но все равно это самая короткая дорога к Бакстерам.

Алекс улыбнулся.

— Мне даже приятно застрять с вами в пробке, — поддразнил он Джо. — Но, с другой стороны, я знаю, какое это испытание для сидящего за рулем. Хотите, поменяемся на время местами?

— Нет, спасибо. Честно говоря, нам осталось совсем немного. Конечно, мы опоздаем, но Мардж, моя секретарша, должна была прибыть туда пораньше и все организовать.

Алекс кивнул, а затем спросил, окинув взглядом шоссе:

— Неужели это и есть знаменитая дорога Тамайами?

— Да, — улыбнулась в ответ Джо. — По виду не скажешь, правда? Большинство туристов ожидают увидеть старую дорогу для телег, вроде тех, что так часто встречаются в Испании. Но на самом деле, пока не стали строить шоссе между штатами, это был единственный путь, ведущий от Тампы до Майами. Отсюда его название.

— Куда более романтичное, чем реальность.

На этот раз Джо улыбнулась как-то невесело.

— Так можно охарактеризовать многое в этой жизни, — сказала она. — Не правда ли?

— Не совсем, — загадочно ответил Алекс.

Он откинулся на спинку сиденья, и Джо взглянула на него украдкой. Трудно было руководствоваться рассудком и вести как следует машину, когда он сидел рядом. Никогда еще Джо не хотелось самой привести мужчину к тому, чтобы он захотел заняться с ней любовью. Не то чтобы она была излишне старомодна в этом отношении, просто желание ее никогда не оказывалось настолько сильным. Но с Алексом все могло бы быть по-другому. Собственные мысли встревожили Джо, и она приказала себе сосредоточиться на дороге.

Парк трейлеров, где жили Бакстеры, раскинулся по берегам реки Манати.

— Приятное место, — прокомментировал Алекс, когда они подъехали к воротам, окруженным великолепными розовыми азалиями.

— Да, перед нами один из лучших парков этих мест, — согласилась Джо. — У Бакстеров был большой дом в Брэдентоне, который они продали после инсульта Фреда. Им трудно было расстаться с домом, они очень его любили. Но содержать трейлер намного проще, к тому же это место гораздо ближе к больнице, где проходит терапию Фред.

— Возможно, вы удивитесь, — сказал Алекс, — но я никогда не был в трейлере. Или я должен называть его передвижным домом?

— Большинство действительно называют их передвижными домами, хотя на самом деле их почти невозможно передвинуть. Они прекрасно подходят для Флориды. Думаю, гораздо лучше, чем для других мест. Здесь подходящий климат и общая атмосфера. Таких городков много в разных парках. — Джо усмехнулась: — Но, разумеется, в основном это общины для людей постарше.

— То есть?

— То есть, если бы мы даже захотели купить трейлер, нам не позволили бы здесь поселиться. — Джо въехала на стоянку рядом с приземистым деревянным зданием, выкрашенным белой краской. — Членам общины должно быть за пятьдесят. А то и за пятьдесят пять. Что ж, дорога перед нами, — сказала Джо, указывая на тропинку между деревьев.

При этом она встретилась глазами с Алексом и удивилась настойчивости его взгляда.

— Да, — кивнул он. — Перед нами действительно лежит дорога.

Джо приказала себе не задумываться над тем, что он имел в виду. Они вошли в здание центра развлечений общины. Мардж Кэссиди как раз выстраивала людей в углу. Она быстро кивнула Джо и Алексу, приглашая их присоединиться к остальным.

— Давайте сюда торт, я отнесу его на кухню. Вы чуть не опоздали. Я уже начала беспокоиться, что пробка помешает вам добраться. Мирна и Фред могут появиться в любую минуту.

Оглядевшись, Джо узнала нескольких обитателей парка. Она кивала и здоровалась, ей кивали и улыбались в ответ. Многие бросали любопытные взгляды на Алекса.

Буквально через несколько минут дверь открылась, и Джо увидела Фреда, опиравшегося на трость, и стоявшую рядом с ним Мирну.

Они застыли в дверном проеме на фоне разноцветного предзакатного неба.

— Ты уверена, что сегодня здесь играют в бинго? — спросил жену Фред.

И тут все закричали хором:

— С днем рождения, Фред!

Включили верхний свет, и Джо увидела, как Фред моргает, пытаясь скрыть блеснувшие в глазах слезы. С тех пор как с ним случился инсульт, он стал очень эмоционален. Но это здоровые человеческие эмоции, напомнила себе Джо.

Подбежав к Фреду она сжала его в объятиях, повторяя:

— Будь счастлив, счастлив, счастлив.

У нее тоже защипало глаза.

Фред прижал ее к себе здоровой правой рукой.

— Ну вот, Джо, я продержался еще один год, — сказал он так, что слышала только она одна.

— И таких лет будет еще очень много, — искренне пожелала ему Джо.

Затем она повернулась и увидела прямо перед собой Алекса. Очень кстати. Ей необходимо было отвлечься от своих трогательных переживаний. Джо стала представлять Алекса Мирне и Фреду, потом остальным гостям.

Женщины из общины подготовили все для дня рождения, выставив угощение на длинном столе, покрытом красивой голубой бумажной скатертью и заставленном цветами, а также синими свечками в хрустальных подсвечниках.

Гостям предлагалось на выбор пиво или безалкогольный фруктовый пунш. Люди ели, пили, болтали друг с другом. Поглядывая украдкой на Фреда, Джо с удовольствием отмечала, что он веселится от души.

Наконец пришел момент зажечь свечи на огромном торте, привезенном Джо. Фред встал и задул все свечи разом, заставив гостей подивиться силе своих легких.

Джо помогала раздавать торт, кладя куски на синие бумажные тарелки. Алекс, к ее удивлению, решил, что тоже должен принять в этом участие, и стал разносить тарелки гостям. Потом Джо увидела, как он подвинул складной стул к стулу Фреда, и вскоре мужчины уже были заняты оживленной беседой, явно заинтересовавшей обоих.

Наблюдая за этой сценой, Джо вдруг почувствовала себя счастливой. Ей всегда грустно было думать об инсульте Фреда и о том, что это положило конец его карьере. Он был очень талантливым человеком, иногда казалось, что Фреду самой природой даны способности планировать чудесные зеленые пейзажи. Джо от души радовалась за Фреда, когда он окреп настолько, чтобы попросить внештатную работу в «Гринскейпс». Она дала себе слово, что у ее фирмы всегда найдется работа для Фреда.

Теперь она была благодарна Алексу за то, что он уделил Фреду особое внимание. Люди, живущие в парке, были, безусловно, дружелюбными и добродушными, с ними было весело и спокойно, но почти все они были намного старше Фреда и готовились уйти на покой. Фред же не хотел сдаваться.

Многие обитатели парка жили на небольшие пенсии, поэтому всем членам по неписаному закону дарили на дни рождения недорогие забавные вещицы.

Джо купила Фреду маленькую пластиковую пальму, из которой брызгала вода, если нажать на основание. Это был один из тех дешевых сувениров, при одном взгляде на которые Джо всегда хотелось поморщиться, но она знала, что пальма позабавит Фреда, вызовет у него улыбку, и не ошиблась.

Джо очень удивилась, когда Алекс подошел к Фреду со своим подарком — он ведь даже не знал, что они собираются дарить Фреду подарки. Фред с гордостью продемонстрировал дар своего нового приятеля.

— Это доллар из казино, — сказал он Джо. — Алекс говорит, что выиграл его в автомате на теплоходе около месяца назад. Он ездил по делам в Англию и решил вернуться через Пролив, чтобы расслабиться. Алекс обещал, что эта монетка непременно принесет мне удачу.

— Смело можешь на нее поставить, — Джо была тронута заботой Алекса.

— Ух! — ответил Фред. — Никогда не слышал такого сомнительного каламбура!

— Надо же! — воскликнул появившийся рядом Алекс. — А я и не знал, что вы любите играть словами, Джо.

Фред усмехнулся.

— Поступки Джо трудно предсказать заранее, — предупредил он Алекса. — Вечно она что-нибудь придумает. И никогда нельзя угадать, что именно в следующий раз.

— Ну же, Фред... — попыталась возразить Джо.

— Это правда, — подтвердил Фред. — Джо всегда полна идей, Алекс. В ее хорошенькой головке больше идей, чем приходит нам в голову за всю нашу жизнь.

— Только не включай в этот список себя, — быстро

борвала его Джо. — Уж тебе-то идеи приходят в голову постоянно.

— Так было раньше, — сказал Фред, и на секунду взгляд его затуманился. Затем он улыбнулся и добавил: — А знаешь, в последнее время меня снова стали посещать интересные идеи. Надеюсь, этот серебряный доллар даст мне толчок к их осуществлению.

Вскоре Джо оставила Алекса беседовать с гостями и вышла в кухню посмотреть, не может ли она чем-нибудь помочь.

На самом деле ей требовалось побыть немного без Алекса. Не то чтобы он давил на нее, но Джо постоянно ощущала его близость. Его запах, его тепло, его силу. Еще ни один мужчина не оказывал на нее такого влияния — это было бесспорно. Но все же она знала Алекса меньше недели. И было почти сумасшествием дать своим чувствам разыграться подобным образом.

Сегодня Джо увидела Алекса с другой стороны. И это еще больше взбудоражило ее. Алекс оказался заботливым и внимательным, способным на искреннее сочувствие, готовым отдать этому силы и время. Джо не ожидала ничего подобного.

Сколько же еще разных лиц у Алекса Гранта?

Мардж как раз выпроваживала из кухни желающих помочь.

— Когда придет время уходить, заберете каждая свою посуду, — говорила она. — А все остальное было одноразовое и отправилось прямиком в мусорную корзину.

Выставив свой грозный ультиматум, Мардж посмотрела на Джо.

— Почему ты одна, без своего симпатичного клиента?

Джо улыбнулась. Мардж была очень романтичной особой. Она вышла замуж совсем молоденькой и вот уже двадцать лет хранила верность своему Ларри. Однако трудно было не поддаться обаянию Алекса Гранта.

— Надо же дать ему шанс поболтать с парнями, — ответила Джо.

— Большинство этих парней годятся ему в отцы, — заметила Мардж.

— Может быть, но, по-моему, им интересно в его обществе.

— И тебе тоже, — заметила Мардж и добавила, прежде чем Джо успела возразить: — Ну ладно, не сердись. Ты же знаешь, я просто в восторге! Не припомню, чтобы кто-либо из твоих кавалеров заставлял тебя выглядеть так чудесно, как сейчас.

— И как же это я выгляжу? — задиристо поинтересовалась Джо.

— Красивой, — просто ответила Мардж. И именно оттого, что сказано это было так просто, Джо почувствовала, как на глаза у нее наворачиваются слезы, которые она сдерживала весь вечер.

— Эй! — протестующе воскликнула Мардж. — Что-то не так?

— Я... просто чуть-чуть запуталась, — призналась Джо. — Алекс действительно особенный, Мардж... Но я ведь совсем не знаю его.

— Странно, — задумчиво произнесла Мардж. — А вот у меня такое ощущение, будто мы знакомы с ним очень давно.

— Что ты имеешь в виду?

— У него знакомое лицо. Кого-то он напоминает. — Мардж задумалась. — Готова поклясться, я уже видела его раньше.

Алекс уже стал для Джо Алексом, и она почти забыла о Дэнни Форте. Теперь же, после слов Мардж, ей вдруг стало не по себе, потому что Джо была уверена — хотя и не могла бы сказать почему, — Алекс не хочет, чтобы в нем узнали Дэнни Форта.

Почему?

Джо понятия не имела. Она покопалась в памяти в надежде уцепиться за какой-нибудь обрывок воспоминания, которое помогло бы ей лучше понять человека, в которого превратился рок-кумир ее юности. Чем больше она думала об этом, тем менее вероятным казалось, что такая крупная фигура, как Дэнни Форт, могла просто взять и испариться.

Неужели Дэнни увлекся наркотиками? Или попал в катастрофу, которая вынудила его поставить крест на своей карьере? Но если бы это было так, Джо наверняка узнала бы об этом из газет.

— Алекс Грант никогда не бывал раньше в «Гринскейпс»? — Мардж все еще пыталась вспомнить, где могла его видеть. — Может быть, еще при жизни твоего отца?

— Сомневаюсь. — Джо поспешила сменить тему. — А где сегодня Ларри? — спросила она.

— Ларри? Ему пришлось отправиться в Тампу за товаром.

— Как идут дела в магазине?

Несколько месяцев назад Ларри открыл филиал одной компьютерной фирмы и теперь занимался делами магазина на Тамайами-Трейл.

— В магазине все хорошо, — рассеянно ответила Мардж, и Джо поняла, что ей не удалось отвлечь ее от мыслей об Алексе. Она вздохнула с облегчением, когда в кухню быстро вошла Мирна Бакстер:

— Так вот вы где! Джо, Мардж, я хочу поблагодарить вас за этот чудесный вечер. После удара Фреда я еще ни разу не видела его таким веселым и бодрым, как сегодня.

Мирна была хорошенькой миниатюрной женщиной с поседевшими до времени волосами. Она обняла сначала Джо, а потом Мардж.

— Вы обе просто восхитительны. Что же касается твоего очаровательного молодого человека, Джо, — добавила Мирна, — он — само совершенство. Где ты его нашла?

— Это клиент, — и Джо снова постаралась сменить тему разговора, похвалив за гостеприимство соседей Мирны.

Вскоре Джо снова присоединилась к остальным. Один из соседей Бакстеров как раз жаловался, что на вечеринке отсутствует некая особа по имени Агнес Мориси.

— Я надеялся, что она сыграет нам на пианино и мы сможем спеть, — сокрушался он.

Выяснилось, что Агнес находится в больнице, но чувствует себя уже лучше.

— Ее сердце опять сыграло с ней злую шутку, — заметил пожилой джентльмен, обращаясь в основном к Алексу. — Не стоит забывать, что Агнес около восьмидесяти. А она считает, что может переносить те же нагрузки, что и в шестьдесят.

— Дай ей бог силы, — спокойно ответил Алекс. — Я очень уважаю таких людей. Легко ходить бодрым, когда ты в отличной физической форме, а вот когда это не так — все по-другому.

Он сказал это как ни в чем не бывало, но Джо тут же задумалась, не стоит ли за словами Алекса горький личный опыт. Неужели у него были проблемы со здоровьем? Не похоже, если судить по внешнему виду.

Джо напомнила себе, что не стоит судить о книге по обложке.

И тут же в очередной раз убедилась в собственной правоте, когда Алекс вдруг заявил:

— Я умею играть на пианино. И рад буду подобрать ваши любимые мелодии, если не возражаете.

Под одобрительные возгласы Алекс подошел к видавшему виды пианино. Кто-то подвинул Фреду стул, чтобы он мог сесть рядом, остальные сгрудились вокруг.

Алекс не был виртуозом — он играл на пианино далеко не с тем мастерством, с каким владел гитарой. Но, как и следовало ожидать, у него было безукоризненное чувство ритма, и Джо с удовольствием слушала старые мелодии, которые исполнял Алекс.

Под его пальцами оживали песни тридцатых, сороковых и пятидесятых годов. Некоторые, как подозревала Джо, относились даже к двадцатым годам. Именно такая музыка требовалась собравшимся здесь людям, и вскоре все они с удовольствием пели. Джо не сомневалась, что Алекс знает слова большинства песен, и удивлялась, почему он не поет с остальными.

Наконец Алекс встал, чтобы промочить горло пивом, но торжественно пообещал еще раз сесть за пианино ближе к концу вечера.

— Это было потрясающе, Алекс, — сказала Джо. — И очень мило с вашей стороны.

— Мне было весело.

— Но почему сами вы не пели? — прямо спросила Джо, наблюдая за его реакцией.

Алекс сделал очередной глоток пива и сообщил, что не умеет вести мелодию.

Говоря это, он смотрел на банку, которую держал в руках, и Джо показалось, что Алекс избегает встречаться с ней взглядом. Но голос его остался абсолютно спокойным. Если бы Джо не знала о его прошлой карьере, она бы решила, что Алекс просто констатирует факт.

Но она-то знала, что он не просто умел вести мелодию, но и обладал удивительными вокальными способностями. На волне своей популярности Дэнни Форт мог запросто выкопать какую-нибудь старую мелодию и включить ее в свой репертуар. Дэнни пел такие песни с особым воодушевлением, и это поднимало его над другими рок-певцами. Он пел от чистого сердца, словно делился данным ему богом даром с теми, кто пришел его послушать.

Сегодня он тоже делился с собравшимися музыкой, но совсем по-другому. Не было того интимного оттенка, который отличал неотразимое обаяние Дэнни Форта. Может быть, потому, что не музыка, а голос был его инструментом в те годы. Даже больше, чем гитара, певшая каждой своей дрожащей струной под его умелыми пальцами.

И все же зачем Алексу понадобилось врать, что он не может вести мелодию? Это очень тревожило Джо. Она считала честность самым важным в этой жизни.

Джо ненавидела лжецов, ненавидела ложь и даже полуправду. Потому что, поймав человека хотя бы раз, ты уже не сможешь доверять ему. Так часто происходило с людьми, которые были дороги Джо. И потом отношения с этим человеком — был ли это мужчина, в которого Джо почти успела влюбиться, или девушка, которую она считала своей подругой,— начинали катиться по наклонной плоскости, а затем и вовсе сходили на нет.

Джо была далеко не равнодушна к Алексу. Проведя в его обществе всего несколько часов, она тем не менее не могла не признаться себе в этом. С момента их встречи Джо постоянно узнавала об Алексе все более удивительные вещи. Ей нравилось все, что она видела, все, что она слышала и чувствовала. До этого момента.

Теперь же, хотя, разумеется, в словах Алекса не было ничего особенного, Джо никак не могла забыть об этом маленьком, но все-таки обмане. Она могла бы понять, если бы Алекс сказал, что просто не хочет петь. Любая отговорка — но только не откровенная ложь.

Как и обещал, Алекс вскоре вернулся к пианино, и обитатели парка опять сгрудились вокруг. И снова все пели, но Алекс так и не раскрыл рта.

Наконец Мардж шутливо спросила:

— Эй, ребята, а вы знаете, сколько времени?

Все стали смотреть на часы, издавая удивленные возгласы. Им давно уже пора было лежать в постели, но это никого особенно не взволновало. Улыбаясь, все еще раз поздравляли на прощание Фреда, благодарили Алекса за музыку и неохотно расходились.

Вскоре Алекс и Джо оказались на улице под огромной тропической луной, сияющей высоко в небе. Ветер шелестел пальмовыми листьями, а воздух благоухал ароматом цветущих апельсиновых деревьев.

Такая ночь создана для любви. В этом не могло быть никаких сомнений.

Джо посмотрела на Алекса. Он глядел на звездное небо с немного смущенным видом.

— Вас что-то тревожит, Джо? — неожиданно спросил он, когда они проехали минут десять.

Джо пришлось покрепче схватиться за руль, чтобы машина не ушла в сторону.

— Почему вы спрашиваете? — поинтересовалась она.

— Ну, — осторожно начал Алекс, — я могу только сказать, что в какой-то момент вечера атмосферное давление между нами поменялось. Не удивлюсь, если в любую минуту задует ураганный ветер.

Джо крепко сжала губы. Она не знала, что ответить Алексу.

— Я не люблю штормов, — пробормотала наконец девушка.

— Разве? А что же вы тогда пытаетесь сделать? Подавить свой гнев? Это вредно для давления, Джо.

— Нет, — медленно произнесла Джо. — Я не подавляю обычно свой гнев без крайней необходимости. Вы должны бы знать это, Алекс. Я очень разозлилась на вас тогда, в «Мимозе». И, думаю, это было видно.

— Разве?

Посмотрев на Алекса, Джо увидела, что он улыбается, и почувствовала себя просто ужасно. Ну зачем ему понадобилось говорить ей эти глупости о своем неумении петь?

Джо чуть было не спросила его об этом. Но вдруг поняла, что не может. Ведь, признавшись, что ей известно о вокальном таланте Алекса, придется признаться также, что она знает все о Дэнни Форте. А Джо не хотелось этого. Она надеялась, что настанет момент, когда Алекс сам захочет рассказать ей обо всем. Поделиться самым важным в своей жизни. А она поделится самым сокровенным с ним.

Тишина тем временем становилась напряженной.

— Никогда еще не видел вас такой молчаливой, — заметил Алекс. — Что ж, если позволите, говорить буду я.

— Да? — Джо затаила дыхание. Неужели сейчас он расскажет ей, почему не стал сегодня петь?

— Я хочу, чтобы вы знали, — продолжал Алекс, — что мне очень понравился день рождения Фреда. И я благодарен вам за то, что вы привезли меня сюда. Мне нечасто приходится бывать в обществе... настоящих людей. Они все просто потрясающие. Я от них в восторге. Кстати, я спросил Фреда и Мирну, не пообедают ли они как-нибудь с нами. Вы наверняка знаете, куда именно лучше их пригласить.

Джо захотелось вдруг плакать и смеяться одновременно. Наверное, у нее начинается истерика. Она просто не может больше переносить все это! Слова Алекса казались такими искренними, но стоит ли верить ему?

— Конечно, — ответила она, не отрывая глаз от дороги.

Забыв о том, что Алекс оставил машину перед «Гринскейпс», Джо чуть было не отвезла его во «Флоридиану». Но вовремя опомнилась и успела повернуть в нужном месте. Они подъехали к питомнику, закрытому на ночь, но при этом ярко освещенному. Джо остановила машину возле автомобиля Алекса. Ей было не по себе, и она знала, что это видно по ее поведению.

Алекс постоял немного у открытого окна ее машины. Лицо его было в тени, и Джо не видела выражения глаз. Затем он резко нагнулся, чмокнул ее в губы и сказал:

— Я позвоню завтра.

Джо подождала, пока Алекс выедет со стоянки, а затем последовала за ним до перекрестка, где машины разъехались в разные стороны.

Все это было не к добру.

Глава 5

По субботам Джо обычно отправлялась в офис, как в обычный будний день. Она старалась отдыхать в воскресенье, но и это не всегда получалось. Иногда приходилось встречаться с клиентами из других городов, которые не могли приехать в Сарасоту в другое время. Или заезжать на несколько часов в офис, чтобы разобрать накопившиеся бумаги. Проснувшись утром после дня рождения Фреда Бакстера, Джо поняла, что сегодня суббота. Ей вдруг очень захотелось увильнуть от своих обязанностей. У Мардж выходной, в офисе не будет никого, кроме нее. Поборовшись с собой и вспомнив огромную стопку бумаг на столе, Джо решила, что все же поедет на работу, но попозже. Сначала она займется кое-чем другим. Прежде всего Джо заехала в городскую библиотеку Сарасоты. Там она призвала на помощь библиотекаря, и вместе они стали искать в многочисленных картотеках издания, где могли публиковаться сведения о Дэнни Форте. Сведения эти оказались весьма скудными. Несколько статей из старых журналов описывали Дэнни в зените славы, но не сообщали о нем ничего такого, чего Джо не знала бы и без них.

Наконец библиотекарь сказал, что, если она действительно хочет узнать о рок-певце побольше, надо порыться в специальных справочниках. У Джо не только не было на это времени, она и не собиралась проводить столь тщательное расследование. Иначе это уже вышло бы за грань любознательности и превратилось бы в дотошное копание в чужих делах. А Джо не хотелось копаться в делах Алекса без его ведома. Приятнее было надеяться, что в один прекрасный день он сам расскажет ей всю историю.

Подъезжая к питомнику, Джо постаралась выкинуть Алекса из головы. Надо было заняться делами других клиентов, с которыми назначены встречи на следующей неделе. Составить список их пожеланий к работе фирмы.

Свернув на длинную подъездную дорогу, Джо вдруг почувствовала себя так, словно видит «Гринскейпс» впервые. Наверное, те же ощущения испытывал вчера Алекс.

Питомник занимал несколько сот акров. Кларк Беннет приобрел их в те времена, когда земля вдали от побережья и городских коммуникаций стоила дешево. Дешевле грязи, с улыбкой подумала Джо.

По обе стороны от Джо тянулись ряды деревьев и растений, а за ними — покрытые пластиком теплицы. Дальше находился старый дом, превращенный ею в офис.

Джо припарковала машину, вышла и вдохнула воздух. Ноздри ее тут же наполнились знакомыми запахами. Здесь преобладал пряный влажный аромат тропических растений, смешанный с запахом самой земли. Ко всему этому примешивался едва уловимый запах вещества, которым удобряли землю, чтобы усилить рост растений и одновременно предохранить их от вредителей. Джо вдыхала его всю свою жизнь.

Она прошла по своим владениям, здороваясь с рабочими и новыми женщинами, нанятыми специально высаживать семена в крошечные горшочки, которые поставят потом в теплицы, чтобы растения продолжали расти под покровом, служившим в основном для того, чтобы предохранить их от жаркого солнца Флориды или же наоборот — от неожиданного порыва холодного ветра.

Подходя к офису, Джо думала о том, какой путь проделала фирма с тех пор, как Кларк Беннет основал ее и нанял на работу людей вроде Лена Фарадея. Даже за два года, прошедшие после смерти отца, здесь появилось много такого, что показалось бы ему новшеством. Технология постоянно развивалась, и Джо одной из своих важнейших задач считала стараться поспевать за ней. Научные статьи по близким к ее профессии темам кипами лежали не только в офисе, но и дома у Джо. Она не успевала просматривать одну кипу, как уже приносили следующую.

Офис в субботу казался очень тихим и спокойным. В питомнике работало множество народу, но само здание было пустынным, и Джо вдруг почувствовала себя очень одинокой.

Она побродила по комнатам, остановилась перед монитором компьютера, подключенного к базе данных фирмы, чтобы можно было быстро получать информацию о наличии запасов в питомнике. Здесь были даже данные о том, сколько саженцев какого вида, удобрений и смесей для полива имеется в наличии и сколько надо заказать.

Хорошо бы можно было так же ввести в компьютер координаты Дэнни Форта и получить ответы на все вопросы о нем.

Но с Алексом все было далеко не так просто.

Джо села за стол, но была почему-то слишком взволнована, чтобы сидеть спокойно. Она вдруг поняла, в чем на самом деле ее проблема. Она скучала по Алексу, ей не хватало его присутствия. Джо призналась себе, что вчера вечером неадекватно отреагировала на его невинный обман. Сделала из мухи слона. Это вовсе не было такой уж чудовищной ложью. Так — маленькой и невинной. Может быть, у него была какая-то вполне уважительная причина не петь вместе с остальными, но Алекс не хотел ее обсуждать в тот момент. Может, он просто был не из тех, кто любит делать два дела одновременно, — но тут Джо вспомнила, как он пел в былые годы, аккомпанируя себе на гитаре, и поняла, что мысли ее приняли неверное направление.

Она пыталась оправдать Алекса, потому что очень увлеклась им. Так почему бы не сконцентрироваться на всем приятном, что связано с этим человеком, и не забыть о его невинной лжи?

Но Джо не могла. Честность и доверие всегда значили для нее очень много. Может быть, она была слишком упряма, слишком консервативна. Даже отец часто обвинял Джо в том, что для нее существует только черное и белое. «И никакого серого, только не для моей Джозефины, — поддразнивал ее Кларк. — Но ты ведь не можешь не признать, Джо, что на самом деле в жизни куда больше серого цвета».

Джо было просто необходимо доверять Алексу. Это было похоже на замедленное действие яда. Капля чего-то сильного и разрушительного проникла вчера в ее организм, и теперь ей не было спасения.

С другой стороны, Алекс ведь пробудет в Сарасоте всего несколько дней, а потом отправится не куда-нибудь, а прямо в Китай. Ненадолго, но Джо почему-то была уверена, что после Китая ему захочется попутешествовать где-нибудь еще. И даже если он вернется домой — дом этот находится в Нью-Йорке, где Джо была всего раз в жизни, когда родители подарили ей путешествие на окончание школы.

Они ездили туда в июле, и хотя по традиции принято ругать жуткую летнюю жару во Флориде, в Нью-Йорке было еще хуже. Душно, горячо и влажно, к тому же по городу ходили толпы народу. Джо с родителями делала то же, что и все туристы. Они заказали экскурсию по достопримечательностям Нью-Йорка, но в автобусе сломался кондиционер, и поездка оказалась просто ужасной. Потом Джо говорили, что по-настоящему посмотреть Нью-Йорк можно лишь в обществе одного из его коренных жителей.

Алекс наверняка подошел бы на эту роль.

Впервые с тех давних пор Джо вдруг захотелось снова оказаться на Манхэттене и попытаться понять, почему многие считают его одним из самых восхитительных мест на земле.

Возможно, если бы Алекс показал ей свой город, она увидела бы его именно таким.

Джо снова попыталась вернуться к работе. Было уже около полудня, а она ничего еще не сделала. Положив перед собой стопку документов, девушка мысленно дала обещание покончить с ними до часа.

И в этот момент зазвонил телефон.

Отъезжая от «Гринскейпс» впереди Джо, Алекс вдруг понял, что у него нет ее домашнего телефона.

Он не придал этому значения, так как был уверен, что найдет телефон Джо в справочнике. Но там номера не оказалось.

Джо не говорила, работает ли в субботу, однако Алекс не сомневался, что в питомнике наверняка есть люди даже по выходным. Но когда он набрал в десять часов утра номер офиса, никто не ответил, и это не улучшило его настроения.

Во «Флоридиане» был огромный бассейн, отделанный розовым кафелем, раскинувшийся посреди пышного тропического пейзажа. Окна Алекса выходили как раз на бассейн. Глядя на купающихся, он вдруг решил спуститься к ним. Но проблема состояла в том, что ему хотелось бы, чтобы рядом была Джо.

Алекс еще раз набрал номер ее офиса — опять никого. Тогда он стал звонить каждые пятнадцать-двадцать минут. Потом подумал, что ведет себя как дурак — Джо наверняка не появляется в офисе по субботам, — но все же продолжал звонить.

И вот наконец он услышал на другом конце провода ее прохладное «алло!».

От неожиданности Алекс словно лишился дара речи.

— Алло, — повторила Джо.

— Джо?

— Алекс?

Он старался определить по голосу, рада ли она его звонку.

— Я не был уверен, что найду вас сегодня на работе.

— Я всегда работаю по субботам, — сказала Джо. — Честно говоря, я только вошла. Сначала проверила, как дела в питомнике. Кстати, сегодня мои люди приедут к вам в торговый центр. Они будут работать и завтра, если понадобится, но Лен говорит, что вряд ли возникнет такая необходимость. Большинство растений уже на месте, и он уверен, что все будет выглядеть как надо. — Джо перевела дыхание и продолжила: — Может быть, найдете время заехать и посмотреть.

— Не думаю, — тихо произнес Алекс.

— О, — сказала Джо и тут только поняла, что разговаривает сегодня с Алексом как с клиентом, причем с почти незнакомым клиентом.

— Джо, — нарушил тишину Алекс. — Я ведь позвонил не по поводу «Мимозы».

— О? — на этот раз возглас звучал вопросительно.

— У меня нет вашего домашнего телефона.

— О?

— Джо, прекратите повторять одно и то же! — Алекс был в отчаянии и в то же время едва сдерживался, чтобы не рассмеяться. — Может быть, дадите мне свой номер прямо сейчас, чтобы я сразу же записал его?

Джо молчала.

— Вы что, не хотите давать мне свой номер?

— Да нет же, конечно, я дам вам его, — но в голосе Джо не было энтузиазма. Она продиктовала номер, и Алекс повторил его, чтобы убедиться, что записал правильно.

— Теперь так, — сказал он. — Сколько еще времени вы собираетесь пробыть на работе?

— Я же сказала, я только что пришла.

— Неужели собираетесь сидеть там весь день? Джо, на улице так чудесно. И сегодня суббота.

— А вы сами никогда не работаете по субботам, Алекс?

Конечно же, он всегда работал по субботам, особенно когда оказывался в Нью-Йорке. Молчание выдало Алекса.

— У меня действительно очень много бумажной работы, которую необходимо доделать, — вяло сообщила Джо.

— Сегодня?

Когда Джо ничего не ответила, Алекс забеспокоился

всерьез. Что-то случилось вчера вечером, но он никак не мог понять, в чем дело. Вроде бы все было чудесно, но в какой-то момент Джо вдруг стала смотреть на него как... на предателя. Алекс снова и снова прокручивал в голове все, что говорил вчера. Может быть, Джо не понравилось, что он предложил Фреду и Мирне пообедать с ними. Но почему? Джо была явно привязана к Фреду. Она должна была понимать, как здорово для него будет выбраться пообедать в какое-нибудь особенное место.

Так что же на нее нашло?

— Джо, я спрашивал вас вчера, почему вы вдруг стали так холодны, — почти резко произнес Алекс. — И повторяю свой вопрос сегодня. Что случилось?

Вопрос застал Джо врасплох. Она как раз готовилась признаться себе, что ей не терпится встретиться с Алексом, и не стоит быть такой упрямой дурочкой. Когда-нибудь она узнает, почему Алекс соврал ей. Он расскажет сам. Джо уже почти не сомневалась в этом.

Она пыталась представить, чем они могли бы заняться сегодня вместе. Лучше придумать что-нибудь под открытым небом, исключающее интимную обстановку.

Но ей нечего было ответить Алексу на его вопрос. А выкручиваться на ходу Джо не умела.

— Ничего не случилось, Алекс, — сказала она. Это было почти правдой.

К сожалению, она ответила не сразу, и это явно разозлило Алекса. Он понял, что с ним не хотят говорить откровенно.

— Я собирался предложить вам поплавать вместе во «Флоридиане», — сухо произнес он. — Но вполне понимаю ваше желание доделать важную работу. — Затем он попытался как-то сгладить свой сарказм. — Мне знакомы проблемы, связанные с работой.

Джо уловила в его голосе ледяные нотки, и поежилась от неприятного предчувствия. Что ж, она сама виновата.

— Алекс... — робко начала Джо.

— Да?

— Послушайте, я подумала, может быть, вы хотели бы проехаться по побережью, посмотреть пляжи, на которых еще не были. Вам ведь, кажется, понравилось на Сиеста-Ки?

— Да.

— А на Кейзи-Ки вы бывали?

— Нет.

— Там рядом симпатичный ресторанчик с прекрасным видом на пляж. Как вам такая перспектива?

— Вы говорите о ленче или об обеде?

— О довольно позднем ленче. — Джо приободрилась, поскольку Алекс не отклонил ее предложение сразу. — Я не завтракала сегодня и уже чувствую, как сосет под ложечкой.

— Хорошо. Мне заехать за вами в офис?

— Нет, — быстро сказала Джо. — Вам это не по пути. Лучше я заеду за вами во «Флоридиану».

— Хорошо. Когда?

Джо посмотрела на часы. Было начало первого.

— Например, в час?

— Я буду ждать внизу.

Положив трубку, Джо задумалась. Почему внизу? Не хочет пускать ее в свой номер? Становится осторожнее, начинает отдаляться? Решил, что их отношения развиваются слишком стремительно? Собирается снова стать для нее лишь клиентом? О, конечно, фирма «Моллз интернэшенэл» была важным клиентом. Но ей очень многого хотелось лично от Алекса Гранта.

Подъезжая к «Флоридиане», Джо снова вспомнила шутки отца по поводу ее способности видеть только черное и белое.

Что ж, с этого дня она займется изучением всех промежуточных оттенков, пообещала себе Джо и тут же представила, как недоверчиво хмыкнул бы отец, услышав такое заявление.

Алекс стоял в тени под навесом. Увидев машину Джо, он быстро подошел и залез внутрь, а затем заметил:

— Роль шофера все время достается вам.

— Рада стараться, — Джо шутливо отсалютовала. Она улыбнулась, но глаза ее оставались печальными. Хорошо, что Алекс не мог разглядеть этого за темными стеклами солнцезащитных очков. Он был одним из самых проницательных людей, которых приходилось встречать Джо, и, казалось, читал ее, как раскрытую книгу.

На Алексе тоже были темные очки. И светло-серые шорты. И белая спортивная рубашка с открытым воротом. Выглядел он потрясающе. Еще лучше, чем вчера.

— Удалось поплавать? — спросила Джо, чтобы как-то начать разговор.

— Нет, — ответил Алекс, — ограничился холодным душем.

Джо и самой не помешал бы сейчас холодный душ. Вблизи от Алекса Гранта... с ней происходило что-то странное. Она словно чувствовала каждую клеточку своего тела.

Снова вспомнив вчерашний вечер, Джо сказала:

— Я знаю, что уже говорила об этом, но хочу еще раз поблагодарить вас за внимание к Фреду, Мирне и всем остальным. Это было очень мило с вашей стороны.

— Черт побери, Джо, — раздраженно произнес Алекс, — я вовсе не старался быть милым. Мне нравилось там. Я веселился от души и благодарен вам за то, что вы познакомили меня с этими людьми.

Джо посмотрела на него с подозрением. Но Алекс явно говорил искренне, хотя трудно было себе представить, что молодому преуспевающему предпринимателю вроде Алекса Гранта могло понравиться на дне рождения больного пожилого человека в парке трейлеров. Алекс с его внешностью, деньгами и связями был бы желанным гостем в любом обществе. Пожалуй, он вполне мог бы стать международным плейбоем, если бы решил выбрать эту стезю.

Однако невозможно было представить его в подобной роли.

— Где вы живете, Алекс? — вдруг спросила Джо.

— Что? — удивленно переспросил он.

— Где вы живете?

— Что вы имеете в виду?

— Ведь есть же место, которое вы считаете своим домом? — Джо не терпелось услышать ответ.

— Ну, наверное, моим домом можно считать Манхэттен. Но я очень много путешествую.

— А где вы живете на Манхэттене?

— У меня квартира в Бикман-Плейс, окнами на Ист-ривер, — быстро ответил Алекс. — А почему вы спросили?

— Просто интересно. Вы часто приглашаете гостей?

— Приходится устраивать деловые приемы, но чаще всего я заказываю их в отелях.

— Вы не любите собирать гостей дома? Может, вы тайный гурман-кулинар или что-нибудь в этом роде?

— Нет. Честно говоря, готовлю я весьма посредственно. Никогда не увлекался этим всерьез. Может, мне бы и понравилось, но никогда не было времени на подобное хобби.

— А чем же вы увлекаетесь?

— Соблазняюсь янтарными волосами, — спокойно ответил Алекс.

Перестав смотреть на дорогу, Джо удивленно взглянула на Алекса:

— Что-о?!

Алекс рассмеялся:

— Сами напросились. Что это было? Вы спрашивали с какой-то конкретной целью или я могу надеяться, что заинтересовал вас лично?

— Извините, — медленно произнесла Джо, чувствуя, как горят ее щеки.

— А за что вы извиняетесь? — поинтересовался Алекс.

— Не знаю, с чего это я вдруг начала забрасывать вас вопросами. Наверное, потому, что вы для меня — что-то вроде загадки, и мне хотелось бы узнать о вас больше.

— Я польщен, — улыбнулся Алекс, но Джо отметила про себя, что он не выказал ни малейшего желания посвятить ее в историю своей жизни.

Почему? — снова спрашивала она себя. Почему он не хочет говорить о прошлом? Стыдится того, что был когда-то Дэнни Фортом? Как же на самом деле закончилась карьера ее идола?

Джо и Алекс пообедали в ресторане около Кейзи-Ки с видом на прибрежные каналы с маленькими островками, поросшими тропической зеленью.

По каналам сновали лодки и катерки, иногда — рыбацкие суденышки. Джо хотелось спросить Алекса, любит ли он кататься на лодке, ловить рыбу. Есть ли у него яхта? Но она решила не задавать больше вопросов.

Алекс, видимо, тоже. Они держались безопасных тем — погоды во Флориде, угрозы урагана и торнадо. Джо спросила Алекса, был ли он в парке Майакка-Ривер-Стейт. Там можно нанять лодку с гребцом, который в угоду туристам поднимал со дна аллигаторов. Нет, Алекс не был в Майакке. Он вроде бы заинтересовался ее рассказом, но не слишком сильно. Джо отогнала от себя мысль предложить ему устроить пикник в парке.

Шло время. Джо начинала беспокоить безликая и практически безразличная манера разговора, которой придерживался Алекс. У нее возникло странное чувство, будто она разрушила что-то, возникшее между ними. Наверное, потому что не захотела объяснить ему, что ее беспокоит. Но, черт побери, у него не было повода жаловаться. Она поймала его на лжи...

Джо вздохнула. Ну вот, опять. Только черное и белое. Наверное, она слишком честная, чтобы быть счастливой.

Закончив ленч, они перебрались через скрипучий маленький мостик на Кейзи-Ки и медленно поехали вдоль берега. Джо любила такие поездки. Дорога, тянущаяся среди пышной тропической растительности, наводила на мысль о том, какими хрупкими были на самом деле прибрежные островки. На Кейзи залив заворачивал к западу. Неподалеку на востоке находились внутренние каналы. Домики и растения, цеплявшиеся за землю, так легко мог смести с лица земли сильный шторм! Джо не хотелось даже думать о том, что могло бы произойти со всем этим, если бы природа разгневалась по-настоящему. Все в этой жизни — и в природе — было, в конце концов, непредсказуемо.

При других обстоятельствах она поделилась бы с Алексом своими мыслями. Но теперь, когда он отстранился от нее, сделавшись убийственно вежливым, об этом не могло быть и речи.

Они остановились на красивом пляже у Нокомиса, решив побродить по песку.

— Чуть дальше к югу до сих пор можно найти окаменевшие акульи зубы, — сказала Джо.

Она снова болезненно ощущала присутствие рядом Алекса. Хотелось обнять его широкие плечи. Изобразить из себя самку удава. Какое ужасное сравнение! И все же это было правдой. Джо хотела бы обвиться вокруг Алекса, чтобы он был близко-близко — не только физически, но и эмоционально.

— Акульи зубы? — пробормотал Алекс. — Интересно...

Джо едва поборола желание столкнуть его в зеленую воду залива.

— Из них делают ожерелья и всевозможные сувениры, — вяло произнесла она. — Им миллионы лет. Иногда люди находят также окаменевшие зубы китов.

— Из них, наверное, ожерелья получаются еще лучше? — вежливо поинтересовался Алекс.

— Алекс! — Джо не могла больше этого выдержать. — Прекратите!

— Прекрасно, — он улыбнулся своей ужасной самодовольной улыбкой. — Значит, я еще способен вывести вас из себя.

Коснувшись пальцем обнаженного локтя Джо, он задумчиво потер его. У Джо закружилось перед глазами. Неужели можно так возбудить женщину, просто коснувшись ее локтя?

Алексу это удалось.

На пляже было несколько человек. Иначе — Джо была почти уверена в этом — она повалила бы Алекса на песок и...

Джо задержала дыхание. Никогда в жизни ее не посещали подобные мысли.

Алекс не стал торопить события. Он подобрал несколько раковин и лишь затем повернул обратно к машине.

По дороге во «Флоридиану» беседа была легкой и непринужденной. Алекс не пригласил Джо подняться, не намекнул на то, что завтра воскресенье и они могли бы провести его вместе. Поехать в Майакку попугать аллигаторов. Или заняться чем-нибудь еще.

По дороге от «Флоридианы» к своему одинокому дому на побережье Джо с грустью думала о том, что ей удалось оттолкнуть Алекса. Проблема состояла в том, что сама она не избавилась от власти его колдовского обаяния.

Глава 6

Открытие торгового комплекса «Мимоза» было назначено на вторник, на десять утра.

Поздно вечером в понедельник Джо и Лен Фарадей приехали в «Мимозу», чтобы лично убедиться, что с растениями все в порядке.

Джо стояла рядом с Леном, разглядывая переделанный пейзаж. Трудно было представить себе что-либо более прекрасное.

Атмосферу арабских сказок удалось восстановить полностью. Очаровательные островки-оазисы, где могли бы отдохнуть усталые путники. Пышные великолепные растения с зеленой листвой, экзотические цветы.

С сияющими глазами Джо повернулась к Лену.

— Вам удалось это! — похвалила она.

— Мы восстановили все так, как было в первый раз, когда пейзаж увидел мистер Грант.

— Кое-что даже лучше, — сказала Джо.

Но хорошее настроение быстро испарилось, когда она распрощалась с Леном и поехала к себе домой. Конечно, она собиралась присутствовать на церемонии открытия. Она получила специальное приглашение в виде эмблемы торгового комплекса — лампы Аладдина. Она не сомневалась, что Алекс тоже будет на открытии. Но с субботы Джо не видела и не слышала его.

Все воскресенье она лениво бродила по квартире, прислушиваясь к телефону. Потом стала наводить порядок в шкафу, где и так был порядок, подбирая одежду по цветам. Потом разобрала шкафчики в кухне и переделала еще кучу ненужной работы.

Телефон молчал. В понедельник Джо приехала на работу раньше обычного, потому что находиться дома было просто невыносимо. К счастью, понедельник оказался забит делами. Джо уехала из «Гринскейпс» поздно вечером. Она была голодна, но не хотела готовить и заехала в закусочную, где ей вручили прямо через окно машины гамбургер и чай со льдом.

Ночь была теплая. Даже душная. Джо боялась, что утром начнется гроза, которая могла бы омрачить открытие «Мимозы».

Но опасения ее оказались напрасными. Вторник выдался погожим и ясным.

Церемония проходила в небольшом внутреннем дворике. Для приглашенных гостей поставили складные стулья, а для любопытных было достаточно места вокруг. Алекс наложил вето на традиционную церемонию перерезания ленточки, заявив, что хочет чего-то более оригинального.

Приглашение Джо давало ей право на место, которое она тут же заняла, стараясь не оглядываться слишком явно в поисках Алекса. Наконец он появился непонятно откуда и подошел к небольшому подиуму, окруженному цветущими гибискусами.

На нем был белый костюм и темно-зеленая рубашка. Алекс выглядел потрясающе. И никаких следов бессонных ночей. А у Джо, которая проворочалась три ночи подряд, наверняка появились темные круги под глазами.

Алекс произнес короткую речь о «Мимозе». Джо знала, что эту речь транслируют по установленным снаружи громкоговорителям, чтобы люди, собравшиеся в ожидании открытия у входов в торговый комплекс, тоже могли все слышать.

В общем, он и обращался скорее к этим людям, а не к местным знаменитостям, собравшимся внутри, среди которых был и мэр Сарасоты. Алекс сказал, что открыл торговый комплекс для окрестных жителей — чтобы у них было место, где можно отдохнуть и развеяться, а не только походить по магазинам.

— И я думаю, — продолжал он, — что всем вам удастся сделать это во многом благодаря стараниям мисс Джозефины Беннет, Лена Фарадея и других сотрудников компании «Гринскейпс инкорпорейтед», которые превратили «Мимозу» в чудесный оазис. Ваш оазис.

После этих слов тысячи розовых и бирюзовых шариков взмыли в чистое небо над Сарасотой и Брэдентоном.

— На каждом шарике, — сказал Алекс, снова взяв в руки микрофон, — эмблема нашего торгового комплекса — волшебная лампа Аладдина. И девиз нашего предприятия: «Оазис, где вы можете обратить свои мечты в реальность». Именно такой мы надеемся увидеть «Мимозу» — точно такой, какой хотите видеть ее вы. А внутри каждого шарика — чек на подарки от нашей фирмы. Так что внимательно следите за их приземлением. И еще, — продолжал Алекс. — Первые пять тысяч посетителей «Мимозы» получат маленькие волшебные лампы, — Алекс рассмеялся. — Потрите свою лампу — и кто знает, может быть, из нее появится джинн.

И он сошел с подиума под смех и аплодисменты.

Джо смотрела, как взмывают ввысь воздушные шарики. Потом она вдруг увидела, что Алекс прокладывает к ней путь через толпу.

И вот он уже улыбается ей своей обворожительной полуулыбкой.

— Признаюсь, это было довольно сентиментально, — тихо сказал он. — Но эффектно, не правда ли?

— О да, — согласилась Джо. — К закату, после того как сотни счастливчиков подберут в своих дворах ваши шарики, «Мимоза» наверняка появится на карте штата.

Алекс поглядел на девушку с подозрением.

— Мне показалось или я действительно уловил в ваших словах нотки цинизма?

— Нет, — искренне ответила Джо. — Я говорю то, что думаю. Отличная реклама.

— Хмм, — Алекс хотел сказать еще что-то, но слова не шли с языка. Улыбка его поблекла, он рассматривал Джо с самым серьезным видом. — Можно мне отвезти вас на ленч, Джо? Мне бы очень хотелось, чтобы вы поехали со мной.

Теперь засомневалась Джо. Она получила приглашение на ленч, который должен был последовать за официальной церемонией. И собиралась пойти на него. Но потом, проведя два ужасных дня, изменила свое решение.

Она считала необходимым отметиться на открытии и приехала вместе с Леном Фарадеем. Лен не был приглашен на ленч, и это был еще один довод против ее присутствия. Рядом с Леном она еще могла бы выдержать, но одна...

— Я не собиралась на ленч, Алекс, — медленно произнесла Джо и тут же поразилась разочарованию, застывшему в глазах Алекса.

Почему он так разочарован? Он ведь сам отстранился от нее после субботы. Не звонил ни в воскресенье, ни в понедельник.

— И мне не удастся переубедить вас, Джо? — тихо спросил Алекс. — Послушайте, я понимаю, что в какой-то момент мы сбились с ритма...

Это был первый намек на их отношения, который услышала от него Джо. Она удивленно подняла глаза.

— Джо, — тихо сказал Алекс, — нам необходимо поговорить.

На них уже начинали смотреть собравшиеся вокруг люди. Наверняка многие из них хотели бы поговорить с Алексом — в том числе и мэр.

— Послушайте, — сказала она, — вас ждут ваши гости. Почему бы вам не позвонить мне позже?

— Потому что я не уверен, что вы возьмете трубку.

— Алекс, прошу вас. Если вы оглянетесь, то увидите людей, которым не терпится вас поздравить. И вам надо ехать на ленч.

— Если вы не составите мне компанию, я сбегу с этого чертова ленча.

— Алекс, но это же смешно. Просто ребячество какое-то.

— Может быть. Каждый имеет право на ребячество. Хотя бы время от времени.

— Алекс, на нас смотрят. — Джо становилось не по себе.

— Пойдемте со мной. А потом решим, куда нам ехать и что делать.

Вздохнув, Джо решила, что проще сдаться.

— Хорошо, — сказала она. — Но я должна найти Лена и сказать, что не еду с ним обратно в «Гринскейпс».

— Я подожду вас, — пообещал Алекс и переключил наконец-то внимание на мэра и остальных гостей.

Только когда они подъехали к ресторану, Джо поняла, что ленч будет довольно крупным мероприятием. На стоянке едва хватало места для машин. Вокруг Алекса сгрудилась целая толпа желающих пожать ему руку и поздравить с открытием «Мимозы».

Конечно же, их быстро отделили друг от друга. Это было просто неизбежно. Джо прошла вперед в надежде, что Алекс догонит ее. Она предъявила приглашение, и ее проводили к столику.

Только когда зал начал заполняться народом, Джо поняла, что ей не придется обедать рядом с Алексом. Его проводили к длинному банкетному столу и усадили среди местных знаменитостей.

Джо видела, как Алекс оглядывается вокруг. Лицо его было мрачнее тучи. Но тут он увидел ее и встал. Джо отчаянно замотала головой. Она не хотела, чтобы Алекс пересаживал ее за свой стол.

Поняв смущение Джо, Алекс сел и погрузился в мрачное молчание. Лишь через несколько секунд он нашел в себе силы улыбнуться сидевшей рядом женщине, очевидно, в ответ на ее вопрос. Джо с облегчением отметила, что женщина годится ему в матери.

Джо не помнила, что она ела на этом ленче или о чем разговаривала с соседями по столу. Конечно же, она принимала участие в общем разговоре, но думала при этом только об Алексе.

Почему он так расстроился, когда она сказала, что не собирается ехать на ленч? Ведь он даже не озаботился тем, чтобы связаться с ней за последние три дня. Алекс ясно дал ей понять, что отношения их не продолжатся. Почему?

Целые армии этих самых «почему?» роились в голове Джо. Наверное, дело было в том, что она не выспалась как следует.

Когда подали десерт, Джо пробормотала соседям по столу что-то невразумительное и отправилась в дамскую комнату. Ее трясло как в лихорадке. Плеснув в лицо холодной водой, Джо подкрасилась и постаралась взять себя в руки. Прямо перед дверью дамской комнаты ее ждал Алекс.

Он выглядел угрюмым. Трудно было назвать это как-то иначе. Джо заметила на его лице следы усталости, которых не было видно при ярком солнечном свете на церемонии открытия. Значит, он тоже не спал?

Прежде чем произнести хоть слово, Алекс сжал руку Джо, словно желая убедиться, что она никуда больше не исчезнет.

— Давайте сбежим, — быстро предложил он.

— Алекс, вы не можете...

— Еще как могу, черт побери! — отрезал Алекс. — Я уже сказал Энди Карсону, что собираюсь совершить побег.

— Энди Карсону?

— Это моя правая рука. Я не смог познакомить вас на открытии. Он сидит слева от мэра.

Алекс внимательно поглядел на девушку.

— Вообще... — начал он, но осекся, пожал плечами и сказал: — Если не хотите убегать со мной, так сразу и скажите.

— Я согласна, — быстро ответила Джо.

Они вышли из ресторана на стоянку. Джо чувствовала себя как школьница, сбегающая с уроков. Алекс завел машину и спросил:

— Вы хотели бы отправиться в какое-то определенное место?

— Нет.

— Хорошо. Тогда попробуем для начала выехать на пляж.

Оказалось, что он имел в виду Сиеста-Бич. Когда они подъезжали туда, Джо мысленно взмолилась, чтобы побег их не был испорчен отсутствием мест на стоянке. Сиеста-Бич считался одним из самых красивых пляжей мира и был чудовищно популярен. В мартовские дни в разгаре сезона здесь иногда невозможно было припарковать машину.

Но Алексу повезло. Он нашел место между красным «Корветом» и небольшим фургоном.

— Хотите прогуляться? — спросил он Джо.

— Да, — кивнула она.

На обоих были темные очки, и Джо подумала, что, наверное, выглядит такой же непроницаемой, каким казался ей сейчас Алекс. Она скинула туфли и, оставив их в машине, присоединилась к Алексу.

Они молча прошли по деревянным прогулочным мосткам, сошли на песок и добрались до полосы прибоя. Мокрый песок приятно холодил ноги.

Они долго шли вдоль берега, затем повернули обратно. Джо шла теперь прямо по воде. Несколько секунд Алекс внимательно наблюдал за ней, и она многое дала бы, чтобы прочесть в этот момент его мысли. Потом он тоже вошел в воду.

Они шли, плескаясь водой и ничего не говоря друг другу. Но напряжение, которое испытывала Джо со дня рождения Фреда, начало вдруг испаряться. Алекс протянул ей руку. Джо не понадобилось просить дважды. Она крепко сжала его пальцы.

Они медленно вернулись к машине. Усевшись за руль, Алекс посмотрел на Джо.

— Есть на сегодня какие-нибудь планы?

— Собиралась вернуться на работу, вот и все.

— И все?

— Да.

— Означает ли это, что мне удастся отговорить вас туда возвращаться?

Джо лукаво улыбнулась:

— Может быть. Надо только позвонить, предупредить Мардж.

— Поедемте со мной во «Флоридиану». Я знаю, вам не нравятся подобные заведения, но, если вы расслабитесь и попытаетесь представить, что живете в двадцатые годы, думаю, будет даже забавно. Можно развалиться у бассейна и представить себя декадентами.

Джо рассмеялась.

— Звучит не так уж плохо. — На самом деле она пришла бы в восторг от любого предложения Алекса. — Только сначала давайте заедем ко мне домой — я возьму купальник. Это недалеко от «Флоридианы».

— Нет проблем, — заверил ее Алекс.

Они остановились перед домом Джо, и она спросила:

— Зайдете? — Сердце ее замерло.

— На этот раз пропущу, — сказал Алекс, и Джо не знала, радоваться ей или расстраиваться.

Войдя в квартиру, она прежде всего позвонила Мардж, которая так обрадовалась, что ее начальница решила поплавать с Алексом Грантом, что Джо даже стало немного неудобно. Затем она разложила на кровати все свои купальники и стала выбирать, какой же взять с собой во «Флоридиану».

Белое бикини показалось ей чересчур вызывающим. Как и желтое облегающее трико. Наконец Джо остановилась на красивом купальнике бронзового цвета, и только когда спускалась вниз, поняла вдруг, что именно в этом купальнике выглядит наиболее соблазнительной.

Номер Алекса во «Флоридиане» был больше всей ее квартиры. Он предоставил в распоряжение Джо свою спальню и ванную, а сам переоделся в небольшой комнатушке рядом с гостиной.

Они встретились посреди комнаты. На Алексе были темно-красные купальные шорты. Потрясающий мужчина, подумала Джо, и у нее даже закружилась немного голова.

Алекс набросил на плечи полотенце, но от Джо не укрылось, что его мускулистые плечи покрыты загаром. Полотенце не скрывало также чисто мужских атрибутов фигуры.

На Джо был шоколадный халат, перехваченный на

талии. Они уселись на стоявшие рядом с бассейном шезлонги, девушка сняла халат, и Алекс смог разглядеть ее как следует. И, не удержавшись, тихонько присвистнул.

Джо неодобрительно покачала головой:

— Не лукавьте, Алекс. — Вытянувшись, она начала покрывать ноги солнцезащитным кремом.

— Сами не лукавьте, — быстро прервал ее Алекс. — Если вы извините меня, я лучше нырну поглубже и попробую охладиться.

Джо смотрела, как он ныряет и плывет, рассекая воду широкими, уверенными гребками. Она понимала — ей-то недостаточно будет нырнуть, чтобы охладиться. Обуревавшие ее желания были для нее абсолютно новыми. Никогда еще Джо не испытывала ничего подобного. Она всегда владела собой, когда речь шла о мужчинах. И ей нравилось думать, что это по-прежнему так. Но не стоило обманывать себя. Близость Алекса возбуждала ее, и в этом таилась опасность. Не будь идиоткой, не забывай об этом, предупредила она себя.

Вернулся Алекс с зачесанными назад черными волосами.

— Эй! — протестующе заявил он. — Я думал, вы присоединитесь ко мне.

— Через некоторое время, — ответила Джо, изображая ленивую расслабленность, которой вовсе не чувствовала.

Алекс развалился в шезлонге рядом с ней. Джо нервно сглотнула слюну, разглядывая его фигуру.

— Хотите солнцезащитный крем? — быстро спросила она.

— Нет, но спасибо за предложение. Я уже загорал в этом году. К тому же сейчас вторая половина дня — обгореть не так просто, как утром.

Джо согласно кивнула, затем закрыла глаза и скорее почувствовала, чем услышала, как ворочается рядом Алекс.

Наконец она решилась взглянуть на него украдкой из-под своих темных очков. Алекс перевернулся на живот. Теперь Джо могла беспрепятственно разглядывать его широкие плечи, мускулистую спину и стройные ноги, покрытые темными волосами.

— Изучаете меня? — спросил Алекс.

— Что?! — встрепенулась Джо. Затем добавила с упреком: — У вас что, глаза на спине?

Алекс быстро перевернулся, подпер голову рукой и посмотрел на Джо.

— А мне и не надо вас видеть. Я чувствую ваш взгляд. Джо...

— Да?

— Помните ли вы, что мы встретились ровно неделю назад?

Джо думала об этом почти постоянно.

— Да, помню.

— Иногда мне кажется, что это произошло всего три секунды назад. А потом мне кажется, что я знаю вас с самого начала времен. Со мной происходят вещи, которых я не понимаю, — признался Алекс. И продолжал с улыбкой: — И как такая маленькая хрупкая девушка могла лишить меня равновесия?

Джо вдруг вскочила на ноги.

— Сами вы маленький! — задиристо произнесла она. — Я вот раньше вас добегу до бассейна.

Она действительно добежала раньше и тут же нырнула, но через мгновение Алекс уже был рядом с ней. Вокруг бассейна отдыхало много народу, но ныряли при этом единицы. Неожиданно Алекс схватил Джо и потянул ее вниз. Оба они оказались под водой. Не успев опомниться, Джо почувствовала, как губы Алекса завладели ее губами. Вода была холодной, а губы — горячими. И результат был потрясающим.

Алекс отпустил Джо. Она быстро выбралась на поверхность и замотала головой, пытаясь отдышаться.

— Все в порядке? — спросил Алекс, вынырнув рядом.

Вместо ответа Джо неожиданно схватила его за плечи. Теперь агрессором будет она. Быстро поцеловав Алекса, девушка тут же нырнула и отплыла от него, появившись над водой только в другом конце бассейна.

Она с удовольствием отметила, что самолюбие Алекса немного задето ее победой в этой гонке.

Выбравшись на край бассейна, он посмотрел на Джо сверху вниз, словно не веря тому, что только что случилось.

— Для такой маленькой... — ехидно начал он.

— Возвращайтесь в бассейн и попробуйте повторить это, — угрожающе произнесла Джо.

— И что же вы собираетесь сделать со мной, мисс Беннет? — в голосе Алекса звучал смех и одновременно вызов. — Кстати, где вы научились так плавать?

— Я из Флориды, — напомнила ему Джо. — Я практически выросла в воде.

Держась за край бассейна, Джо немного прошла по воде.

— А где выросли вы, Алекс?

Она не собиралась задавать этот вопрос. Не собиралась снова выпытывать у Алекса подробности его личной жизни. Во всяком случае до тех пор, пока не наладятся их охладившиеся отношения. Надо дать Алексу время, чтобы ему захотелось рассказать о себе без всяких вопросов.

Она увидела, как изменилось выражение его лица. Он продолжал улыбаться, но теперь это была уже не та веселая улыбка. В глазах и в изгибе губ просвечивала усталость.

— Я рос то здесь, то там, — медленно начал он. — Но у меня никогда не было возможности купаться двенадцать месяцев в году. — Алекс поспешил сменить тему: Как насчет того, чтобы вернуться на сушу и выпить в местном баре?

— Сейчас, только поплаваю еще немного.

Джо необходима была физическая нагрузка, чтобы легче было взять себя в руки. Нежелание Алекса рассказывать о Дэнни Форте тревожило ее все больше и больше.

Вернувшись на свой шезлонг, обсохнув и надев халат, она спросила себя, узнал ли Алекса еще кто-нибудь.

Конечно, существовала возможность, что никто из его деловых партнеров никогда не был рок-фанатом. А если и были, им, наверное, не пришло бы в голову искать какую-то связь. Дэнфорт А. Грант очень мало походил на Дэнни Форта, если только не искать намеренно черты сходства. Даже Мардж, которая явно увлекалась творчеством Дэнни Форта, не могла понять, почему лицо Алекса кажется ей смутно знакомым.

Только настоящая фанатка вроде Джо могла опознать его сразу. И Алекс явно не сталкивался с такими фанатами, если они вообще существовали. Он вращался совсем в другом кругу и чувствовал себя в безопасности. Хотя Джо до сих пор не понимала, зачем ему скрывать свое прошлое.

Они подошли к бару под соломенным навесом, уселись на высокие табуреты и заказали по клубничному дайкири. Оркестр заиграл регги, тропическая мелодия волновала кровь. Джо вовсе не требовалась музыка, волнующая кровь, когда рядом находился Алекс.

Они поговорили немного о том, как замечательно прошло открытие «Мимозы». Джо сказала, что тоже хочет получить маленькую золотую лампу Аладдина. Алекс пообещал, что лампа у нее будет. Джо поблагодарила его за специальное приглашение, присланное Лену.

— Для него много значила эта работа. Он ужасно себя чувствовал, когда считал, что потерпел фиаско.

— Ну, теперь ему не о чем беспокоиться, — сказал Алекс. — В жизни не видел более восхитительного пейзажа.

Они выпили еще по дайкири. Расслабившись, Джо и Алекс смотрели на восток, где начинало садиться солнце. Все кругом было в золотых бликах, которые, падая на плечи Алекса, превращали его в золотую статую Адониса.

Солнце быстро катилось за горизонт, чтобы выплыть на другой стороне земного шара. Желание Джо разгоралось, подобно пожару. И когда Алекс вдруг хрипло произнес ее имя, Джо поняла, что Алекс испытывает то же самое. Их желания совпадали — они хотели друг друга.

Поднимаясь на лифте в пентхаус, оба молчали. Все так же молча Алекс вынул ключ, который лежал в небольшом карманчике его плавок, и открыл дверь.

— Прекрасно, — приветствовал их мужской голос. —

А я уже боялся, что вы не вернетесь до моего отъезда в аэропорт.

Энди Карсон — Джо узнала мужчину, которого видела и на открытии, и на ленче, — поднялся им навстречу со стаканом скотча в руках.

Наверное, это был промысел божий, убеждала себя Джо, переодеваясь в спальне Алекса. Наверное, и для нее, и для Алекса лучше, что им помешали.

Но она никак не могла заставить себя поверить в это. Расчесывая волосы, подкрашивая глаза и губы, она думала лишь о том, что Карсон появился чудовищно не вовремя.

Алекс познакомил их. Карсон напомнил Джо, что встречался с ее кузеном во время его последнего визита в Сарасоту и рад возможности познакомиться с нею лично. Энди любезно объяснил, что у него есть свой ключ от номера и он подумал, что неплохо будет заехать выпить чего-нибудь и расслабиться перед предстоящим перелетом.

Джо чувствовала: Энди неловко от того, что он прервал их свидание в самом разгаре. Он старался сгладить неловкость. Джо поспешно ускользнула в спальню переодеться. Но теперь она вдруг присела на край огромной кровати и окинула комнату тяжелым взглядом.

Как и все во «Флоридиане», эта комната выглядела помпезно. Серебро, бирюза и черный цвет. Безделушки в стиле арт-деко. Толстый плюшевый ковер, пестрое атласное покрывало.

Взгляд ее бесцельно блуждал по комнате. Сколько раз Алекс поднимался сюда с какой-нибудь женщиной с намерением заняться тем же самым, чем готов был заняться сегодня с ней? Возле скольких бассейнов сидел он с куда более привлекательными спутницами? Как часто посещал с красотками ночные клубы? И всегда ли эти свидания кончались в его номере?

Он был так невыносимо красив. И конечно, далеко не монах. Неужели она поверит, что такой мужчина в одиночестве?

Джо испытывала почти физические страдания. Она засунула купальник и халат в пакет, взяла сумочку и вернулась в гостиную.

Алекс переоделся в шорты и футболку, налил себе выпить, и они с Энди сидели на диванчике у окна, погруженные в беседу. Наверное, деловую, но Джо не могла бы сказать с уверенностью.

Алекс поднял глаза, увидел Джо и тут же вскочил на ноги. Энди тоже поднялся, но гораздо медленнее. Оба мужчины внимательно рассматривали ее. Отставив в сторону сумочку и пакет, Джо уселась в кресло с алой обивкой, стараясь вести себя как ни в чем не бывало.

— Выпьете? — спросил ее Алекс.

Джо покачала головой:

— Спасибо, нет. На самом деле, мне пора.

— Я уеду через пару минут, — поспешно сообщил Энди.

— Ну, наверное, Алекс захочет отвезти вас в аэропорт. Правда, Алекс? — с невинным видом произнесла она, почему-то не решаясь встретиться с Алексом взглядом.

— Я собирался взять такси, — быстро произнес Энди.

— Тогда, может быть, мы поедем вместе? — предложила Джо. — Забросите меня домой. Это по пути. Алексу не придется беспокоиться, чтобы подогнали его машину.

Алекс ничего не ответил. Он молчал даже тогда, когда они все трое направились к двери. А потом просто сказал:

— Спасибо, Джо, за то, что уделили мне время. Когда снова захотите искупаться в бассейне отеля, дайте мне знать.

Направляясь к лифту бок о бок с Энди, Джо думала о том, что совершает чудовищную ошибку. Алекс наверняка не поймет, почему она ушла вот так, ведь оба они явно имели в виду одно и то же, когда поднимались в номер. Но Джо не могла рассказать ему о сомнениях, охвативших ее в спальне.

Внизу, когда они с Энди ожидали такси, он жизнерадостно произнес:

— Я получил сегодня огромное удовольствие. И рад, что могу лично поздравить вас с тем, что сделала для

«Мимозы» ваша компания. Это — лучший проект Алекса на сегодняшний день.

Джо согласно кивнула. Она почти не слушала Энди, который не замолкал всю дорогу до ее дома.

Глава 7

Алекс был в ярости. Давно уже он не сердился так из-за женщины. И ничего нельзя было изменить.

Он смотрел на дверь, только что закрывшуюся за Джо и Энди, и едва подавлял в себе желание расколотить ее в щепки. Подойдя к небольшому бару, он нашел чистый стакан, наполнил его льдом и плеснул сверху виски.

Алекс старался двигаться медленно и размеренно, словно это могло успокоить его гнев.

Но ничего не помогало.

Алекс присел на кресло, и ему показалось вдруг, что он ощущает аромат духов Джо. Он словно чувствовал тепло ее тела. Ерунда! Может быть, в ее теле вовсе и нет ни капли тепла. Она — самая холодная и равнодушная женщина из всех, кого ему доводилось встречать.

Но тут Алексу вдруг стало стыдно подобных мыслей. Конечно же, он был не прав.

Алекс посмотрел на часы. Вечер был в самом разгаре. Можно было еще пойти куда-нибудь поужинать, сходить в театр, в ночной клуб — да куда угодно. Не поздно было также позвонить Джо и спросить:

— Эй, что все это значило?

Но Алекс не мог этого сделать. Существовала еще такая вещь, как гордость. Джо задела его самолюбие.

Несколько мгновений Алекс смотрел в пространство. Потом начал мерить шагами гостиную, словно запертый в клетке тигр. На Сарасоту опускалась ночь. Тропическая ночь, полная звезд, с царящей на небе огромной луной. Но самым невыносимым было то, что у бассейна оркестр продолжал играть регги, и музыка словно нападала на Алекса, он чувствовал себя так, будто кто-то затягивает внутри его узел. Все туже и туже.

Джо хотела его так же сильно, как он хотел ее. Алекс знал это.

Но тогда, после дня рождения Фреда Бакстера, что-то между ними было разрушено. Алекс отдал бы все, чтобы восстановить ту невидимую связь, которая существовала между ним и Джо. Между ними вдруг выросла стена. И он не мог понять почему.

Алекс думал, что решит проблему, прямо спросив об этом Джо. Но она ушла от ответа. Алекс собрал волю в кулак и не звонил ей ни в воскресенье, ни в понедельник. Он знал, что все равно увидит Джо во вторник на открытии, и надеялся, что они смогут наладить отношения.

Но вышло иначе.

Несмотря на желание, которого Джо почти не скрывала, в ней присутствовала весь день какая-то внутренняя сдержанность, беспокоившая Алекса. Кроме, конечно же, их чудесного купания в бассейне. Неужели Джо сбежала только потому, что они знакомы всего неделю?

Видит бог, он и сам был испуган до предела, думая о том, что готов влюбиться в Джо. Страшно было при мысли, что он может по-настоящему полюбить женщину. Он никогда не позволял себе этого раньше. Единственный раз, когда Алексу почудилось, что он влюблен, все это оказалось лишь юношеской фантазией. Ему было больно, но раны быстро зажили. И он решил тогда, что настоящая любовь просто-напросто не для него.

У Алекса бывали отношения с женщинами. У него было то, что многие назвали бы весьма интересной жизнью. У него было даже две таких жизни, напомнил себе Алекс.

Он понимал, что в один прекрасный день придется рассказать Джо о жизни номер один. Стать рок-звездой в совсем еще сопливом возрасте, а потом скатиться с небосклона, — конечно, после этого остаются шрамы. Вернее, большинство этих шрамов появилось еще до заката его карьеры. Будучи Дэнни Фортом, он заработал кучу денег. И ему попался честный менеджер, который удачно вложил эти деньги. Потом, когда возникла необходимость сменить направление, Алекс и сам узнал кое-что о бизнесе и капиталовложениях. Именно тогда он обнару-

жил в себе склонность к определенному виду предприни
мательства, и на свет появилась «Моллз интернэшенэл».

Его менеджер, Рей Эллерсон, теперь удалился на по
кой и живет в Аризоне. Они до сих пор поддерживают от
ношения, и Алекс заезжает иногда в Таксон во врем
своих поездок на Западное побережье.

Рей был единственным, кто знал все об обеих жизня
Дэнфорта А.Гранта. Алекс вдруг почувствовал острую не
обходимость поговорить с Реем.

В Аризоне был еще вечер. Алекс набрал номер. Ре
взял трубку после второго звонка.

— Не помешал?

— А чего ты ожидал? — ответил Рей. — Что прервеш
мое свидание с вышедшей в тираж звездой Фоли-Бержер
Нет, ты не прервал ничего важного, кроме повтора хок
кейного матча, который я все равно не хотел смотреть
Когда живешь в Аризоне, хоккей не вызывает почему-т
такого интереса, как в Нью-Йорке. Во всяком случае
меня. — Последовала пауза. — Ну, и как ты там?

— Потрясающе, — ответил Алекс. — Во всяком слу
чае, должно быть потрясающе. Мы открыли сегодн
новый торговый комплекс.

— Откуда же ты звонишь?

— Сарасота, штат Флорида.

— Сарасота? Там вроде подвизались когда-то братья
Ринглинг и «Барнум энд Бейли серкус»?

— Да, наверное, — равнодушно ответил Алекс.

— Что-то голос у тебя не очень, — заметил Рей. –
Что-то не так?

— Да нет, я в порядке, — успокоил его Алекс. — Все
порядке. Вот только...

— Да?

— Мне кажется, я влюбился, — признался Алекс.

Он был явно не готов к потоку бранных слов, посы
павшихся на него из телефонной трубки.

— Черт бы тебя побрал, — резюмировал Рей. — Кт
же она?

— Президент и хозяйка одной фирмы в этих краях
Специализируется на озеленении. Зеленые пейзажи для
торговых комплексов, ресторанов и...

— Кажется, я все понял, сынок, — прервал его Рей. — Ты познакомился с ней на деловой почве.

Алекс усмехнулся, вспомнив свою первую встречу с Джо.

— Да уж.

— Но это ведь противоречит твоему принципу, не так ли? Ты, помнится, кричал всегда, что только дураки смешивают бизнес и удовольствия.

— Но это совсем другое, — медленно произнес Алекс.

Рей задумчиво переварил сказанное, затем медленно произнес:

— Я просто не верю, что все это говоришь мне ты. Хотелось бы повидать эту птичку.

— Прилетай завтра во Флориду, — быстро предложил Алекс. — Я буду в Сарасоте целую неделю. Потом пару дней в Нью-Йорке — и лечу в Китай.

— На этот раз в Китай?

— Да. Но что-то мне не очень хочется туда лететь. Хотя совсем недавно я с удовольствием думал о поездке. Может быть, я даже пошлю вместо себя Энди.

— Да, плохи твои дела, — заметил Рей.

— Не знаю, не знаю. Уж ты-то не должен особенно удивляться. Ты ведь один из всех знаешь, как я переношу такие вещи.

— Сынок, — медленно произнес Рей, — когда-нибудь ты непременно должен был встретить женщину и по уши в нее влюбиться. Я всегда пытался убедить тебя в этом.

— Наверное, это было единственное из всего, что ты говорил мне, чему я никогда не верил.

— Нет, было еще кое-что, во что ты не верил, — возразил Рей. — Я пытался убедить тебя, что не все женщины на свете такие, как твоя мать или как та девица из шоу, что бросила тебя. Нельзя обвинять весь женский пол за грехи отдельных его представительниц.

— Ты действительно так думаешь? — тихо спросил Алекс.

— Я знаю, что ты именно так и делал, — продолжал Рей. — Иначе ты бы чаще влюблялся в девчонок, которые вились вокруг. Но ты никак не мог заставить себя доверять им.

— А ты доверял бы, если бы оказался на моем месте?

— Не знаю, — пробормотал Рей. — Ей-богу, не знаю. Если бы у меня были перед глазами такие примеры, как твоя мать и тетя Лаура...

— Сейчас, оглядываясь назад, я не виню тетю Лауру, — сказал Алекс. — Мне было девять лет, когда меня кинули на нее, а она никогда раньше не имела дела с детьми. Я даже не был ее родственником — всего лишь племянником ее мужа. Она не знала, как обращаться со мной, а я не знал, как общаться с ней.

Рей недоверчиво хмыкнул.

— Алекс, после всего, что ты рассказал мне об этой женщине, я сомневаюсь, что она вообще пыталась наладить ваши отношения. Она ведь даже не разговаривала с тобой после того, как ты добился успеха. А ты помнишь, когда умер твой дядя... Я ведь был рядом, когда она позвонила тебе наконец — после похорон.

Алекс потянулся за стоящим рядом стаканом и сделал большой глоток виски.

— Черт побери, — сказал он. — Давай сменим тему. Эту песенку мы оба знаем наизусть. — Он подавил вздох. — Мы ведь все равно никогда не узнаем, что на самом деле творилось в голове у Лауры, правда? Слишком поздно строить догадки.

Алекс был поражен тем, какими болезненными оказались для него воспоминания о дяде Ральфе и тете Лауре, не говоря уже о родителях. Алексу было семь, когда его мать сбежала из города с любовником. Отец Алекса, преуспевающий адвокат из Берлингтона, штат Вермонт, просто помешался на измене жены. Чтобы разыскать ее, он нанял когорту частных детективов. Когда они наконец нашли ее, около трех лет спустя, мать Алекса уже развелась с Гарольдом Грантом и была замужем за человеком, с которым сбежала, — лучшим другом Гарольда, которого он знал с детства.

От горя и отчаяния Гарольд ушел в гараж позади дома, закупорил все окна и двери, включил мотор машины и заснул навеки.

Ральф Грант, брат Гарольда, тоже жил в Берлингтоне. Он был бухгалтером, уважаемым членом общества, но

при этом человеком очень замкнутым. Хотя Ральф при-
нимал участие в общественной жизни города, Алекс не
мог припомнить, чтобы он или его жена вели какую-либо
светскую жизнь. Они были угрюмыми чопорными людьми. И, как только что сказал Рею Алекс, в их жизни просто не было места для девятилетнего сироты-племянника.
Хотя Ральф возражал против его появления гораздо меньше Лауры. Он даже пытался время от времени установить
с ним какой-то контакт. Алекс помнил, как дядя несколько раз брал его с собой на рыбалку. Лаура же, по мере
того как шло время, относилась к Алексу все хуже и хуже.

Кончилось все незабываемым инцидентом с разбитой
гитарой, которая была лишь очередной попыткой Лауры
причинить мальчику боль. Морально и эмоционально,
если уж не физически.

Но это не остановило его. Холодными зимами он раз-
носил газеты, копил деньги и в результате купил себе еще
одну старую акустическую гитару. Но теперь, чтобы поиграть на ней, он находил укромные уголки. Алекс хорошо
усвоил преподанный ему урок.

Он снова вздохнул, а Рей произнес на другом конце
провода:

— Сынок, расскажи мне побольше о своей девочке.

— О Джо?

— Это сокращенно от Джозефины?

— Да.

— Мою мать звали Джозефиной. Если она такая же,
как моя мать, ты заполучил настоящее сокровище, Алекс.

Алекс печально улыбнулся. Рей и раньше рассказывал
ему о своей матери, которая умерла за два года до их с
Алексом встречи. Алекс подозревал, что Рей ведет все эти
разговоры отчасти затем, чтобы показать ему, что не все
женщины бросают своих детей и мужей.

Да и у него самого хватало здравого смысла, чтобы
понять, что не все матери так аморальны, а не все тетушки страдают мизантропией с садистскими наклонностя-
ми. Но все же, когда дело доходило до того, чтобы всерьез
связаться с какой-нибудь женщиной, Алекс всегда пугал-
ся. Когда речь шла о любви и верности, женщина должна
была доказать ему, что способна на эти чувства. Он вовсе

не сомневался, что это возможно, но хотел быть уверенным в своей избраннице на все сто.

— Алекс? — снова заговорил Рей. — Эй, ты еще здесь?

— Да, — быстро ответил Алекс. — Извини.

— Так ты расскажешь мне о Джозефине?

— Она очень красивая, — хрипло произнес Алекс. — Фигура такая, что кровь вскипает в жилах. Потрясающие темно-карие глаза. Волосы цвета янтаря.

— Цвета янтаря?

— Да, да, именно такого цвета. Я все время дразню ее, что она маленькая, но на самом деле Джо среднего роста. Умная. Очень умная. Когда пару лет назад умер ее отец, Джо стала президентом его компании и ведет все дела сама. И еще она очень смелая. Не боится возразить, если уверена в своей правоте. Хранит верность своим клиентам. Джо — настоящий борец, Рей. Я был одним из ее крупнейших клиентов, но это не помешало ей отбрить меня как следует при первой встрече.

— И она отбривает тебя до сих пор?

— Наверное, — уныло произнес Алекс. — Мы ходили недавно на день рождения к одному из ее друзей. И я сказал что-то такое, что заставило ее отвернуться от меня. Но я не могу заставить ее объяснить мне, что же это было.

Голос его становился все более хриплым.

— Я буду тебе очень признателен, если ты проконсультируешься в ближайшее время с врачом, — тихо произнес Рей.

И на Алекса нахлынули воспоминания о том ужасном дне, когда Рей впервые посоветовал ему обратиться к специалисту. Это было в Чикаго, где Алекс должен был дать важный сольный концерт. Но, проснувшись утром, он обнаружил, что с ним что-то не так. В горле было какое-то странное ощущение... не боли, нет — неудобства.

Конечно, он дал концерт и собрал полный зал. Поклонники либо не заметили странной хрипоты его голоса, либо им это понравилось.

Позже, в номере отеля Алекс отправился в ванную и стал полоскать горло теплой водой с антисептиком.

После напряжения на концерте голос был уже таким хриплым, что он едва мог разговаривать.

Рей ждал его за дверью ванной.

— Я думаю, нам надо обратиться к специалистам по голосовым связкам, — угрюмо произнес он.

И это означало для Дэнни Форта конец всего. Но он сумел возродиться из пепла, напомнил себе Алекс. И он не вернулся бы назад, даже если бы у него была такая возможность.

Джо вытянулась на кровати и перевернулась на другой бок. Она проворочалась несколько часов, потом встала, прошла на кухню и взяла из холодильника банку пива.

Джо не очень любила пиво. Она вообще почти не пила, но сегодня ей вдруг вспомнилось, что, если выпить на ночь пива, это поможет уснуть.

Джо прошла с пивом в гостиную, свернулась калачиком в кресле у окна и стала медленно пить. Огромное окно ее гостиной выходило на залив Сарасота. Далеко слева виднелись огни шоссе, ведущего к Лидо, Сент-Арманд и Лонгбоут-Ки — барьерным прибрежным островкам, находящимся чуть поодаль от этой части побережья Флориды.

Джо глядела на светящиеся окна домов по другую сторону шоссе и чувствовала себя чудовищно одинокой. Она напомнила себе, что вовсе не одинока, что у нее в Сарасоте есть друзья, множество друзей. Стоит моргнуть глазом — и можно собрать шумную вечеринку.

Но прошло так много времени с тех пор, как она была по-настоящему с кем-то близка! И вовсе не потому, что Джо была необщительна. Просто после смерти отца у нее было столько дел! Все время и силы уходили на организацию бизнеса — за время болезни отца дела были немного запущены, и только совсем недавно Джо смогла сказать себе, что все снова в порядке.

Наступило время, когда она могла бы позволить себе немного расслабиться. Может быть, даже допустить кого-то в свою жизнь.

Кого-то? Но единственный, ради кого она была согласна хотя бы приоткрыть немного дверь в свое сердце, был Алекс Грант.

А что Алекс?

С тех пор как Энди Карсон высадил ее перед дверью собственного дома, Джо корила себя за то, что сбежала от Алекса. Сбежала самым позорным образом. И неудивительно, если он не захочет после этого с ней общаться.

Она была несправедлива, очень несправедлива к Алексу. Не дала ему шанса объяснить свою мелкую ложь, которая казалась все менее и менее значительной по мере того, как Джо думала на эту тему. Алекс имел право не петь, если ему этого не хочется. И объяснить это любым способом, который не вызвал бы дальнейших расспросов.

Просто Джо очень смутилась, когда они вернулись в номер Алекса и увидели там Энди. Не надо было быть ясновидящим, чтобы разглядеть, что происходит между ней и Алексом. Может быть, Джо просто не замечала в себе раньше стыдливости, заставившей ее так мучиться. Энди не сказал и не сделал ничего такого, что могло бы усилить ее смущение. Совсем наоборот.

Но никакая стыдливость не оправдывала поспешных выводов, сделанных ею в спальне.

Она судила Алекса по единственной реплике, показавшейся ей ложью, и по предполагаемым привычкам, касавшимся женщин.

Пройдя в спальню, Джо взглянула на часы со светящимися цифрами. Пятнадцать минут третьего. Очень хотелось позвонить Алексу и объяснить ему свое странное поведение, но было уже поздно.

Джо вернулась в постель и испробовала все способы заснуть — от подсчета овец до попытки отключить сознание. Ничего не помогало. Ее буквально преследовал образ Алекса. Только к утру Джо наконец задремала.

А Алекс тем временем мучился бессонницей в своем номере во «Флоридиане».

Телефонный разговор с Реем хотя и оказал терапевтическое воздействие, в то же время пробудил к жизни весьма неприятные воспоминания.

Алекс прошел в небольшую кухоньку и подогрел себе в микроволновой печи чашку молока. Потом он вернулся в гостиную и стал смотреть в окно на темную ночь, разукрашенную серебром. И вдруг он почувствовал в полной мере, как пуста его жизнь, несмотря на интересную работу, богатство, друзей, захватывающие возможности.

Алекс не мог вспомнить, чтобы был когда-нибудь в своей жизни по-настоящему близок с кем-то, кроме Рея. Наверное, отец вовсе не хотел научить его ненавидеть свою мать, но Алекс ненавидел ее, пусть даже подсознательно. С отцом у него тоже никогда не было настоящего взаимопонимания. Особенно после побега матери, когда Гарольд практически от всего отстранился. Он стал угрюмым страдальцем, в разбитой жизни которого не было места для малолетнего сына.

Затем шли несчастные семь лет с дядей Ральфом и тетей Лаурой.

Попивая молоко, Алекс вспоминал, как в шестнадцать лет ночью выбрался из дома дяди, держа в руках гитару и пакет с вещами. В кармане лежал бумажник со всеми его сбережениями: пятьдесят четыре доллара восемьдесят шесть центов.

Он добрел до окраины городка и начал ловить машину. Наверное, все дело было в гитаре или в его опрятном внешнем виде, но мальчику удалось добраться до Элбани, штат Нью-Йорк. Именно там ему предстояло стать Дэнни Фортом.

Он начал играть, где мог и когда мог. Он прошел Элбани и кучу других маленьких городков, играя на перекрестках и городских площадях. Футляр от гитары лежал у его ног, люди бросали туда монеты, пока рано или поздно не появлялись полицейские и не прогоняли его.

Потом он стал играть с разными группами, если те принимали его к себе. А чаще всего его принимали, потому что Алекс был по-настоящему хорош в своем деле. И не только в игре на гитаре — сам он считал, что играет чуть выше среднего, хотя со временем мастерство его совершенствовалось. Алекс потрясающе пел. У него был волшебный голос — молодой, глубокий, с широким диапазоном.

Алекс быстро учился жизни — для него не могло быть другой дороги: он сумел сделать фальшивый паспорт на имя Дэнни Форта, где значилось, что ему на три года больше, чем было на самом деле.

Постепенно его стали брать к себе все более серьезные ансамбли. Потом появился постоянный состав. А вскоре его нашел агент. Алекс встретил Рея. Они заключили сделку с крупной студией звукозаписи, которая выпустила диск Дэнни. Так началась его карьера.

К двадцати трем годам Алекс был на вершине. У него не было конкурентов, способных сбросить его оттуда.

И вот однажды утром он проснулся и обнаружил, что ему трудно глотать...

Алекс допил молоко и осторожно помассировал горло. Инстинктивный жест, потому что он до сих пор так и не привык до конца к тому, что может глотать нормально.

В то ужасное утро у него еще было все — слава, богатство. Все, кроме любви, с горечью напомнил себе Алекс. Конечно, у него всегда были поклонницы. Толпы поклонниц, которые при виде его орали до хрипоты и пытались оторвать от него хоть что-нибудь на сувениры — клок волос или камушек из ожерелья.

Дошло до того, что пришлось окружать себя телохранителями. При таком поклонении нетрудно было стать тщеславным. И легко относиться ко всему, что давала тебе жизнь.

Но даже тогда Алекс не путал увлечение, восторг, страсть и настоящую любовь, кроме того единственного раза, когда он позволил себе увлечься фантазиями. И это была ошибка, от которой он тяжело и мучительно оправлялся.

Но после того ужасного утра, когда стало ясно: что-то не так с его горлом, Алекс на собственном опыте быстро понял, как быстро закатываются вчерашние звезды. Он мог бы написать книгу о непостоянстве поклонников, о том, как быстро остаешься один, как только прожектор индустрии развлечений перестает тебя освещать.

Только Рей остался верен ему. Тогда и все то время, когда Алекс снова поднимался на вершину, но уже совсем в другой области.

Он попытался представить себе, как все могло бы получиться, если бы он встретил Джо тогда, а не сейчас.

Глава 8

Джо не могла больше ждать. С шести часов утра она мерила шагами свою квартиру, дожидаясь, когда можно будет позвонить Алексу. Наконец она решила, что восемь часов не так уж рано.

В трубке прогудело три раза. Джо уже хотела отключиться — может быть, Алекс пошел с утра искупаться или, после вчерашнего вечера, вообще выбрал другое место для отдыха и покинул Сарасоту, — когда Алекс взял наконец трубку.

— Я разбудила вас... — растерянно произнесла девушка.

— Джо!

Она представила, как он лежит, приподнявшись на локте. Наверняка еще не брился. Волосы спутаны. Глаза сонные. Одной мысли о нем было достаточно, чтобы тонкие ниточки желания снова опутали ее по рукам и ногам.

— Алекс, — Джо запнулась и начала снова: — Алекс, извините. Я знаю, что еще очень рано, но мне не хотелось упустить вас.

— А разве я куда-то собирался? — Алекс усмехнулся.

— Н-не... знаю, — запинаясь, произнесла Джо.

— Джо, дорогая, что может быть лучше — проснуться от звуков вашего голоса? — хрипло произнес Алекс. — Мне плевать, сколько сейчас времени.

Джо пожалела, что не позвонила ему в три часа ночи.

— Кстати, я вовсе никуда не собираюсь, — продолжал Алекс. — Я даже не помню, какой сегодня день. Вот что случается с человеком в отпуске. Мозг начинает слабеть.

— Это будет нечто — дожить до того дня, когда ваш

мозг на самом деле ослабеет. Алекс, послушайте, мне надо сегодня на работу. С Восточного побережья прилетает потенциальный клиент. Я должна встретиться с ним сама.

— Джо, — тихо произнес Алекс. — Я вовсе не ожидал, что вы тоже возьмете ради меня отпуск.

— Но мне, — сказала Джо, — мне очень жаль, что я не могу поступить именно так. Мне хотелось бы быть с вами.

— Прямо сейчас?

— Да, — призналась Джо.

— Иногда мне кажется, что я совсем вас не понимаю, — пожаловался Алекс.

Голос у него был обескураженный. Джо понимала его. Всего несколько часов назад она покинула его номер при таких обстоятельствах, которые согласился бы простить не каждый мужчина.

Она неожиданно решила рассказать Алексу о той дурацкой реплике на дне рождения Фреда, которая так расстроила ее и повлияла на их отношения. И... сейчас она скажет Алексу, что знает, кто он.

Нет, тут же решила Джо. Не стоит говорить — надо показать ему это.

— Послушайте, — сказала она, — очень трудно объяснить некоторые вещи по телефону. По крайней мере мне. У меня лучше получается лицом к лицу.

— Один из прекраснейших сюрпризов этой жизни — возможность встретиться с вами лицом к лицу, — пробормотал Алекс.

Джо не стала ловить его на слове. Сейчас она меньше всего собиралась флиртовать с ним.

— Алекс, — снова начала она.

— Да, Джо? — в голосе его угадывалась улыбка.

— А что вас так позабавило? — подозрительно спросила Джо.

— То, как вы произнесли мое имя — словно хотите сделать какое-то заявление. А впрочем, — серьезно добавил он, — может быть, это не так уж и смешно.

Джо перехватила инициативу:

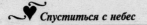

— Я бы хотела пригласить вас к себе поужинать сегодня вечером.

На другом конце провода повисла тишина. Джо казалось, что она слышит бег секунд. Она сказала себе, что после вчерашнего Алекс, конечно же, не очень хочет принимать ее приглашение, хотя и разговаривает с ней как ни в чем не бывало.

— Послушайте, Алекс, — сказала она. — Все в порядке. То есть, если у вас другие планы...

— Джо, дорогая, — терпеливо произнес Алекс, — разве я не говорил уже, что у меня нет никакого расписания на ближайшие несколько дней, которые я собрался провести в Сарасоте? Повторить еще раз, чтобы вы запомнили? Это означает, что единственное, чего я хочу...

— Чего же?

— Я хочу быть с вами столько, сколько вы можете быть со мной. Но ритм придется задавать вам, Джо. Я не знаю, что случилось вчера, не знаю, что оттолкнуло вас в субботу вечером. Остается только надеяться, что вы меня просветите.

— Обязательно, — пообещала Джо.

— В любом случае я не хочу, чтобы вы делали то, чего вам не хочется.

— Я уже большая, Алекс, — невесело усмехнулась Джо.

— В чем-то — да, — согласился он. — Но в каких-то вещах вы — словно маленькая девочка, заблудившаяся в лесу. И мне ни за что не хотелось бы обидеть вас, Джо. Если я тороплю события, мне очень...

— Думаю, для нас обоих события развиваются очень быстро, — сказала на это Джо.

— Спасибо, что сказали, — голос его был еще более хриплым, чем обычно. — Большинство женщин на вашем месте не сделали бы этого.

— Более взрослые — может быть.

— Большинство женщин, — повторил Алекс. — В любом случае...

— Алекс, — прервала его Джо. — Я знаю — вы не хотите меня обидеть.

Она действительно знала это. Ее лишь немного беспокоило, что Алекс счел нужным сделать подобное заявление. Может, предупреждает, что готов разделить с ней только одну неделю из своей жизни? Сообщает, что серьезные отношения не для него? Сколько ему лет? Тридцать пять? Наверняка он уже решил, чего хочет от жизни.

— Послушайте, Алекс, — сказала она. — Я не говорю, что мы должны сегодня начать все сначала. Мне не хотелось бы отказываться от того, что уже было между нами. Мы взрослые люди, мы нравимся друг другу, нам приятно быть вместе. Так?

— М-м-м, — промычал Алекс. — Я бы сказал больше.

Он снова дразнит ее? Джо не могла ничего понять. Неожиданно Алекс спросил сугубо деловым тоном:

— В какое время мне приехать сегодня, Джо?

— Вам удобно в семь?

— Замечательно. Привезти что-нибудь?

— Только самого себя.

При мысли о том, как Алекс вечером наполнит пустоту ее квартиры своим неотразимым обаянием, Джо стало вдруг почему-то не по себе, и она пробормотала почти испуганно:

— До встречи.

Алекс повесил трубку.

Утро в «Гринскейпс» пролетело быстро. Джо переговорила с четырьмя клиентами из разных концов страны, интересовавшимися услугами фирмы, затем позвонил ее кузен Тим, которому необходимо было обсудить несколько мелких проблем, с которыми они столкнулись в офисе в Майами. Джо уже прошла через это и с удовольствием приободрила Тима.

— У меня самая умная и красивая сестричка в мире, — сказал Тим, прежде чем положить трубку.

— Подхалим, — засмеялась Джо. Они с Тимом оба росли единственными детьми в семье. Отец Тима был старшим братом ее отца. Несколько лет назад он разбился на личном самолете, попав в нелетную погоду. Тиму было тогда около тринадцати. После этого он часто приезжал погостить в «Гринскейпс». Кларк Беннет стал для него вроде второго отца. Поэтому смерть его потрясла Тима почти так же сильно, как Джо.

Мать Тима снова вышла замуж и перебралась в Санкт-Петербург, но Джо знала, что Тим нечасто видится с ней. Он был не в восторге от своего отчима. После открытия офиса в Майами Джо спросила, не хочет ли Тим возглавить его, и тот с радостью ухватился за эту возможность.

Покончив с телефонными переговорами, Джо занялась срочными бумагами. Через какое-то время глаза ее стали закрываться сами собой, и она пожалела, что некогда прилечь поспать. Раньше ей никогда не пришла бы в голову подобная мысль. Но сегодня ей хотелось выглядеть свежей и красивой во время ужина с Алексом. Однако впереди был тяжелый день, и нечего было даже мечтать об отдыхе.

В одиннадцать Джо встретилась с клиентом, который хотел открыть неподалеку новый обеденный комплекс с кинотеатром. Он знал, что у него много конкурентов, но рассчитывал на несколько оригинальных идей, и энтузиазм его казался заразительным.

Джо нравилось, когда ее начинали посещать идеи — одна тянула за собой другую, и это превращалось почти в игру.

Время шло. Потенциальному клиенту было около пятидесяти, он уже успел рассказать ей о своей жене — еще одна вещь, которую всегда приятно было услышать. Сообщил, что две их дочки-близняшки учатся на втором курсе колледжа. Затем он взглянул на часы, обнаружил, что уже перевалило за полдень, спросил, не согласится ли она на совместный ленч, и Джо, неожиданно для самой себя, согласилась.

Они поехали в ресторанчик на побережье неподалеку от «Флоридианы». Проезжая мимо отеля, Джо попыталась угадать, что делает сейчас Алекс — расслабляется у бассейна или пьет свой дайкири в баре под соломенным навесом.

Как ей хотелось быть рядом с ним!

Было уже два тридцать, когда Джо вернулась в офис.

Она не собиралась отлучаться так надолго, но приятно было сознавать, что за ленчем отношения определились и теперь она могла смело назвать этого человека своим клиентом. «Гринскейпс» получит заказ на цветочные композиции для кинотеатра. Это будет очень интересная, увлекательная работа, которая, однако, потребует серьезного планирования. Надо будет обязательно обсудить свой план с Фредом. Может быть, она наймет его для этой работы. Совместно со штатным дизайнером фирмы Фред сделает отличный проект.

Вернувшись в офис, Джо обнаружила, что за время ее отсутствия возникли проблемы. Мардж передала ей пачку телефонограмм — все с пометкой «срочно». Боб Хоули оставил сообщение, что хочет повидаться с ней как можно скорее.

Джо подозревала, что Боб до сих пор расстроен по поводу фиаско в «Мимозе». Он был помощником Лена Фарадея и честно признался Джо, что считает случившееся своей оплошностью. Джо заверила его, что не винит в неудаче никого конкретно. Если считать, что в этом деле все же есть их вина, придется разделить ее поровну. Но не стоит беспокоиться — все закончилось хорошо.

И все же после того случая Боб стал излишне осторожным. Сейчас он хотел, чтоб Джо лично осмотрела груз экзотических растений, доставленных в «Гринскейпс».

— Мне кажется, у них какой-то странный запах, — пробормотал Боб.

— Боб, — ответила Джо, стараясь не терять выдержки, — вы ведь и сами прекрасно можете разобраться, все ли в порядке с растениями. Если нет — верните их.

— Но это из питомника, который регулярно поставляет нам продукцию. До сих пор мы получали от них саженцы только высшего качества. Джо, я буду очень благодарен, если вы найдете время взглянуть сами.

Боб был одним из старейших сотрудников «Гринскейпс». Он работал здесь не так давно, как Лен, но тоже достаточно долго. Отец Джо считал его одним из лучших сотрудников. Она решила выполнить его просьбу.

Джо сменила бежевые туфли на пару старых теннисок, которые держала в офисе как раз на такой случай, и отправилась с Бобом осматривать саженцы. Она пришла к выводу, что растения, возможно, немного пострадали при транспортировке, но в общем с ними все в порядке.

— Им нужна только наша забота и регулярный полив водным раствором «Гринскейпс», — с улыбкой успокоила она Боба.

Тот улыбнулся в ответ.

— Ты, наверное, думаешь, что я чересчур осторожничаю, — сказал он.

— Вовсе нет, — попыталась приободрить его Джо.

— Я чувствую себя виноватым в проколе с «Мимозой». Особенно в свете болезни Лена.

— Послушай, — твердо сказала Джо. — Хорошо бы каждый наш проект заканчивался так же удачно, как озеленение «Мимозы». Забудь об этом, Боб. Не стоит так часто оглядываться назад, когда столько всего ждет нас впереди.

— Ты говоришь словами своего отца, — заметил Боб.

— Ну, надеюсь, в меня переселилась часть его мудрости. И лучше бы ее было побольше.

Боб похлопал ее по плечу.

— Ты прекрасно справляешься, девочка, — сказал он, и Джо почувствовала, как ее переполняет гордость. Такие слова от человека вроде Боба были для нее высшей формой похвалы.

Вернувшись в офис, Джо стала разбираться со срочными сообщениями и диктовать на пленку письма, которые Мардж надо было напечатать завтра утром.

Она была погружена в работу, когда Мардж вдруг появилась на пороге и спросила:

— Ты что — собираешься сидеть в офисе всю ночь?

— Нет, — взглянув на часы, Джо обнаружила, что уже почти шесть. — А почему ты до сих пор здесь? — спросила она секретаршу.

— Жду, когда уйдет начальство.

— Мардж, — протестующе произнесла Джо, — ты ведь знаешь, что в этом нет необходимости. Кстати, очень жаль, что ты не прервала меня раньше.

— Особенный вечер? — Глаза Мардж озорно сверкнули.

— Да. Я пригласила Алекса на ужин, и мне надо еще что-нибудь приготовить.

— И во сколько же он придет?

— В семь.

— Джо, у тебя осталось всего пятьдесят пять минут. Ты должна выехать немедленно!

Джо последовала ее совету и быстро покинула офис, попросив Мардж запереть все за нее. Она заглянула в винный отдел небольшого торгового комплекса на углу, остановилась у своей любимой булочной, и ей оставалось около четверти пути до дома, когда произошло вдруг то, чего не случалось с Джо еще ни разу в жизни.

У нее спустило колесо.

Двигаясь в потоке напряженного движения, она вдруг услышала громкое шипение. Когда машина стала вилять из стороны в сторону, Джо сразу поняла, в чем дело, и сумела съехать на обочину.

Пожилой мужчина в машине сзади посочувствовал ей так искренне, что Джо захотелось расплакаться у него на плече. Он обещал прислать кого-нибудь на помощь от ближайшей автозаправки. Джо, не имевшая ни малейшего отношения к технике, понятия не имела, как сменить покрышку самой.

Автомеханик прибыл минут через десять, но Джо эти минуты показались часами. Он поставил запаску и предложил Джо доехать с ним до автозаправки, где обещал посмотреть, можно ли починить старую покрышку.

Но сейчас покрышка волновала Джо меньше всего.

— Просто бросьте ее в багажник, — сказала она. — Я заеду завтра.

— Судя по вашему описанию, — сказал механик, — вы, вероятно, наехали на стекло или острый металлический предмет. Может быть, гвоздь. Вокруг много строек.

— Неважно, — отмахнулась Джо, но тут же напомнила себе, что этот человек выехал ей на помощь посреди рабочего дня. Она заставила себя улыбнуться и расплатилась с ним, включив в счет щедрые чаевые. Она едва удержалась, чтобы не превысить скорость, но сказала себе, что, поскольку сегодня ее преследуют неудачи, поблизости наверняка окажется патрульная машина.

В результате она въехала на стоянку около дома в двадцать пять минут восьмого.

Когда Джо вылезла из машины, прижимая к груди бутылку вина и батон хлеба, из тени ей навстречу двинулась темная фигура.

— Я так и думал, что это вы, — любезно произнес Алекс.

— Простите, ради бога, — простонала Джо. — Сегодня со мной случилось все, что только может случиться по пути. Можете себе представить, прокололась шина и...

— Эй, — прервал ее Алекс. — Вам сейчас не хватит дыхания. Не волнуйтесь так, Джо. Не произошло ничего особенного.

— Но я заставила вас ждать...

— Вы стоите того, чтобы подождать, — тихо сказал Алекс.

Он взял из рук Джо пакеты и пропустил ее вперед. Она почувствовала запах, который уже начал ассоциироваться для нее с Алексом. Наверное, лосьон после бритья. Очень тонкий растительный аромат. Ей казалось, что она чувствует тепло идущего позади Алекса. На нее снова действовала его близость.

Что бы ни случилось завтра — сегодня она хочет его, призналась себе Джо. И не стоило бороться с собой. Она готова столкнуться с неопределенностью, только бы быть с ним сегодня.

«Я не позволю себе снова все испортить», — подумала Джо.

Как только они вошли в квартиру, Джо опять принялась извиняться.

— День как-то вышел сегодня из-под контроля, — пожаловалась она. — Я поздно уехала из офиса, потом эта покрышка. У меня никогда раньше не спускала покрышка!

— Вы говорите так, словно это нарушение прав человека, — улыбнулся Алекс. — Джо, дорогая, проколотые покрышки или что-нибудь подобное — такие вещи периодически случаются в жизни каждого из нас.

— Но почему именно сегодня вечером?

— Вечер еще только начинается, — заметил Алекс.

Тут Джо пришла в голову еще одна мысль. Она почти с отчаянием посмотрела на своего гостя.

— Вы ведь голодны!

— Совсем немного. До голодной смерти мне далеко, — ответил он, озаряя все вокруг своей обаятельной улыбкой.

— Алекс, мне потребуется какое-то время, чтобы приготовить обед. Я хотела отварить спагетти, но надо сделать соус...

— Тогда почему бы не оставить в покое спагетти и не поехать куда-нибудь?

Но Джо не хотелось никуда ехать. Она мечтала остаться наедине с Алексом.

— Может, все-таки останемся дома? — робко спросила Джо.

При слове «дом» в глазах Алекса появилось какое-то странное выражение. Тоски? Сожаления? Джо не могла бы сказать с уверенностью. Она знала только, что слово это сильно подействовало на Алекса, который ответил нетвердым голосом:

— Раз вы так хотите — да, лучше останемся.

— Послушайте, — предложила Джо. — Почему бы вам не сделать себе виски с содовой и не расслабиться, пока я вожусь на кухне.

— У меня есть идея поинтереснее, — улыбнулся Алекс.

— И что же это может быть?

— Давайте соединим лучшее из двух альтернатив. Я видел неподалеку китайский ресторанчик. Почему бы не позвонить им и не заказать обед на вынос. А я съездил бы за ним, пока вы готовите напитки.

Джо рассмеялась:

— От такого предложения трудно отказаться.

К тому времени, когда Алекс вернулся с несколькими коробками китайских блюд, Джо уже успела переодеться в бледно-зеленую тунику, расчесала волосы и подушилась своими любимыми духами — совсем чуть-чуть, за ушами.

Она заметила, как брови Алекса поползли вверх. Нетрудно было понять его удивление. Он видел перед собой совсем другую Джо Беннет. Именно такой ей хотелось быть сегодня. Ведь до сих пор Алексу лишь мельком удавалось разглядеть ее внутреннюю сущность, в основном он имел дело с хозяйкой фирмы. Но сегодня ей хотелось, чтобы Алекс узнал ее целиком и полностью. А она мечтала о том, чтобы поближе узнать его.

Сказать, что она хотела выяснить отношения — означало не сказать ничего. Джо намеревалась спровоцировать Алекса рассказать ей о Дэнни Форте. Прежде чем закончится этот вечер, ей хотелось сорвать покров тайны с его прошлого.

Джо собиралась, дождавшись подходящего момента, поставить одну из пленок Дэнни Форта, списанных ею когда-то с альбома. Тогда Алексу наверняка придется все ей рассказать.

Но за ужином подходящего момента не представилось. Кроме всего прочего, Алекс купил палочки для еды и настоял, чтобы они воспользовались ими. Неуклюжие попытки Джо рассмешили их обоих, но Алекс оказался терпеливым учителем.

Еще он привез немного сливовой водки запивать еду, и то ли от водки, то ли от прикосновения руки Алекса, когда он поправлял ее пальцы, державшие палочки, — но, когда они закончили ужин, у Джо изрядно кружилась голова.

Она вспомнила, что у нее есть немного японского дынного ликера, и подала его к миндальным пирожным, которые Алекс купил на десерт.

Все это время играла самая разная музыка. Теперь же Джо притушила свет и стала подумывать о том, чтобы отложить прослушивание пленки Дэнни Форта до следующего раза. Не хотелось делать ничего такого, что могло бы нарушить непринужденную атмосферу вечера. Но в то же время Джо понимала, что, если она хочет провести эту ночь с Алексом, лучше сначала устранить с дороги все сомнения.

Крепко сжав зубы, Джо поменяла пленку, села на диванчик и стала ждать, что будет дальше.

Квартира неожиданно наполнилась ни с чем не сравнимыми звуками — звуками ее молодости. Джо знала: стоит закрыть глаза, и она увидит Дэнни Форта, вкладывающего в песню свое сердце, свою душу, все, что у него было...

Алекс сидел в кресле у окна. За его спиной всходила над заливом Сарасота яркая луна. Лампа отбрасывала тень на его лицо. Джо не могла прочесть его выражения. Но она видела, как Алекс непроизвольно дернулся, словно его ударили. Крошечная рюмка зеленого ликера задрожала в его руке, и Джо показалось, что сейчас Алекс уронит ее.

Но он быстро овладел собой, и вскоре уже казалось, что Алекс просто слушает музыку. Джо затаила дыхание, ожидая, когда он скажет хоть слово. Но когда Алекс наконец заговорил, это не имело никакого отношения к Дэнни Форту.

Глава 9

Джо просто не могла поверить тому, что услышала. Алекс говорил о том, что встречался с агентом по продаже недвижимости, который показал ему несколько участков на Сиеста-Ки, выставленных на продажу.

После нескольких секунд, в течение которых Джо успела почувствовать его потрясение при звуках голоса Дэнни Форта, Алекс заговорил как ни в чем не бывало.

— Там не так много недвижимости на продажу, — говорил он. — Завтра я осмотрю еще несколько коттеджей. Честно говоря, одно из тех мест, что я видел сегодня, показалось мне довольно милым. Домик на канале, с собственной пристанью. Приятно было бы иметь лодку, на которой можно выйти порыбачить в заливе.

Джо почувствовала, что чудесный розовый мир, которым ей удалось себя окружить, начинает постепенно растворяться. Прощай, романтика, прощай, самообман, с горечью подумала она. Прощай, честность.

Джо не могла больше сидеть спокойно. Она зажгла стоявшую рядом трехрожковую лампу и резко выключила магнитофон.

Алекс удивленно посмотрел на девушку.

— В чем дело? — осторожно поинтересовался он.

Ну как он может быть таким... фальшивым? Джо с трудом поборола гнев и разочарование.

— А вы не знаете? — задиристо спросила она.

— Не знаю что, Джо? — искренне недоумевал Алекс. — Мне кажется, я не улавливаю ход ваших мыслей.

Она махнула рукой в сторону магнитофона:

— В те годы, Алекс, я была одной из ваших преданных поклонниц.

Тишина, повисшая между ними, была тяжелой, как свинец.

Алекс встал и тоже включил на полную мощность стоявшую рядом с ним лампу. Глядя на него при ярком свете, Джо подумала, что он выглядит... словно ушибленным. Усталым. Постаревшим.

Неожиданно ей захотелось прокрутить время назад, вернуться к тому моменту, когда все еще было хорошо, когда она еще не поставила пленку с записями Дэнни Форта. Но когда Алекс посмотрел на нее в упор, Джо поняла, что слишком поздно — ничего уже нельзя исправить.

Слишком поздно. Ему тоже хотелось бы повернуть время вспять. Но по другой причине. Если бы можно было начать все сначала, он давно бы уже поделился с Джо подробностями своей биографии.

И как ему не пришло в голову, что девушка могла быть одной из его поклонниц? Джо была тогда как раз в подходящем возрасте. Он был идолом подростков, сходящих с ума по рок-звездам.

«Черт побери! — подумал Алекс. — Ну почему это должно было случиться именно сейчас? Именно здесь?»

Горькая ирония состояла в том, что Дэнни Форт вовсе не был тайной, которую он собирался скрыть от Джо. Дэнни Форт был частью его существа. Весьма важной частью. И если они с Джо собирались быть вместе, ей необходимо было знать об этом. Она должна знать о нем все. А он — о ней.

Но сегодня Алекс не был готов к разговору о стремительном взлете и падении Дэнни Форта. Сегодня он просто хотел быть с Джо, без всяких условий и выяснений отношений. Он хотел заняться с ней любовью. И Джо всем своим видом словно давала ему понять, что их желания совпадают.

— Когда вы поняли? — хрипло спросил он.

Джо без сил опустилась в кресло. Ее душил гнев, и одновременно хотелось плакать.

— Мне не пришлось ничего понимать, — пролепетала она. — Я узнала вас сразу же, как увидела.

Алекс смотрел на нее, словно пораженный громом.

— Черт бы меня побрал! — пробормотал он, а затем добавил, морщась, словно от боли. — Но почему именно вы?

— Я не понимаю.

— Можете ли вы поверить, что больше никто, никогда, ни разу не узнал меня, Джо?

— Обязательно узнали бы, если бы вы вращались в других кругах. Но вы общаетесь с людьми, которые в основном старше ваших былых поклонников.

— Да, наверное. И все равно.

— Как я уже сказала, я была вашей преданной поклонницей, — с грустью констатировала Джо. — Мне ни разу не повезло увидеть вас на концерте, но я следила за каждым шагом вашей карьеры. Смотрела вас по телевизору, слушала по радио, покупала все альбомы, читала каждое написанное о вас слово. Я — и множество других девчонок и мальчишек моего возраста.

Алекс устало закрыл глаза, затем открыл их и посмотрел на нее с упреком.

— Почему же вы ничего не говорили? Почему вы не говорите ничего даже сейчас? Что, по-вашему, должно было случиться, когда вы поставили пленку? Вы ожидали, что я вскочу с кресла с воплями: «Это же я! Это же я!»

— Я думала, что звуки собственного пения вызовут у вас хоть какую-то реакцию.

— Ну что ж, если вы хотели этого, то можете быть довольны результатом. Но если вас так интересовало мое прошлое, почему вы просто не спросили меня?

— Я не могла, — призналась Джо.

Алекс покачал головой.

— Никогда не был силен в женской логике, — мрачно заметил он. — Я просто поражен вашими действиями. Все так тщательно продумать, составить план, создать ситуацию, превратиться в обаятельнейшее сексуальнейшее существо, дать мне понять, что вы тоже хотите, чтобы ночь эта стала для нас незабываемой — и все для того... Я действительно никогда не забуду этот вечер, но совсем по другой причине.

— Алекс...

— Джо, не надо говорить так обиженно. Как, по-вашему, я должен был отреагировать?

— Я вовсе не пыталась все подстроить, — робко оправдывалась она.

— Тогда остается лишь с ужасом думать, что бывает, когда вы стараетесь специально. Вы доставили себе массу беспокойства, чтобы получить простой ответ на простой вопрос.

Губы Джо задрожали, из глаз полились слезы. Внимательно поглядев на девушку, Алекс сухо произнес:

— Пощадите. Слезы можно выключить. Я считаю, что вы поступили очень нехорошо. И можете проплакать хоть всю ночь — я не изменю своего мнения.

Джо резко повернулась и вышла на кухню. Секунду спустя Алекс услышал звуки льющейся из крана воды.

Он подошел к двери. Джо, стоя к нему спиной, наливала воду в кофеварку. Она уже приготовила две чашки с блюдцами.

— В чем дело? — спросил Алекс. — Вам неожиданно потребовалась кофеиновая терапия?

Джо резко обернулась и внимательно посмотрела на Алекса. Казалось, у нее напряглись все мускулы. Оставалось либо собраться, либо расклеиться окончательно. После едких замечаний Алекса она ни за что не даст ему снова увидеть ее слезы!

— Думаю, нам обоим не помешает кофе, — с вызовом ответила Джо.

— Говорите за себя, — возразил Алекс. — Я и так провел несколько бессонных ночей. Так что предпочитаю виски со льдом.

Джо резко выдернула из розетки шнур кофеварки, открыла дверцу морозильника и достала лоток со льдом.

— Не возражаете, если придется налить себе самому?

— Нет, — ответил Алекс. — Я вовсе не хотел помешать вам выпить кофе.

— Думаю, мне тоже лучше прибегнуть к алкоголю.

Глядя, как Джо смешивает джин с тоником, Алекс почувствовал, как смягчается. Девушка выглядела такой хрупкой, беззащитной... и такой обиженной.

Ему ни разу не пришло в голову, что он мог причинить ей боль, скрыв правду о Дэнни Форте.

— Джо, — Алекс запнулся, подбирая правильные слова.

— Все в порядке, Алекс, — сказала она. — Вам не надо... ничего говорить об этом.

— Но я многое хочу сказать. Глупо было позволять человеку, который вот уже десять лет как не существует, вставать между нами.

— Не думаю, что это хорошая мысль, — возразила Джо. — Мы оба сейчас... на взводе. Если нам и надо поговорить, то лучше выбрать для этого другое время.

— Я не согласен, — спокойно произнес Алекс. — Давайте сядем и покончим с этим раз и навсегда.

Он выглядел очень мрачным и усталым. Джо вдруг стало стыдно. Что она сделала с ним?

— Нет, Алекс, — сказала она. — Мы не должны говорить об этом... вообще.

— О боже, — застонал Алекс. — Я знаю, что женский характер переменчив, но не до такой же степени, Джо. Ведь вы же сами это устроили. И что, по-вашему, мне теперь делать? Включить задний ход?

Джо покачала головой:

— Нет. Но я хочу забыть о прошлом. Давайте начнем все сначала прямо сейчас, Алекс.

— И ляжем вместе в постель? — прямо спросил он.

Джо вспыхнула.

— Давайте... просто... начнем сначала.

— И забудем, что я был Дэнни Фортом, а вы были помешаны на мне в юности?

— Да, — почти с отчаянием произнесла Джо.

— Думаю, вы понимаете, что это невозможно, — Алекс говорил спокойно, но на подбородке его пульсировала жилка. — Ну же, Джо. Ведь вы хотите все знать. И я готов рассказать вам. Но нам лучше договориться об одной вещи, прежде чем я начну.

— О чем же? — тихо спросила девушка.

— Дэнни Форт мертв, Джо.

Сказав это, Алекс направился в гостиную. Джо смотрела ему вслед и в который раз корила себя за то, что затронула эту тему. Она неохотно последовала за Алексом.

Он уже сидел в кресле и рассматривал мыски своих мокасин.

— Вы слышали, что я сказал, Джо? Дэнни Форт мертв.

Джо присела на краешек дивана.

— Это не так, и вы это знаете, — сказала она.

— Увы, это правда. Во мне не осталось ничего от Дэнни Форта. Можете вы это понять? Я — совсем другой человек.

— Не понимаю, зачем вы все время повторяете, что Дэнни мертв, — голос Джо дрожал. — Если только... если только он не сделал тогда, давно, что-то ужасное, что положило конец его карьере...

У Алекса чуть глаза не вылезли на лоб от изумления. Он сказал с усмешкой:

— Скоро вы решите снять у меня отпечатки пальцев. Нет, Дэнни Форт не делал ничего ужасного. Просто он плохо кончил, вот и все.

Джо почувствовала небывалое облегчение. Сколько страшных историй она успела сочинить про человека, сидящего напротив. Про человека, которого любила.

Мысль эта крутилась у нее в голове. Джо вдруг почувствовала себя слабой и уязвимой. Да, она любила этого человека. Она любила Алекса, и любовь эта не имела никакого отношения к Дэнни Форту.

Как найти слова, чтобы объяснить ему это?

— Вам никогда не казался странным мой голос? — спросил вдруг Алекс.

— Голос? — удивленно переспросила Джо.

— Вы не обращали внимания, что я всегда говорю так, будто слегка простужен?

— Да, у вас хрипловатый голос, — согласилась Джо. — Но я никогда не задумывалась над этим...

— Голос Дэнни не был хриплым, Джо.

Алекс сделал большой глоток виски.

— Джо, — сказал он, — прежде чем я продолжу, вы должны понять одну вещь. Я хочу рассказать вам все. Дэнни не делал ничего плохого... — Алекс говорил так, как будто речь действительно шла о разных людях. — Он просто был юным сопляком, на которого свалилось слишком многое. Это могло перекроить его жизнь. Слава могла испортить его. Но благодаря отличному парню по имени Рей Эллерсон Дэнни... то есть мне... — поправился Алекс, — повезло настолько, что... в общем, ему очень повезло с менеджером. Я знаю, — продолжал Алекс, — я только что сам сказал, что во мне не осталось ничего от Дэнни. Что я — другой человек. И это чистая правда. Но это и не совсем так. Дэнни — это я в молодости. Я лишь хочу, чтобы вы поняли — Дэнни уже не возродить к жизни. Дело не просто в том, что я вырос из одежды Дэнни Форта, бросил петь и занялся бизнесом. Жизнь моя изменилась так, что и мне пришлось стать другим. Понимаете?

— Думаю, — медленно произнесла Джо, — я поняла бы лучше, если бы знала, что случилось с Дэнни Фортом.

— Ну что ж, — голос Алекса звучал еще более хрипло, чем обычно. — В одно прекрасное утро, находясь в зените славы, я вдруг проснулся и обнаружил, что не могу глотать.

— Что? — нахмурившись, спросила Джо.

— В буквальном смысле слова. Я очень много пел и, наверное, перенапряг голосовые связки. Накануне я пел на концерте и к вечеру уже не мог говорить. — Алекс сменил позу. — Рей, мой менеджер, настоял, чтобы я обратился к специалисту. На голосовых связках обнаружили полипы.

— О, Алекс! — невольно воскликнула Джо.

— Все обошлось. Образования оказались доброкачественными. Но их пришлось удалять хирургически, и это нанесло моему голосу непоправимые потери. С тех пор он стал хриплым. — Алекс печально улыбнулся. — Нет необходимости уточнять, что с карьерой певца пришлось покончить. Мне посоветовали вообще не петь. Все в порядке, но чем меньше я напрягаю голосовые связки, тем лучше.

Наконец Джо вспомнила, что беспокоило ее, когда она впервые увидела Алекса и поняла, кто он.

— В газете была статья. Там говорилось, что Дэнни Форт ложится в больницу для небольшой хирургической операции.

— Да, — кивнул Алекс. — Рей спустил ситуацию на тормозах. Только операция оказалась не такой уж незначительной.

— Но я помню, как читала тогда, что вы здоровы и готовы вернуться к своей творческой деятельности.

— Это правда, — кивнул Алекс. — Правда, что вы читали такую статью. Но на самом деле у меня не осталось ни малейшего шанса. Рей время от времени помещал сообщения о том, что я решил прервать концертную деятельность, пишу новые песни. То есть он сделал так, чтобы я исчез постепенно. Это оказалось несложно. Звезды закатываются удивительно быстро.

— Если бы ваши поклонники знали обо всем...

— Я не хотел, чтобы они знали. Я представлял себе их реакцию. Их жалость могла сломить меня, и я решил избежать этого во что бы то ни стало.

Говоря это, Алекс ощущал сочувствие, исходившее от Джо. От нее ему тоже не хотелось жалости, особенно сейчас.

— Господи, Алекс, — пробормотала Джо. — А я так критически отнеслась к вашему заявлению, что вы не можете вести мелодию...

— Так вот что оттолкнуло вас тогда! — воскликнул Алекс.

— Да. Я знала, что вы лжете. Ну, может быть, «лжете» — слишком сильное выражение, особенно теперь, когда я знаю все обстоятельства...

— Вы не обязаны делать скидку на обстоятельства. Но я не лгал. Я действительно не могу вести мотив. Мне ведь запрещено петь. И я понятия не имел, что такая простая реплика заставит вас перемениться ко мне.

— Я была не права, — сокрушенно призналась Джо. — Если бы я только знала...

— И что бы вы сделали, если бы знали? — поинтересовался Алекс. — Защитили бы меня?

— Алекс, вы вовсе не нуждались в защите! Но я не стала бы торопиться с выводами. — Она попыталась улыбнуться. — Мой отец говорил, что я всегда тороплюсь с выводами.

— Сейчас меня волнуют вовсе не ваши неправильные выводы, Джо, — тихо произнес Алекс. — Меня волнует, как повлияет на вас все, что я только что рассказал.

— Что вы имеете в виду?

— Именно то, что сказал. Вы смотрите на меня с таким траурным видом...

— А вы ожидали, что я приду в восторг от того, что вы только что рассказали? Рассчитывали, что я обрадуюсь, узнав, через сколько всего вам пришлось пройти? Какая ужасная травма, Алекс. Всего за одну ночь вы потеряли все...

— Именно об этом я и говорю, — нетерпеливо перебил ее Алекс. — Я вовсе не потерял все за одну ночь. Это далеко не так. Хотя сначала, признаюсь, я был в шоке. Я очень испугался. Но когда узнал, что у меня нет злокачественных образований, в конце тоннеля забрезжил свет. У Рея было ранчо около Таксона. Мы отправились туда вместе, как только разрешили врачи. Есть что-то величественное в американском Западе. Широкие открытые пространства, высокое небо и столько неиспорченной красоты. Именно это и было мне необходимо. Мне надо было забыть Дэнни Форта, начать новую жизнь. Рей подкармливал прессу байками о моих планах. Постепенно меня забывали, пока не забыли совсем.

— Наверное, это все-таки было ужасно, — тихо заметила Джо.

— Узнать о том, что меня так легко забыли? Да, это был нелегкий урок. Я многое узнал о непостоянстве поклонников и непостоянстве судьбы. Очень скоро та же самая молодежь так же громко и восторженно кричала на концертах других певцов. Но главное, что вы должны понять, Джо, — все это уже давно закончилось.

— Да, я знаю.

— Знать и понимать — две разные вещи. Я хочу, Джо, чтобы вы оставили Дэнни в прошлом, которому он принадлежит. И еще я хочу, чтобы вы избавились от этой пленки.

— Алекс, я не могу этого сделать, — возразила Джо. — Но я согласна не включать ее больше, когда мы вместе.

Алекс вздохнул.

— Ну хорошо, — сказал он, вставая и подходя к окну. — Я не люблю ненужных упоминаний о своем прошлом. Но вполне могу пережить это, если нет другого выхода.

Повернувшись спиной к окну, он хмуро посмотрел на Джо:

— Господи, лучше бы вы ничего не знали. Я не хочу, чтобы призрак Дэнни Форта стоял между нами. Неужели вы не понимаете? Особенно после того, как я узнал, что он был вашим идолом.

— Вы были моим идолом, — поправила его Джо.

— Нет же, черт побери! Вы ведь не знали меня тогда. То, что вы видели на сцене, — было продуктом фантазии многих людей, в том числе и моей. И Рея. И моих агентов. И тех, на кого я работал в разные периоды. Театральных режиссеров. Кинопродюсеров. В моей команде было много народу, Джо. Дэнни Форт был их произведением. И моим тоже. Неужели не понимаете?

— Но он... вы... для меня вы были реальным человеком.

— А кем я являюсь для вас сейчас? — сердито спросил Алекс.

— Я не понимаю, почему вы так злитесь, — с несчастным видом произнесла Джо.

— Потому что, копаясь в моем прошлом, вы пачкаете наше будущее.

Алекс хотел сказать, что волнуется за настоящее, потому что любит ее. Глупо было отрицать свои чувства. Достаточно было взглянуть на Джо, и бурлящий внутри его гнев начал утихать. Хотелось подойти к ней, обнять, уткнуться лицом в ее мягкие волосы. Говорить ей на ухо слова, которые он не говорил еще ни одной женщине. А потом...

Алекс приказал себе остановиться. Для него было очень важно, гораздо важнее, чем показалось вначале, чтобы в чувствах Джо не было даже намека на жалость к нему.

Он хотел, чтобы они были на равных, чтобы ни у кого из них не было повода жалеть друг друга. Он так многого ждал от будущего. Но сначала Джо должна переварить то, что узнала о нем сегодня.

Так что теперь настало время уйти. Алекс нежно поцеловал Джо, пожелал ей спокойной ночи и обещал позвонить завтра.

После его ухода она без сил опустилась на диван, обескураженно глядя на закрывшуюся за ним дверь.

Затем Джо прошла в кухню и налила себе еще джина с тоником. Она чувствовала себя совершенно опустошенной.

Глава 10

В четверг Джо задержалась в офисе довольно долго. В _ять тридцать она настояла на том, чтобы Мардж шла _омой, пообещав, что скоро последует ее примеру. Но _ыло уже далеко за семь, когда она наконец закрыла за _обой дверь.

Джо подумала, не сходить ли в кино, вместо того _тобы сразу ехать домой. Ничего не хотелось, она не чув- _твовала даже голода.

И все же она поехала домой.

Джо вышла из машины и... история повторилась _новь.

Высокая фигура выскользнула из темноты.

— Я начал волноваться, что вы не приедете, — тихо _казал Алекс.

— Я... я работала допоздна, — ответила Джо.

— Да уж. Добрались наконец до бумажных зале- _кей? — в голосе Алекса звучали дразнящие нотки.

Он показал Джо бумажный пакет.

— Я принес соус. Хлеб и вино у вас, кажется, есть. _Так что пойдемте варить спагетти.

Говоря это, Алекс нежно взял Джо под руку.

Джо не знала, что сказать на все это. Она была слегка _обескуражена тем, что Алекс ведет себя так, будто они от- _ели стрелки часов на двадцать четыре часа назад.

Но так приятно было идти рядом с ним к дому, что у _нее не осталось сил для протестов. Когда они вошли, Джо _уже была готова играть в любую игру, выбранную Алек- _сом.

Он купил где-то по пути два белоснежных фартука и _теперь настоял на том, чтобы они их надели.

— Раз уж мы сегодня повара, то должны выглядеть со- _ответственно, — объявил он и тут же нахмурился.

— В чем дело? — поинтересовалась Джо.

— Я забыл о поварских колпаках!

— Вот уж это ни к чему! — запротестовала девушка.

Алекс вдруг заключил ее в объятия так быстро, что Джо не успела опомниться.

— Пусть этот вечер будет для нас как будто первый, хорошо, милая? — тихо спросил он.

— Мне тоже хотелось бы этого.

— Джо, целый день без тебя длился восемьдесят шесть часов.

— Да, я знаю.

— Ты хочешь сказать, что тоже скучала по мне?

Джо посмотрела на него с улыбкой:

— Как ты можешь задавать такие глупые вопросы?

Вместо ответа губы Алекса нашли ее губы. Джо привстала на цыпочки, отдавая себя во власть его поцелуя. Весь мир словно вращался вокруг них. Сначала поцелуй был нежным, потом стал более требовательным.

Джо продолжала держаться за Алекса — у нее кружилась голова.

Руки Алекса двигались от плеч девушки к талии, лаская нежную кожу. И эти нежные размеренные движения контрастировали со страстным призывом губ.

Наконец они оторвались друг от друга. Алекс целовал теперь подбородок Джо, двигаясь к уху, и вот уже язык его начал сладкую пытку, лаская мочку уха.

Джо погрузила пальцы в темные волосы Алекса. Она прижималась к нему все крепче, чувствуя его растущее возбуждение.

Алекс почти отнес ее в спальню. Стоя у окна, они раздевали друг друга, купаясь в лучах лунного света. Пальцы Алекса ласкали тело Джо, творя настоящие чудеса.

Джо потянула Алекса за ремень, расстегнула пряжку, подождала, пока он снимет шорты и белье. Несколько секунд, показавшихся обоим вечностью, они молча любовались друг другом. Затем Алекс неожиданно подхватил ее на руки, отнес к кровати и опустил на покрывало.

Джо чувствовала, что Алекс, как и она сама, сгорает от страсти, но он занимался с ней любовью не торопясь, стараясь быть нежным. За него говорили его руки, его губы. Джо чувствовала, что в первый раз для него главное доставить удовольствие ей, в конце концов она окончательно утратила контроль над собой, чувства ее были подобны рассыпавшимся искрам, озарявшим лунную ночь. Они лежали в объятиях друг друга, и Джо начала исследовать тело Алекса — сначала медленно и стыдливо, но постепенно распаляясь все больше. Руки ее ласкали мускулистую грудь и плечи, находя самые чувствительные места и наслаждаясь тем, как реагировало на ее ласки тело Алекса. Наконец он хрипло застонал:

— Господи, Джо, я больше не могу.

И в этот миг он вошел в нее, чтобы вместе испытать наивысшее наслаждение оказаться по ту сторону видимого мира.

Прошло еще много времени, прежде чем Джо и Алекс приступили к спагетти. Они сидели за столом при свечах, пили вино и смотрели в глаза друг другу.

Потом они снова занялись любовью. И продолжили утром, проснувшись с первыми лучами солнца. А когда солнечный свет стал уже достаточно ярким, Джо проснулась во второй раз и обнаружила, что голова ее покоится на плече у Алекса, а сам он спит, обняв ее. И ей показалось, что так и должно быть всегда, что именно так она будет просыпаться каждое утро.

Алекс приготовил кофе и принес Джо в постель. Сам он отправился в душ и вернулся, завернутый в полотенце абрикосового цвета. Одного взгляда на него было достаточно, чтобы Джо снова охватило возбуждение.

Алекс присел в ногах кровати, держа в руках чашку кофе, и вдруг спросил:

— Джо, а в «Гринскейпс» не могут обойтись сегодня без тебя и во время уикенда тоже? — Прежде чем Джо успела что-либо ответить, Алекс продолжал: — Я хочу провести с тобой каждую минуту до того вечера, когда мне придется возвращаться в Нью-Йорк. Каждую минуту, дорогая. И не хочу пропустить ни одной секунды из этих минут. Поэтому... возьми на сегодня выходной.

Джо попыталась вспомнить назначенные на сегодня встречи. Но под взглядом Алекса очень трудно было сосредоточиться. Бизнес слишком долго был для нее на первом месте, и странно было думать о том, что кто-то — даже Алекс — может мешать ее делам.

— Я должна позвонить Мардж, — сказала она Алексу.

Он даже не пытался скрыть своего разочарования.

— А что ты сделаешь, если Мардж скажет, что сегодня у тебя много важных встреч? — почти с раздражением спросил он.

Джо выпрямилась.

— А что бы сделал ты, если бы был на моем месте? — с вызовом произнесла она.

Алекс не сводил с нее глаз.

— В такой день, как сегодня? Думаю, я впервые в жизни послал бы бизнес к чертовой матери.

Может быть, да, а может быть, и нет. Не он оказался в подобной ситуации. Взбираясь вверх по лестнице успеха, Алекс наверняка не назначал ни одного неделового свидания, не сверившись сначала с расписанием деловых мероприятий.

Впрочем, никому не захотелось бы считать себя просто объектом неделового свидания. Она ни за что не согласилась бы. Неудивительно, что и Алекс не согласен. Но дело в том, что, хотя компания «Гринскейпс» преуспевала, у Джо не было ни богатства Алекса, ни его силы, ни его свободы.

Через несколько месяцев она, возможно, с удовольствием согласится на подобную просьбу, но сейчас...

Очнувшись от своих мыслей, Джо вспомнила, что Алекс ждет от нее ответа.

— Ну? И каков же будет приговор?

Джо никогда еще не чувствовала себя такой несчастной.

— Алекс, — сказала она, — я с удовольствием послала бы бизнес ко всем чертям. Но не могу. У тебя есть помощники вроде Энди, на которых ты можешь переложить ответственность, собираясь отлучиться. А у меня нет. Несправедливо по отношению к Мардж сваливать на нее работу, в которой она мало что понимает. Что бы ты сказал, если бы перед тобой встал подобный выбор?

— Помнится, я обратился в вашу фирму примерно в такой момент, — напомнил ей Алекс. — И мне трудно было добиться, чтобы ты ответила на мой звонок.

— Я понятия не имела, кто ты...

— А если бы знала — все было бы по-другому?

— Конечно, тогда все было бы по-другому, — призналa Джо. — А ты разве не решаешь, какие дела важнее? Ведь в сутках всего двадцать четыре часа. И надо распорядиться ими наилучшим образом.

— Хорошо, — спокойно произнес Алекс.

Затем он встал и снова удалился в ванную, а Джо откинулась на подушки, желая раствориться в них, исчезнуть хотя бы на несколько минут.

Она привыкла отвечать за все сама. Может быть, в этом ее проблема. Но ей не с кем было разделить свою ношу. Может быть, стоило оставить Тима в Сарасоте, а офис в Майами мог бы возглавить другой менеджер. Но Джо считала, что никто не справится с этой работой лучше Тима.

Джо прикинула все в уме и уже готовилась позвонить Мардж, когда из ванной появился Алекс.

Он был полностью одет и вышел с видом человека, собравшегося уходить.

Остановившись возле кровати, Алекс сказал:

— Я позвоню тебе вечером. Может быть, мы сможем поужинать вместе.

— Алекс... — начала Джо, но он тут же оборвал ее:

— Не надо пускаться в долгие объяснения. Ты права. Ты не можешь все бросить, только потому, что я устроил себе отпуск. Поэтому давай распрощаемся до вечера и попытаемся насладиться в полной мере уикендом. Если, конечно, ты будешь свободна в выходные.

— Я буду свободна, — пробормотала Джо.

— А сегодня вечером?

— Непременно.

Взгляд Алекса смягчился. Ему было немного стыдно. Джо права. Ему легко говорить, имея в своем распоряжении таких людей, как Энди, на чьи плечи всегда можно в случае необходимости переложить часть своей ноши.

Но так ведь было не всегда. В дни своего становления в бизнесе, когда Алекс только организовал «Моллз интернэшенэл», он был еще больше помешан на работе, чем Джо. Но, конечно, тогда в его жизни не было женщины, к которой бы он испытывал то, что испытывает сейчас к Джо. А если бы и была — мог ли он сказать с уверенностью, что повел бы себя иначе?

Если честно, наверное, у него не получилось бы, как бы сильно он этого ни хотел.

Большие темные глаза Джо смотрели на него с обидой и болью.

Алекс нечасто менял принятые решения, но сейчас, вместо того чтобы уйти немедленно, он позволил себе опуститься рядом с Джо на кровать и нежно убрать со лба ее удивительные волосы.

— Прости меня, милая, — тихо произнес Алекс.

Глаза Джо наполнились слезами. И хотя Алекс давно поклялся не придавать значения женским слезам, это тронуло его до глубины души. Он полез в карман за платком, промокнул ей глаза и сказал:

— Ты заставляешь меня почувствовать себя чудовищем, Джо.

— Я... я не хочу, чтобы ты чувствовал себя монстром, — срывающимся голосом произнесла она.

— Послушай, — сказал Алекс, — отправляйся к себе в офис. Только постарайся освободиться как можно раньше, хорошо? Я буду в своем номере в отеле с четырех часов. А до этого свяжусь с агентом по продаже недвижимости и посмотрю еще что-нибудь.

Джо взяла его руку и прижала к своей щеке.

— Ох, Алекс, Алекс, — пробормотала она. — Иногда так трудно бывает понять, что делать.

— Конечно, — кивнул Алекс. — Но не в нашем случае. Все хорошо, дорогая. Поверь мне. — Наклонившись, он нежно поцеловал Джо. — Буду ждать твоего звонка.

Но Джо не позвонила Алексу. Вместо этого в четыре часа она постучала в дверь его номера во «Флоридиане».

Открыв дверь, Алекс несколько минут молча смотрел на нее, а затем заключил в объятия.

Оторвавшись от Джо, он посмотрел на небольшую дорожную сумку у нее в руках.

— Это то, что я думаю? — спросил он.

Джо кивнула в ответ.

Алекс снова сжал ее и поцеловал так страстно, что секунду спустя тело Джо уже горело от возбуждения. Весь день он скучал по ней и сейчас не собирался скрывать этого.

Джо тоже не хотела сдерживать чувств. Весь день она жалела о своем решении отправиться на работу, думала о том, что все назначенные на сегодня встречи вполне можно было бы отложить на начало следующей недели. К этому времени Алекс вернется в Нью-Йорк или будет готовиться к поездке в Китай.

Сегодня Мардж не понадобилось насильно выпроваживать ее из офиса. Уходя, Джо сказала секретарше, что с ней нельзя будет связаться до понедельника.

— Ого! — сказала на это Мардж. — Наконец-то ты поумнела.

Поумнела? Джо вовсе не была уверена в этом. Проведя этот уикенд с Алексом, она позволит их отношениям достигнуть такого накала, что трудно будет прекратить их, не испытывая душевной боли. Джо понимала это. Она не знала, чего хотел Алекс от будущего. И если честно, не знала даже, чего хотела бы сама. Ясно было одно — сейчас они хотят быть друг с другом. Но разве этого достаточно?

Вечером в пятницу, забыв обо всем, они занялись любовью. Потом, усталые, лежали на огромной кровати Алекса, плечо к плечу, и говорили, говорили — пока за окном сгущались сумерки, превратившиеся в конце концов в темную тропическую ночь.

Они не смотрели на часы и понятия не имели, сколько времени, когда им вдруг пришло в голову спуститься поплавать в бассейне. Они плыли медленно, почти лениво, стараясь не отдаляться друг от друга. Сейчас у них не было желания соревноваться в скорости. Хотелось только наслаждаться близостью.

Они вместе приняли душ. Алекс одолжил Джо длинный белый махровый халат. Потом он заказал ужин в номер и смешал им по коктейлю в ожидании официанта.

Они поели у окна с видом на залив. У бассейна снова играл оркестр. Чувственный ритм музыки быстро возымел свое действие. Ни Джо, ни Алекс так и не закончили свой ужин. Очень скоро они снова оказались в постели.

Субботнее утро было долгим, полным тихого смеха и нежной, неторопливой любви, которая возбуждала ничуть не меньше, чем пылавшая накануне страсть. Затем они оделись и устроили себе в небольшом ресторанчике настоящий пир из морепродуктов. И тут им пришло в голову съездить в парк Майакка.

В парке они покатались на катере по озеру с тем же названием. Капитан, оказавшийся натуралистом-любителем, рассказывал им об окружающем пейзаже, флоре и фауне. Еще он был большим специалистом по аллигаторам. Джо и Алексу удалось увидеть около сотни огромных рептилий, лениво греющихся на солнышке по берегам или плывущих прочь от приближающейся лодки.

На обратном пути они заехали домой к Джо, чтобы взять ей кое-какую одежду. Пока она решала, что надеть, Алекс бродил по ее гостиной, восхищаясь картинами и усмехаясь при взгляде на коллекцию фигурок пеликанов.

Он пообещал себе добавить в нее экспонатов. И еще напомнил себе, что у него есть для Джо небольшой подарок, который надо не забыть отдать ей до отъезда из Сарасоты. Или лучше пусть это будет прощальный подарок.

Прощальный. В этом слове было что-то зловещее, потому что оно означало конец. Алекс нервно поежился, глядя на мерцающие воды залива и спрашивая себя, куда движутся его отношения с Джо.

До сих пор они развивались очень быстро. Недолгий срок знакомства плохо соотносился с силой и глубиной чувств, которые Алекс испытывал к Джо. Но за эти дни ему открылось многое. У них уже было несколько серьезных размолвок. Возникало непонимание, грозившее серьезными проблемами, если бы они не нашли выход из положения.

Безусловно, что касается секса, они были идеальными партнерами. Алекс понимал, что, отдавая ему себя целиком и полностью, Джо предлагала очень многое, и от этого ему становилось не по себе.

Он хотел быть достойным ее, надеялся, что достоин. Алекс кривовато улыбнулся. До сих пор трудно было поверить, что с Джо так будет всегда. Что она не устанет от него, не переменится к нему, что, вернувшись домой в один прекрасный вечер, Алекс не обнаружит, что она покинула его.

Алекс вспомнил мудрые советы Рея. Он понимал, что Рей прав, и в то же время не прав. Да, многим женщинам нельзя доверять. Как и многим мужчинам. Но несправедливо обвинять весь женский пол только потому, что его мать, самая важная женщина в жизни каждого человека, оставила мужа и ребенка, ушла от них, даже не оглянувшись.

Однако легче было говорить об этом, чем принять и простить. Недоверие к женщинам стало для Алекса почти рефлексом.

Тонкие руки обвили его талию.

— Пару центов.

Повернувшись, он взглянул в милое лицо Джо.

— Что? — обескураженно спросил Алекс.

— Ну хорошо, десять центов. Даже двадцать пять. За твои мысли. Ты выглядел сейчас таким грустным и задумчивым.

— Задумчивым? — Алекс рассмеялся. — Я просто... грезил наяву.

— Завидую предмету твоих грез.

Улыбнувшись, Алекс сжал Джо в объятиях и стал осыпать поцелуями ее волосы, щеки, лоб.

— Да, ей можно позавидовать.

Они вышли из квартиры Джо, но по мере того, как их машина приближалась к отелю, Алекс ощущал смутное

беспокойство. Ему необходима была физическая нагрузка, чтобы вернуться в нормальное состояние.

— Мне хочется поплавать, но только не в бассейне, —
признался он Джо. — Как насчет того, чтобы отправиться
на Сиеста-Бич? Не слишком поздно?

— Я думаю, нет.

— Тогда давай переоденемся в купальные костю-
мы, — предложил Алекс.

Джо надела белый купальник и с удовольствием обнаружила, что Алекс тоже выбрал белое. Обтягивающие
плавки подчеркивали его потрясающую фигуру и ровный
загар.

На Сиеста-Бич им с трудом удалось найти место для
парковки.

Они прошли рука об руку по полоске белого песка,
оставили у воды полотенца и купальные халаты и ступили
в прозрачную бирюзовую воду.

Солнце было еще высоко, но начинало клониться к
закату. Оно окрашивало волны золотистым светом.

— Ты похож на ацтекского бога, — сказала Джо Алексу. — Весь бронзовый от солнечного света.

— А ты в таком случае — на ацтекскую принцессу. Я
уже говорил тебе, какая ты красивая, Джо?

Они успели зайти в воду примерно по пояс, волны
нежно ласкали их тела. Неожиданно Джо повернулась и
поплыла прочь от Алекса.

Он почувствовал какую-то напряженность в ее движе-
ниях и поспешил вслед за ней.

— Что обратило мою принцессу в бегство? — спросил
Алекс, доплыв до Джо и переворачиваясь на спину, чтобы
видеть ее лицо.

Джо продолжала плыть вперед. На лицо ее падала
тень, и Алекс не мог разглядеть его выражения, но трудно
было не услышать нотки отчаяния в ее голосе.

— Я вдруг вспомнила, что завтра уже воскресенье, —
тихо сказала она.

Не было необходимости развивать ее мысль.

Да, завтра воскресенье, и днем Алекс улетает.

Он закрыл глаза, позволив воде поддерживать его тело. Алекс несколько раз собирался сказать Джо, что подумывает, не послать ли в Китай Энди. Но что-то удерживало его.

Почему он не скажет ей, что решил лететь в понедельник и в их распоряжении все воскресенье и еще одна ночь?

У него не было времени обдумать все это как следует. Да он и не мог думать, находясь рядом с Джо. Может быть, снова сработал рефлекс? Что-то подсказывало Алексу, что после такого бурного развития событий в течение уикенда им с Джо лучше побыть друг от друга на расстоянии. Надо отдалиться друг от друга, чтобы трезво оценить свои взаимоотношения.

Или это только предлог? Вопрос этот мучил Алекса, но он не хотел даже пытаться ответить на него сейчас. Перевернувшись, Алекс подплыл к Джо и поцеловал ее, чувствуя соль на губах.

— У нас есть еще одна ночь, — напомнил он. — Давай сделаем ее незабываемой, дорогая.

Глава 11

В воскресенье утром и Джо, и Алексу хотелось поскорее выбраться из номера. Они пошли к бассейну, поплавали, затем позавтракали во внутреннем дворике позади бара.

И вот настало время отвезти Алекса в аэропорт.

Они припарковались на стоянке недалеко от терминала.

— О! — воскликнул вдруг Алекс.

— Забыл что-то? — спросила Джо.

— Чуть не забыл.

Он открыл портфель и достал небольшую коробочку, завернутую в серебристо-белую бумагу.

— Это тебе.

Сердце Джо учащенно забилось. Коробочка явно была из ювелирного магазина. Что в ней может быть? Кольцо? Неужели Алекс решил подарить ей кольцо?

Все сжалось у нее внутри. Что ей делать, если, открыв коробочку, она обнаружит мерцающий бриллиант? Готова ли она к такого рода отношениям?

Сердце ответило раньше разума: да, она любит Алекса Гранта. Она хочет провести рядом с ним всю свою жизнь. Они спорят иногда, но кто не спорит? Неожиданно Джо почувствовала уверенность в том, что они сумеют справиться как с профессиональными, так и с личными проблемами. Сумеют слить свои жизни в единое целое.

Да. Если Алекс дарит ей кольцо с бриллиантом и со всеми вытекающими отсюда последствиями, она готова, отбросив все сомнения, упасть в его объятия.

Джо внимательно посмотрела на Алекса. В глазах его застыла улыбка.

— Ты не собираешься открыть ее? — поинтересовался он.

Дрожащими пальцами Джо сорвала упаковку и, затаив дыхание, открыла коробочку. И увидела крошечную золотую лампу Аладдина, висящую на тонкой цепочке.

Она старалась не поднимать глаз, чтобы Алекс не прочел в них разочарования, которое она испытала.

— Помнишь? — спросил Алекс. — На открытии «Мимозы» ты попросила одну из лампочек, которые мы раздаем покупателям. Я решил, что ты заслуживаешь большего, чем позолоченный пластик, — и заказал для тебя вот это у местного ювелира.

— Какая хорошенькая, — выдавила из себя Джо. Медальон действительно был очень красив.

— Можно, я надену его на тебя? — попросил Алекс.

Когда он застегивал на шее Джо замок цепочки, она поежилась.

— Тебе холодно? — спросил озадаченный Алекс.

Вокруг стояла жара, но в сердце Джо поселился холод. Алекс уезжал. Никто из них ничего не сказал о будущем. Многое может случиться, когда пути расходятся, а они так недолго были вместе.

— Нет, — пробормотала она в ответ на вопрос Алекса.

— Джо? — с подозрением спросил Алекс. — Ты ведь не плачешь, нет?

— Я стараюсь не плакать, — Джо попыталась взять себя в руки. — Я знаю, что ты думаешь о женских слезах.

— Нет, — возразил Алекс. — Ты вовсе не знаешь, что я думаю о женских слезах. Может быть, ты знаешь, что я думал об этом раньше. Но за последние дни мои мнения по многим вопросам сильно изменились. — Он не стал уточнять свою мысль, а посмотрел вместо этого на часы. — Черт побери! Мне давно пора зарегистрироваться.

Джо вылезла из машины, не чувствуя под собой ног. Она понимала, что если пойдет с Алексом внутрь и станет махать ему у стойки регистрации, то не выдержит и разрыдается. Она не хотела, чтобы Алекс уезжал с такими воспоминаниями о ней.

— Алекс, я не очень люблю прощаться, — нетвердым голосом произнесла она. — Так что давай сделаем это здесь, хорошо?

— Я тоже не большой специалист по прощаниям, — признался Алекс. — Но дело в том, что я не хочу говорить тебе «до свидания». Джо...

— Да?

— Поехали со мной в Нью-Йорк. Хотя бы на пару дней.

Джо ожидала чего угодно, только не подобного приглашения. В пятницу она попросила Мардж перенести на понедельник встречу с двумя клиентами. К тому же накопилось столько дел, что ей удастся выбраться из офиса в лучшем случае завтра поздно вечером.

— Мне бы очень хотелось полететь с тобой, — сказала Джо. — Но, думаю, ты понимаешь, что я не могу.

— Так мне и надо за то, что связался с деловой женщиной, — с улыбкой пробормотал Алекс.

— Это не хуже, чем связаться с деловым мужчиной, — не осталась в долгу Джо.

— Я заслужил это, не так ли? — рассмеялся в ответ Алекс. — Поцелуй меня на прощанье, дорогая. А потом я быстро, не оглядываясь, войду в терминал, иначе я никогда не заставлю себя это сделать.

Джо упала в его объятия. Она ожидала нежного прощального поцелуя, но ошиблась. Алекс завладел ее губами с ненасытностью дикаря. Он словно хотел доказать, что ему тоже нелегко расставаться с Джо.

Наверное, это должно было ее утешить.

— Я позвоню тебе вечером, — хрипло произнес Алекс.

Джо кивнула. Алекс пошел к аэропорту, и Джо не стала смотреть, оглянется он или нет. Она забралась в машину и быстро уехала. Повинуясь какой-то странной прихоти, вместо того чтобы отправиться домой, она повернула в противоположном направлении и направилась к торговому комплексу «Мимоза».

Просторные стоянки были заполнены машинами. По воскресеньям магазины этого района всегда были полны народу.

Джо вошла внутрь и попыталась представить себе, что находится здесь впервые. Ей хотелось получить как бы первое впечатление от посещения.

Это оказалось несложно. Растения были просто великолепны. Прогуливаясь по дворикам и базарам, Джо ощутила прилив гордости. Наконец она остановилась попить в одном из оазисов.

Он назывался «Двор Аладдина», здесь висела большая волшебная лампа. Разглядывая ее, Джо машинально нащупала крошечную лампочку у себя на шее. Она растерянно потерла ее — вдруг сработает?

Она попросила бы джинна вернуть ей Алекса.

Алекс позвонил в воскресенье вечером. Потом в понедельник. И во вторник. А в среду он уже улетал в Китай.

Телефонные разговоры не давали ей никакого удовлетворения. Голос Алекса казался еще более хриплым, усталым, но, когда Джо выражала озабоченность, он лишь отшучивался.

Джо хотелось бы знать кого-нибудь, с кем можно было бы поговорить об Алексе. Жаль, что она незнакома с Реем Эллерсоном, который был Алексу ближе всех остальных, даже ближе Энди Карсона.

Они с Алексом много говорили во время уикенда — в перерывах между занятиями любовью. Он считал Рея главным виновником своего успеха.

— Это Рей вкладывал за меня мои деньги, когда они сыпались подобно дождю. Рей очень умный. Он консультировался с нужными людьми и много работал сам. Как только я оправился после операции, он выложил передо мной все цифры и факты. Я бы мог позволить себе всю жизнь существовать на одни проценты, если бы захотел.

Джо улыбнулась:

— Не могу представить тебя в роли бездельника.

— Да уж, — согласился Алекс. — Видимо, у меня неистощимые запасы энергии. Наверное, это после того, как я научился соответствовать требованиям своей прежней карьеры. Чтобы быть известным певцом, нужно чудовищное количество энергии. Но ты права. Мне не нравится бездельничать, даже если на это есть деньги. Хотя иногда, при определенных обстоятельствах... я не возражаю устроить себе отпуск.

Он не стал уточнять, что это за обстоятельства.

Когда снова настал момент поговорить о прошлом, Алекс признался, что получил диплом об окончании высшей школы только в двадцать пять лет.

— Я жил на ранчо Рея в Аризоне, — сказал Алекс. — И он сказал, что, поскольку с пением теперь покончено, мне надо подумать об образовании. Я сбежал из дома в шестнадцать лет, учась во втором классе высшей школы в Берлингтоне.

— И ты стал ходить в школу в Аризоне? — с удивлением спросила Джо.

— Нет. Слишком многие могли бы узнать меня. Ведь я еще недавно был звездой. Рей нашел преподавателя, которому доверял. Я работал с этим человеком и благодаря его усердию получил диплом с отличными отметками. Потом, также занимаясь дома, я закончил за три года четырехлетний университетский курс и получил степень бакалавра.

— И на этом остановился?

— Нет. Может быть, я бы и остановился, но для Рея

этого было недостаточно. Он считал, что я должен стать магистром экономики, и я им стал. К тому времени я увлекся изучением некоторых концепций магазинного бизнеса, и это привело в результате к открытию «Моллз интернэшенэл». Все начало выправляться. — Алекс сделал паузу и подвел итог: — Мне очень повезло.

Размышляя над этими словами, Джо пыталась представить себе, многие ли смогли бы справиться с такой ситуацией, в которой оказался Алекс. Большинство людей, достигших вершин в шоу-бизнесе, обычно оказывались сломленными, как только закатывалась их звезда. Они становились озлобленными, как бы в дальнейшем ни складывалась их судьба.

Джо начинала понимать, почему Алекс не хочет даже вспоминать о Дэнни Форте. Он похоронил свое прошлое, став сильным и самостоятельным в настоящем. Ему не хотелось оглядываться назад.

Беда в том, что всю свою жизнь — и в первой ее половине, и во второй — Алекс все время был одиночкой, если не считать дружбы с Реем Эллерсоном. И где-то в глубине души он был одиночкой до сих пор.

Телефон зазвонил в шесть утра. Нашарив рукой трубку, Джо поднесла ее к уху и услышала голос Алекса.

— Дорогая, — сказал он. — Я знаю, что разбудил тебя. Но я не мог ждать.

— Где ты? — сонно спросила Джо.

Алекс не звонил около недели, и она перестала даже гадать, где он может быть. Однажды позвонил Энди Карсон и сообщил ей, что пребывание Алекса Гранта в Китае продлено на несколько дней.

«Но он скоро вернется», — на прощание утешил ее Энди.

— Я в Гонолулу, — сказал Алекс. — Ты была здесь когда-нибудь, Джо?

— Нет, — Джо вообще мало где успела побывать за пределами Флориды. У нее никогда не было времени на путешествия, хотя мысль увидеть дальние страны казалась весьма и весьма заманчивой.

— Джо, приезжай ко мне. Приедешь?

Приглашение Алекса прогнало последние остатки сна. Джо резко села в кровати.

— Ты хочешь, чтобы я приехала в Гонолулу?

Алекс усмехнулся:

— Это вовсе не край света. Закажи билеты на ближайший рейс, и не успеешь опомниться, как будешь здесь.

Джо хотелось застонать в голос. Неужели этот человек никогда не поймет, что у нее тоже есть работа?

Она-то думала, что эта проблема решилась в последние дни его пребывания в Сарасоте. Ей казалось, что Алекс осознал наконец ее положение. И вот он снова как ни в чем не бывало предлагает ей прилететь ближайшим самолетом в экзотический рай, где он сможет обвить ее гирляндами из гардений, жасмина и орхидей...

Прежде чем она успела ответить, Алекс сказал:

— Ага. Я знаю. Ты не можешь вырваться.

Джо немного раздражало, что он произнес это так неодобрительно. Он сидел в своем тропическом раю, а она работала эту неделю еще усерднее, чем обычно.

— А как ты оказался в Гонолулу? — довольно резко спросила Джо. — Я думала, ты сразу вернешься в Нью-Йорк.

— Когда я был в Пекине, мне позвонил деловой партнер из Гонконга, — объяснил Алекс. — Он подумал, что для меня полезно будет встретиться здесь кое с кем. Это связано с крупным предприятием на Гавайях. Хотя сейчас я в Гонолулу, на самом деле речь идет об Оаху. Завтра лечу туда. Я думал, ты сможешь присоединиться ко мне в Хило. У одного моего друга там домик, которым он не пользуется. Мы можем занять его на сколько захотим. Чудесное место...

— Пожалуйста, Алекс... — взмолилась Джо.

— Что «пожалуйста», дорогая?

— Пожалуйста, не начинай фантазировать. Мне и так тяжело тебе отказывать.

— Я думал, что, когда изложу тебе все подробно, ты, может быть, передумаешь, — почти с упреком произнес Алекс. — Джо, я так скучаю по тебе.

— Я тоже скучаю, — голос Джо предательски дрогнул.

— Я хочу видеть тебя, Джо. Прямо сейчас, — голос его был еще более хриплым, чем обычно.

— Алекс, ты так хрипишь, — Джо начинала беспокоиться. — Ты не...

— Со мной все в порядке, — перебил Алекс. — Просто задыхаюсь от желания. Ты нужна мне, Джо. Нужна здесь. Мы могли бы забыть обо всем...

— А как же твое дело?

— Я покончу с ним еще до твоего приезда.

— А если не сможешь?

— Что ты имеешь в виду? — прорычал Алекс.

— Я не собираюсь обижаться, — начала Джо. — Но посмотри, к чему сводится наш разговор. Ты контролируешь все свои дела — будь то в Китае, на Гавайях или где бы то ни было. И бизнес для тебя на первом месте. Не думаю, что ты станешь отрицать это.

— Я и не пытаюсь.

— Но ведь у меня тоже есть дело. И мой бизнес — так уж случилось — сосредоточен в одном месте. Поэтому у меня нет возможности мотаться по всему земному шару, совмещая приятное с полезным. Что касается путешествия ради удовольствия... идея весьма заманчива, Алекс. Но сейчас я не могу себе этого позволить. — Голос ее снова дрогнул. — Неужели ты не понимаешь этого, дорогой?

В наступившей тишине Джо почувствовала разделявшее их огромное расстояние. Даже в эпоху сверхскоростных воздушных лайнеров Гавайи все равно находились очень далеко.

— Что на тебе сейчас надето? — вдруг поинтересовался Алекс.

— Только короткая ночная рубашка. Ночь душная, но я решила, что лучше спать без кондиционера.

— Какого цвета рубашка?

— Персикового.

— Бретельки?

— Тоненькие, как спагетти.

— Кружево?

— Немного.

— О господи, — простонал Алекс. — Меня начинают посещать эротические видения. — Он вздохнул. — Ты уверена, что не сможешь приехать?

— Я не могу.

Они еще поговорили о всякой всячине, пока Алекс не пожелал ей наконец спокойной ночи, а Джо в ответ напомнила ему, что там, где она находится, уже доброе утро.

Весь день она вспоминала о ночном звонке. Днем позвонил Фред Бакстер.

— У меня есть несколько идей по поводу кинотеатра, Джо, — сказал он. — Когда мы сможем встретиться, чтобы ты посмотрела?

Джо рада была слышать Фреда таким бодрым и жизнерадостным. И еще она почувствовала, что просто не выдержит очередного одинокого вечера в собственной квартире.

— А что, если я приеду к тебе вечером с пиццей, и мы посидим за эскизами?

— Джо, тебе не надо привозить с собой еду. Правда, у Мирны сегодня репетиция с кухонным оркестром...

— С кухонным оркестром?

Фред усмехнулся:

— Несколько наших женщин собираются вместе и играют на кастрюльках, сковородках и другой кухонной утвари. Получается довольно забавно. Мирна только что ушла туда со сковородкой, пестиком и еще какой-то штуковиной, которую она, по-моему, использует для резки овощей.

— Они не собираются устраивать гастрольные туры? — хихикнула Джо.

— Не смейся, — предупредил ее Фред. — Это очень серьезно. Да, они собираются давать концерты. Вряд ли ты увидишь их в «Ван-Везел-Холл», но они собираются выступать в других парках вроде нашего. И они не одиноки. В некоторых парках тоже есть кухонные оркестры. Они собираются устроить все вместе концерт под открытым небом, может быть, на следующее Рождество. И все равно, — заключил Фред, — Мирна очень рассердится, если ты привезешь еду с собой. Приезжай просто так, Джо.

— Я привезу десерт, — согласилась Джо на компромисс.

Ближе к вечеру она заехала в булочную, где купила клубничный пирог, и поехала в сторону парка.

Каждый дюйм пути напоминал ей об Алексе.

Подъезжая к парку, она тосковала по нему так сильно, что ощущала это почти как физическую боль.

Она впервые ехала к Мирне и Фреду после дня рождения, но, к ее величайшему удовольствию, на прошлой неделе они вдруг появились в «Гринскейпс». Мирна ходила по питомнику, разглядывая все вокруг, пока Джо и Фред совещались, как делали это до его болезни.

Джо с радостью отметила, что Фред стал гораздо веселее. Он казался совсем здоровым и, хотя по-прежнему опирался на трость, ходил куда лучше. Джо пожалела, что Алекса нет рядом: он порадовался бы за Фреда вместе с ней.

Джо нашла Фреда на терраске, пристроенной к его трейлеру. Он расчистил большой круглый стол, на котором готовился разложить свои эскизы.

Мирны не было видно, но из кухни доносились потрясающие запахи.

— Фред, неужели Мирна готовит свое знаменитое жаркое в пиве! — с восторгом воскликнула Джо.

— Разумеется, — просиял Фред. — Едва услышав, что ты приедешь, Мирна опрометью кинулась в магазин. Как приятно видеть тебя у нас, Джо!

Джо обняла его за плечи:

— Я тоже очень рада тебя видеть. Особенно если учесть, что с каждой нашей встречей ты выглядишь все лучше и лучше.

— Я чувствую себя лучше и лучше, — кивнул Фред. — Во мне проснулся интерес к жизни. Не хочется уходить на покой, пока еще работает голова. Большинство пожилых американцев совершают подобную ошибку, и это чудовищная потеря для них и для общества.

Согласившись с ним, Джо снова порадовалась про себя, что именно Фреду решила доверить проект озеленения кинотеатра.

В дверях появилась Мирна.

— Что будем пить, ребята? — спросила она. — Пиво, водку с тоником или что-нибудь легенькое?

— Не откажусь от водки с тоником, — сказала Джо. Фред выбрал пиво.

Мирна принесла выпивку и сыр с крекерами.

— Что ж, — сказала она, — оставляю вас одних, чтобы Фред мог показать свою работу. Вряд ли он смог бы дотерпеть до конца обеда.

Глаза Фреда горели энтузиазмом. Джо немного забеспокоилась. А что, если его эскизы окажутся не на уровне? Трудно будет сообщить ему об этом, но нельзя забывать и об обязательствах перед клиентом.

Но эскизы Фреда оказались просто фантастическими. Он уловил именно то настроение, которое хотел создать в обеденном комплексе владелец кинотеатра. Он заставил обеденную зону смотреться как изысканный ресторан, в то же время отвечая требованиям непринужденной обстановки, которую предпочитала отдыхающая во Флориде расслабленная публика. Иногда людям приятно просто отдохнуть, окружив себя красотой. Все было продумано так, чтобы с началом демонстрации фильма зритель не разрывался между экраном и окружающим пейзажем.

— Это просто потрясающе, — искренне похвалила Джо.

Фред, вспыхнув от удовольствия, испытующе поглядел на Джо:

— Ты действительно так думаешь?

— А разве ты сомневаешься в этом? — с вызовом спросила Джо.

Фред улыбнулся.

— Да уж, девочка, я знаю тебя так давно, что тебе не удалось бы меня провести. Мирна! — крикнул он. — Иди сюда. У нас есть повод отпраздновать.

Они поели за круглым столом, убрав с него эскизы. Знаменитое жаркое Мирны было, как всегда, отменно вкусным. Впервые с тех пор, как Алекс улетел из Сарасоты, Джо наслаждалась вкусом пищи. Она даже попросила добавки, чем привела Мирну в восторг.

Они неспешно пили кофе и ели привезенный Джо пирог, Фред вспоминал первые заказы «Гринскейпс» и ошибки, которые делал, будучи молодым дизайнером.

Вечер прошел чудесно. Так чудесно, что Джо не хотелось уезжать. Она снова подумала об одинокой ночи в своей квартире. Но не стоило задерживаться — Фреду и Мирне пора было спать.

Она уже собиралась встать и уйти, когда Мирна вдруг сказала:

— Я чуть не забыла. Фред, ты рассказал Джо о подарке Алекса?

О подарке Алекса?

— Нет, забыл, — признался Фред. — Он прибыл дня два назад. Мирна, принеси его.

Мирна пошла за подарком, а Джо попыталась угадать, что же мог прислать Алекс.

— Пришло авиапочтой из Китая, — уточнил Фред, передавая вещицу Джо.

Это оказалась черепашка, искусно вырезанная из нефрита. У Джо вдруг пересохло в горле.

— Алекс написал, что китайцы считают черепаху символом мудрости и долголетия. Иногда они потирают ей спинку — так, на всякий случай. Алекс посоветовал мне попробовать. Еще Алекс добавил, что надеется на скорую встречу. Он будет во Флориде, чтобы продолжить переговоры о какой-то собственности, которую собирается купить.

Джо попыталась скрыть изумление, но ее вдруг охватило чувство, что Алекс намеренно держит ее в неведении. Он ничего не говорил о возвращении в Сарасоту. Да, Джо знала, что он подыскивает бунгало на Сиеста-Ки, но считала это не более чем прихотью. Очень часто люди, очарованные каким-нибудь местом, вбивают себе в голову, что хотели бы купить там домик. Но, вернувшись к привычной рутине, чаще всего забывают об этом.

Поэтому, сказав Фреду, чтобы он приезжал в офис, как только дозреет обсудить детали своего проекта с непосредственными исполнителями, Джо пожелала Бакстерам спокойной ночи и поехала домой. Почему-то трудно было сосредоточить внимание на дороге. К счастью, движение оказалось не таким уж оживленным. Но иногда ей все же сигналили возмущенные водители. Джо охватила злость по поводу поведения Алекса. Наверное, это было глупо. Хорошо, что Алекс прислал подарок Фреду. Но ведь ей-то он ничего не прислал.

Хуже того, он поделился с Бакстерами своими планами, а ей не сказал ни слова.

Может быть, она играла в его жизни не такую уж большую роль.

Джо плохо спала в эту ночь, но проснулась, полная решимости.

Следующий ход в этой романтической игре должен сделать Алекс.

Глава 12

В апреле началась жара. «Снежные птички» с севера покинули Флориду, движение было не столь оживленным, для жителей штата начался самый спокойный период. Но каждое утро, отправляясь на работу, Джо испытывала странное беспокойство.

От Алекса не было ни слова. И это, наверное, стало для нее самой главной проблемой. Джо начинала подозревать, что Алекс звонил ей, только когда ему нечего делать.

Джо неоднократно твердила себе, что, как бы сильно ни любила она этого мужчину, нельзя позволять ему водить ее на длинном поводке. Нельзя было сидеть и ждать. Иначе она сойдет с ума.

Однажды утром Джо села перед телефоном, обзвонила все дочерние отделения «Гринскейпс», переговорила с главой каждого и составила себе расписание поездок — по одной в неделю, по вторникам. Майами, Тампа, Санкт-Петербург, Клиаруотер, Форт-Майерз и Неаполь. В каждом городе она собиралась ночевать, хотя все они находились не так уж далеко и вполне можно было успеть вернуться в тот же день. Но Джо предпочитала остаться под предлогом того, что надо наладить более тесные отношения с сотрудниками филиалов. Впрочем, честности ради, она призналась себе, что рада возможности побыть вдали от дома.

Когда Джо рассказала Мардж о своих планах, секретарша удивленно подняла брови:

— Ты действительно думаешь, что это необходимо? Мне казалось, у тебя хватает работы здесь, в главном офисе.

— Ну, — неуверенно произнесла Джо, — мне кажется, я запустила работу с нашими филиалами. Несправедливо ожидать от людей усердной работы, если глава компании не проявляет к ним внимания.

— Дело не в этом, — мягко возразила Мардж. — Знаешь, гора ведь тоже может прийти к Магомету.

Джо рассеянно просматривала стопку новых счетов.

— Не понимаю, о чем это ты, — быстро ответила она.

— Я говорю, что управляющие филиалами могли бы и сами приехать к тебе, если у них есть проблемы. Не отрицаю — полезно самой посетить филиалы. Но почему ты вдруг решила кататься туда-сюда каждый вторник?

— Потому что мне кажется, что именно так надо вести дела, — отрезала Джо.

— Хорошо, босс, — обманчиво покорно произнесла Мардж.

— Закажи мне, пожалуйста, билет до Майами, — попросила Джо. — Туда я отправлюсь в первую очередь. В остальные места я, разумеется, буду ездить на машине. В это время года в мотелях не будет проблем с номерами. Будешь заказывать их для меня за неделю до поездки.

— Я обо всем позабочусь, Джо, — заверила ее Мардж.

Первое «сафари», как назвала ее предприятия Мардж, было намечено на ближайший вторник. Джо решила начать с Майами, потому что ей не терпелось повидаться с Тимом. Хотелось провести пару дней с кем-то из близких.

Тим встретил ее в международном аэропорту Майами,

они обнялись и расцеловались, но Джо с удивлением заметила, что Тим выглядит слегка смущенным.

— Хочешь поехать прямо в офис? — спросил он. — Или пообедаем сначала где-нибудь на берегу?

Джо устала, ей было жарко и совсем не хотелось заниматься бизнесом. Ей надо было расслабиться, забыть обо всем, включая Алекса, который так до сих пор и не позвонил. Ей вдруг пришло в голову, что вместо всех этих деловых поездок стоило честно взять неделю отпуска. Выбрать какое-нибудь нетрадиционное место, где никто не стал бы ее искать, и попытаться снова стать собой.

Алекс Грант неплохо поработал над ней, мрачно призналась себе Джо.

— Давай лучше пообедаем, — сказала она Тиму, причем голос ее звучал куда более резко, чем ей хотелось бы.

Тим ничего не ответил. Они молча сели в машину и поехали по шоссе, соединявшему Майами с Майами-Бич. Для ленча Тим выбрал ресторан с верандой позади небольшого отеля с видом на океан.

Они сели за столик под огромным зонтом. Джо откинулась на спинку стула, окинула взглядом просторы Атлантики и пробормотала:

— Опять эта вода.

— Что ты сказала? — переспросил Тим.

— Опять эта вода. Она везде и никогда не кончается. По крайней мере, так кажется. А на самом-то деле все имеет конец.

— Это претензия на вечную истину? — шутливо спросил Тим.

Джо внимательно посмотрела на него из-за темных стекол очков. Тим был высоким и симпатичным. Ее волосы напоминали цветом янтарь — по крайней мере, так утверждал Алекс, — у Тима же волосы были цвета меди. И темные глаза, такие же, как у Джо. Определенно, между ними существовало фамильное сходство. Многие думали, что они родные брат и сестра, и Джо любила Тима как брата.

— Послушай, мальчик, — сказала она, — я вовсе не претендую на констатацию вечных истин.

Тим был на четыре года младше Джо, и она часто называла его «мальчик». Это началось еще с тех пор, когда он был мальчиком, а теперь в прозвище этом скрывался своеобразный юмор — Тим был на голову выше Джо.

— Хорошо, старушка, — Тим пригляделся к сестре повнимательнее, и озорной огонек в его глазах погас.

— Ну ладно, — сказал он, неожиданно став серьезным. — Так что я такого натворил?

— Что ты натворил? — изумлению Джо не было предела.

— Ну как же, — сказал Тим. — Я ведь наверняка провинился в чем-то, раз ты решила покинуть милый дом и прилететь сюда. На меня жалуются клиенты? Мы поставили кому-то некачественный товар? Или что-нибудь похуже? Что-то такое, о чем никто не решился даже намекнуть в моем присутствии?

Джо наклонилась вперед.

— Ради бога, Тим, — произнесла она почти с раздражением, — что ты несешь?

— Ты звонишь неожиданно и сообщаешь, что собираешься приехать с проверкой. Я, естественно, испугался, ведь ты ничего не сказала мне о жалобе...

— Не было никакой жалобы.

— Тогда почему ты решила неожиданно ворваться в тихие воды Майами, драгоценная кузина?

Джо в ужасе смотрела на Тима. Если он отреагировал на ее приезд подобным образом, что же творится сейчас с менеджерами других отделений?

У Тима, конечно, было перед ними одно преимущество. Он знал Джо лучше, чем кто-либо, и мог быть с нею честным. Другие вряд ли смогут позволить себе такое. В конце концов, от нее ведь зависит их работа. И если остальным не понравилась идея Джо, как она не понравилась Тиму, они наверняка попытаются это скрыть. И будет еще хуже.

— Не понимаю, почему ты смотришь на меня так, словно я только что вытянул у тебя из-под ног ковер, — продолжал Тим. — Скорее так можно охарактеризовать твои действия. Только не знаю, чем тебе не угодил офис в

Майами. По моим скромным оценкам, дела у нас идут неплохо. В чем же наш просчет?

— Да не было никакого просчета, Тим.

— Если ты приехала в Майами только ради того, чтобы полюбоваться на мою улыбающуюся физиономию, почему бы не сказать об этом прямо?

— Потому что это не так. То есть я, конечно, хотела тебя видеть, но, понимаешь...

Тим ждал.

— Ну, мне пришло в голову, что я должна время от времени сама появляться на дочерних предприятиях. Чтобы это вошло в привычку. Я хотела оказать моральную поддержку, познакомиться со всеми поближе. Вовсе не ради критики.

Тим откинулся на спинку стула, внимательно изучая лицо Джо. От его взгляда ей было немного не по себе. С самого детства Тим, казалось, умел читать ее мысли.

— Джо, — сказал он, — ведь тобой неспроста овладела охота к перемене мест, не так ли? Ты не просто проснулась однажды утром и решила, что надо выбираться иногда из Сарасоты?

— Черт побери! — воскликнула Джо. — Вечно ты попадаешь в точку!

Тим рассмеялся:

— Ты и сама всегда поступаешь так же. Вспомни, когда я был влюблен в прошлом году в девицу из Дэлавера? Ты сказала, что я для нее — всего лишь герой курортного романа, и я не разговаривал с тобой целую неделю. Но ты оказалась права.

Джо поморщилась. Она прекрасно помнила девицу, о которой шла речь. Женская интуиция. Как только она увидела с ней Тима, то сразу мысленно забила тревогу. Конечно, Тим хорош собой, но девушка происходила из богатого вилмингтонского семейства и вела на севере активную светскую жизнь. Джо была уверена, что девица не захочет расстаться с привычным образом жизни и перебраться во Флориду ради постоянных отношений с Тимом.

Когда оказалось, что она права, Джо не испытала удовлетворения. Она переживала за Тима.

Но он быстро оправился.

— Не надо выглядеть такой виноватой, — сказал Тим. — Хорошо, что все так вышло. Диана никогда не смогла бы стать хорошей женой садовника из Флориды. А я ни за что не стал бы частью ее жизни.

От слов Тима Джо стало совсем нехорошо. Их можно было отнести и к ней и Алексу, только роли на этот раз менялись. Ради постоянных отношений с Алексом надо было бы отказаться от «Гринскейпс». А Джо не могла этого сделать. Как бы сильно она ни любила Алекса, «Гринскейпс» была смыслом ее жизни. Она никогда не будет чувствовать себя полноценной, не имея работы. И недостаточно было бы просто найти работу в другой фирме, занимающейся озеленением где-нибудь поближе к дому Алекса. Джо привыкла управлять собственной компанией.

Она с горечью напомнила себе, что от Алекса в любом случае не поступало никаких предложений. Совсем наоборот. Судя по всему, ему нужны были лишь романтические свидания в местах вроде Нью-Йорка и Гонолулу.

Джо очнулась от своих мыслей, снова поймав на лице испытующий взгляд Тима.

— Так в чем же проблема, кузина? — тихо спросил он. — Не хочешь поделиться?

— Нет, — покачала головой Джо.

— Тогда позволь мне догадаться. Мужчина?

— Да.

— Только не говори мне, что на свете есть мужчина, способный устоять перед твоим обаянием, — поддразнил ее Тим, но в глазах его застыло беспокойство.

— Все совсем не так, — печально произнесла Джо. — Я бы хотела поговорить с тобой об этом. Но сейчас я просто не могу.

— Понимаю, — кивнул Тим. — Было время, когда я тоже не мог говорить о Диане. Но все прошло. Раны зажили. И я люблю женщин так же сильно, как раньше. Ты не должна позволять этому парню расстраивать тебя,

Джо. А если тебе нужно плечо друга — всегда могу предложить парочку.

— Спасибо, — Джо боялась, что, если разговор продолжится в таком же духе, она снова потеряет контроль над собой, что случалось с ней последнее время довольно часто.

Усилием воли она заставила себя подумать о деле.

— Тим, — серьезно начала она, — ты действительно думаешь, что эти мои поездки — ошибка?

— Нет, — успокоил ее Тим. — Дело вовсе не в самой идее, а в том, как ты приступила к ее воплощению. Словно собираешься взорвать все свои филиалы. По крайней мере, на меня разговор о твоем приезде произвел именно такое впечатление. А другие менеджеры наверняка испугались еще больше. Небось носятся как сумасшедшие, доводя все до блеска. — Тим пожал плечами. — По моим наблюдениям, если наши филиалы и не работают на полную мощность, то они, по крайней мере, близки к этому. И не стоит раскачивать лодку. Понимаешь, о чем я?

— Да, понимаю, — с неудовольствием призналась Джо. — Но что же мне делать? Отменить остальные поездки?

— Конечно, нет, — покачал головой Тим. — Но я бы на твоем месте позвонил каждому менеджеру дня за два до приезда. Постарался бы побеседовать в легком, непринужденном тоне. Сказал бы, что решение пришло тебе под влиянием момента и ты вовсе не хотела показаться чересчур строгой. Дай им понять, что довольна их работой — если, конечно, у тебя нет к ней претензий, — и подчеркни, что поездки на места могут быть полезны именно тебе. Скажи, что из штаб-квартиры фирмы обзор слишком узок. Что, впрочем, чистая правда.

Джо посмотрела на кузена, и на губах ее заиграла робкая улыбка.

— Спасибо, Тим, — вздохнула она. — Не знаю, что бы я без тебя делала.

— Ты бы справилась, сестричка. Ты привыкла бороться.

Через пару дней, возвращаясь в Сарасоту, Джо думала о словах Тима. Действительно ли она привыкла бороться? Сможет ли удержаться на плаву, что бы ни случилось?

И снова на нее вдруг накатила ставшая уже знакомой жгучая тоска по Алексу. Вот и ответ на ее вопрос. Ей так не хватало этого человека!

Полет из Майами занимал не больше часа, и Джо прибыла в Сарасоту довольно рано. Улетая, она оставила машину в аэропорту и сейчас решила ехать прямо в офис.

Первое, что она услышала от Мардж, было:

— С тобой пытался связаться Алекс Грант.

Джо оторвалась от писем, которые прибыли в ее отсутствие.

— Когда?

— Первый звонок раздался примерно через час после твоего отъезда. Я не знала, что делать, Джо. Хотела сначала сказать ему, что он может связаться с тобой в Майами, но... но мне показалось, что ты пытаешься... убежать также и от Алекса.

— И что ты сказала ему? — резко спросила Джо.

— Что ты уехала по делу, — с несчастным видом сообщила Мардж. — Джо, я сделала что-то неправильно? Он звонил каждые два часа до вчерашнего вечера. Потом он улетел.

— Улетел? Куда?

— Кажется, в Швейцарию. Он сказал, что пробудет там около недели.

— А номер оставил?

— Нет. Джо...

— Все в порядке, Мардж, — успокоила секретаршу Джо. — Если Алекс захочет связаться со мной, он попытается снова.

Но на этой неделе Алекс больше не позвонил. Зато на следующей, когда Джо вернулась из поездки в Тампу, повторилась та же самая история.

Она вошла в свой кабинет с чувством триумфа. Послушавшись совета Тима, Джо обставила свой приезд весьма деликатно, и поездка в Тампу оказалась настоящей удачей. Ей удалось пообщаться с главным менеджером и его заместителем, который дал понять, что не отказался бы провести некоторое время в Сарасоте, чтобы набраться опыта в главном офисе фирмы.

Летя обратно в Сарасоту, Джо думала о том, что неплохо было бы устраивать для персонала подобные стажировки. Они могли бы по очереди работать в главном офисе, скажем, по полгода. Это помогло бы им набраться опыта как в вопросах озеленения, так и в управлении делами. И это сделает их куда более ценными работниками, а там уж Джо придумает, как удержать их в «Гринскейпс».

К тому же постоянное наличие в главном офисе дополнительного персонала обеспечит ей большую свободу.

Джо понимала, что и ей предстоит еще многое узнать о бизнесе. Например, как лучше распределять полномочия между сотрудниками, чтобы не делать все самой. Воплотив в жизнь свою программу, она всегда будет иметь под рукой помощников, у которых появится возможность проявить себя.

Джо не могла не признаться себе, что после смерти отца особенно гордилась тем, что ведет все дела сама. Ведь ей так хотелось выполнить его волю и вывести фирму на достойный уровень. Но сейчас пришла пора немного ослабить вожжи — и не только ради собственного блага.

Войдя в кабинет, она думала о том, что надо бы позвонить завтра главному менеджеру в Тампе и спросить, не будет ли он возражать, если она на шесть месяцев «украдет» у него помощника. Она почти не сомневалась, что ответ будет положительным. Главный менеджер приветствовал новые идеи.

Тут она взглянула на Мардж и простонала:

— Только не говори мне... что он опять...

— Опять, — подтвердила Мардж.

— И где же Алекс теперь?

— Звонил из Стокгольма, но вчера собирался вылететь оттуда в Вену. Переговоры по поводу торгового комплекса в районе виноградников. Просил передать, что у него были романтические планы. Хотел, чтобы ты приехала к нему в Вену и вы вместе попробовали местное вино.

— Он ведь знает, что я не могу себе этого позволить.

— Не знаю, — задумчиво произнесла Мардж. — На твоем месте я бы все-таки присоединилась к нему в одном из этих путешествий. Иначе...

Джо стиснула зубы.

— Ты хочешь сказать, что иначе я рискую потерять его?

— Не мне судить, Джо, но я думаю, что Алекс...

— Так что же?

— Ну, мне кажется, он очень одинок.

Джо смотрела на свою секретаршу как на сумасшедшую.

— Мардж! — воскликнула она. — Как тебе только пришло в голову подобное? Он красивый, богатый, уверенный в себе, обаятельный...

— Знаю, — настаивала на своем Мардж, — и все же он очень одинок.

Разговор происходил в кабинете Мардж, служившем также приемной. Джо придвинула стул к столу Мардж и уселась напротив секретарши.

— Почему? — потребовала она ответа.

— Это не всегда можно объяснить словами. Но... есть что-то такое в его взгляде... Несмотря на внешнее обаяние, он очень замкнутый человек. Иногда, когда он считает, что никто на него не смотрит, его выдает выражение глаз. Как у Фреда...

— А что у Фреда? — встрепенулась Джо.

— У него одно время был вид ребенка, который припал к витрине кондитерского магазина и смотрит на все, что родители не могут ему купить. Вот и Алекс словно видел перед собой что-то такое, что ему очень хотелось бы получить, но он знал, что это невозможно.

— Мардж, — прервала ее Джо, — а тебе не кажется абсурдной мысль о том, что Алекс может завидовать живущим рядом с Фредом людям? Он ведь мог бы купить весь их парк, если бы захотел.

— Может быть, — согласилась Мардж. — Но я говор

е об этом. Это были живые, реальные люди, и мне ка-
ется, Алексу нравилось находиться среди них. Мне ка-
ется, он увидел там... заботу и нежность, которых ему не
ватает в собственной жизни. Конечно, я могу и оши-
аться.

— Я не знаю, права ты или нет, — призналась Джо.

Позже, сидя в своем кабинете, Джо никак не могла
выкинуть из головы слова секретарши. Мардж всегда от-
ичалась заботливостью и вниманием. У нее большая
ружная семья. И обычно ее не подводила интуиция, ког-
а дело касалось чувств и мыслей других людей.

И все же... *Алекс* одинок?

Джо кривовато улыбнулась. Вот она действительно
динока. Одинока с тех пор, как умер ее отец. Но Джо
сегда была слишком занята, чтобы тратить время на раз-
умья по этому поводу. Она почти привыкла к одиночес-
ву.

Еще Джо знала, что быть одинокой — вовсе не озна-
ает, что рядом с тобой никого нет. Можно быть одино-
им посреди шумной вечеринки, среди большого количе-
тва народу.

Неужели Мардж права?

Джо закрыла глаза, мысленно умоляя телефон зазво-
ить. Она даже погладила волшебную лампу Аладдина,
оторую всегда носила на груди. Но ничего не случилось.

Алекс позвонил неделю спустя.

— Только не говори мне, что решила наконец поси-
еть немного в кабинете, — выпалил он, как только его
оединили с Джо.

— И это говоришь ты! — возмутилась Джо. — Где ты
а этот раз?

— В Нью-Йорке. Прилетел вчера из Вены и чувствую
ебя отвратительно. Никогда еще не переносил так тяже-
о сверхскоростной перелет.

— Наверное, ты один из первых в списке пассажиров,
алетавших миллион миль, — невесело пошутила Джо.

— Могла бы и сама немного полетать, если бы согла
силась встретиться со мной в Вене, — заметил Алекс.

— Я не могла встретиться с тобой в Вене.

— Дела, дела...

— И снова — от кого я это слышу?.. Долго собираешь
ся пробыть в Нью-Йорке?

— Останусь подольше, если прилетишь ко мне, — бы
стро ответил Алекс.

На следующий день в Сарасоту должен был приехат
Брюс Чэпмэн, помощник главного менеджера из Тампь
которому предстояло стажироваться в главном офис
ближайшие полгода. Джо вздохнула. Не может же он
бросить Брюса на произвол судьбы, даже не объясни
что от него потребуется на новой работе.

Алекс услышал ее вздох.

— Думаю, ответ — нет, — сказал он.

— Боюсь, что так, — призналась Джо. Поколеба
шись, она продолжала: — Некоторое время назад Бакс
теры упомянули, что ты сказал им, будто собираешьс
снова сюда. Честно говоря, я рассчитывала увидеть теб
здесь гораздо раньше.

— Я и хотел прилететь. Но это было невозможно.

Произнося это, Алекс знал, что говорит правду... н
не всю. Хотя во всех случаях просили его личного присут
ствия, по любому из тех дел, ради которых ему пришлос
столько путешествовать, он мог бы послать и Энди.
вполне можно было выкроить пару дней и прилететь
Сарасоту. Но он боялся, что такой мимолетный визи
принесет куда больше вреда, чем пользы. Он пришел
заключению, что, побыв какое-то время друг без друг
они смогут разобраться в чувствах и подготовиться к сле
дующему шагу в своих отношениях.

— Ты еще там, Алекс? — спросила Джо.

— Да, извини, — быстро произнес он.

— Мне тоже очень жаль, — сказала Джо. — Я с удо
вольствием приехала бы в Нью-Йорк. Но сейчас не мог
Я решила попробовать в бизнесе кое-что новое...

— Джо, тебе не надо объяснять...

— Но я хочу объяснить, Алекс. Хочу, чтобы ты знал.
я обязательно приехала бы к тебе, если бы могла.

Алекс попытался разрядить обстановку.

— То есть, — поддразнил он Джо, — ты просишь о свидании?

Но Джо произнесла в ответ срывающимся голосом:

— А ты разве не знаешь, как я хочу тебя видеть?

— Начало июня я должен провести в Пуэрто-Рико. Что, если я справлюсь с делами до уикенда? Сможешь прилететь в Сан-Хуан? Только на выходные. Это все, чего я прошу.

На этот раз Джо и не собиралась отказываться.

Глава 13

В Сан-Хуане было еще жарче, чем в Сарасоте. Но когда Джо увидела встречающего ее Алекса, погода уже не имела для нее никакого значения.

Она подошла к Алексу и остановилась перед ним, ловя на себе его недоверчивый взгляд.

— Не могу поверить, что вижу тебя, — хрипло произнес он. — Я уже боялся, что ты не приедешь.

На секунду Джо стало обидно, что ей так не доверяют. Но она тут же забыла об этом, потому что Алекс был рядом, они были вместе. Алекс протянул руки, и Джо упала в его объятия.

Она забыла обо всем, кроме обнимавшего ее мужчины. Поцелуй показался ей бесконечным. Джо не понимала, как могла прожить без Алекса все эти долгие недели.

Она осталась ждать багаж, а Алекс пошел взять напрокат машину. Стоя одна перед транспортером, Джо заставила себя вспомнить, где она находится, и заметила наконец толпу и быстрый стрекот испанской речи.

Она учила испанский два года в высшей школе и год в колледже. Но, пытаясь понять, что говорят вокруг, подумала, что ее школьный испанский явно не на высоте.

Наконец взяв чемодан, Джо проследовала за толпой к главному выходу. И сразу заметила Алекса, стоявшего рядом с маленькой ярко-красной машиной.

Джо устроилась на переднем сиденье и украдкой поглядывала на следившего за дорогой Алекса. Ей показалось, что он выглядит каким-то напряженным, усталым. Может быть, ей просто хотелось думать, что Алексу было без нее так же плохо, как ей без него? А на самом деле это не так?

Алекс заказ номер-люкс в одном из отелей Кондадо, фешенебельного туристического района Сан-Хуана. В каждой комнате было огромное окно, выходившее на пляж с темным песком. С одной стороны возвышались скалы, в тени которых расположились на пляжных полотенцах те, кто не хотел жариться на солнце.

Пока Джо смотрела в окно, Алекс подошел к ней сзади и обнял за талию. Джо закрыла глаза, наслаждаясь его объятиями. Но в то же время ею владело какое-то странное напряжение.

И Алекс, очевидно, почувствовал это, потому что отступил вдруг на шаг назад. Джо не хотелось этого, но она ничего не могла с собой поделать. Все ее чувства словно затормозились и теперь, когда она оказалась наконец рядом с Алексом, отказывались работать.

— Почему бы нам не спуститься вниз, чтобы я мог показать тебе местные достопримечательности? Начнем с пина-колады в баре?

Джо кивнула, не зная, чего хочет на самом деле. Поцелуй в аэропорту пробудил спавшие в ней чувства, но сейчас, когда они остались одни, все было по-другому.

Они молча спустились. В баре, находившемся на террасе у моря, было почти пусто. В противоположном конце как раз открыли двери, ведущие в казино. Ранние любители попытать удачу уже столпились у автоматов, а настоящие игроки занимали места за столами для покера и рулетки.

— Хочешь попытать удачу? — спросил Алекс у Джо.

— Я никогда не играла, — призналась она.

— Ты против азартных игр?

— Против, если это незаконно. Но я никогда не бывала в местах, где официально разрешено играть.

Алекс усмехнулся:

— Тогда пойду добуду для тебя несколько фишек, а ты выбери пока автомат, который тебе больше нравится.

Джо выбрала тот, что поближе. Следуя инструкциям Алекса, она опустила фишку в специальное отверстие и потянула за ручку. Перед глазами закрутились вишни, лимоны и сливы. Когда машина остановилась, Джо увидела перед собой апельсин и два лимона.

— Боюсь, ты продулась, — сообщил ей Алекс.

Джо попробовала еще раз — у нее вылетели два лимона и золотой колокольчик. На третий раз она уже бормотала себе под нос:

— Я так и знала, что это пустая трата денег. Лучше возьми остальные фишки и поменяй их обратно.

— Не сейчас, — покачал головой Алекс, опуская жетоны в карман. — Просто пока что-то не клеится.

Джо поежилась. Конечно, Алекс имел в виду автоматы, но между ними тоже явно что-то разладилось. Что же случилось? Может, они слишком долго были вдали друг от друга. И от этого исчезла волшебная сила, влекущая их друг к другу.

— Будем пить внутри или на террасе? — поинтересовался Алекс.

— Лучше на террасе, — решила Джо.

Улыбающийся официант принес заказанную Алексом ледяную пина-коладу. У Джо пересохло в горле, и напиток показался ей просто божественным. На террасе ярко светило солнце. Джо надела темные очки, радуясь про себя не только тому, что они защищают от солнца, но и тому, что теперь Алекс не сможет разглядеть выражения ее глаз.

Алекс тоже надел очки и сказал:

— С другой стороны отеля есть бассейн с отдельным баром. Может, хочешь поплавать на закате? Кстати, можно сделать это и в океане.

— Не знаю, — неуверенно пробормотала Джо.

— Милая...

Джо быстро подняла глаза на Алекса.

— Я тоже чувствую себя немного странно, Джо, — признался он. — Но думаю, это естественно. Тогда, в Сарасоте, мне показалось, что нам надо немного побыть вдалеке друг от друга. А теперь мне кажется, что я был не прав. Может быть, надо было остаться вместе и все решить...

— А разве могли мы все решить? — Джо почти боялась ответа на свой вопрос.

— Не знаю, — признался Алекс. — У нас есть одна общая черта, из-за которой нам непросто друг с другом.

— Что же это за черта?

— Мы оба чересчур упрямы.

— Но я вовсе не была с тобой упрямой, — заспорила Джо.

— Разве? А мне кажется, если бы ты не была упрямой, то приехала бы в Гонолулу. И в Нью-Йорк. И в Вену.

— Ты же знаешь, что я не могла бросить дела, — напомнила ему Джо.

— Что значит — не могла? Если есть желание, способы находятся.

— То есть ты хочешь сказать, что я не хотела с тобой встречаться?

— Возможно.

— Алекс, — Джо замялась, подбирая нужные слова. — Я даже не могу вспомнить те времена, когда целиком принадлежала только себе, могла ехать когда угодно и куда угодно. Даже учась в колледже, я помогала во время каникул отцу. Я никогда не путешествовала, как мои друзья, не устраивалась на работу в разные места. А потом... папа ведь очень долго болел, прежде чем умереть. Тим — мой кузен, который возглавляет теперь наш офис в Майами — очень помогал мне, хотя он еще учился в школе. Но я всегда могла на него положиться. Потом папа умер, и все заботы о бизнесе легли на мои плечи.

— Легли на твои плечи или ты сама решила взвалить их на себя? — уточнил Алекс.

Задумавшись на секунду, Джо честно ответила:

— Наверное, и то, и другое.

— Так ты признаешь, что тебе доставляло честолюбивое удовольствие сознание того, что ты одна за все отвечаешь?

Джо с подозрением посмотрела на Алекса:

— На что это ты намекаешь?

— Джо, — тихо произнес Алекс, — я ведь уже через

это прошел. Мне доводилось налаживать дела. И я тоже устраивал поездки с демонстрацией власти.

— Но я вовсе не устраиваю поездки с демонстрацией власти.

— Я не говорю, что это неправильно, дорогая. Всем нам надо время от времени почистить перышки.

— Ну что ж, ты уже взъерошил мои так, что дальше некуда.

— Я вовсе не хотел этого, Джо, — заверил ее Алекс. — Просто пытаюсь доказать тебе, что твое дело слишком разрослось, чтобы справляться со всем одной. Так было и с «Моллз интернэшенэл».

— «Гринскейпс» и рядом не стоит с твоим бизнесом.

— В смысле размеров — да. Но основы те же самые. Иначе я не советовал бы тебе передать часть твоих полномочий. Конечно, ты должна постоянно быть в курсе дела, знать, что происходит в компании. Но тебе надо также подобрать штат сотрудников, которым ты могла бы доверять. Предположим, ты заболеешь или неожиданно придется отойти на какое-то время от дел?

— Ну... если это случится... я вызову Тима из Майами.

— А если Тим по каким-то причинам не сможет покинуть Майами? Неужели ты не понимаешь, что тебе необходимо куда больше надежных сотрудников?

— У меня много надежных сотрудников, — не сдавалась Джо.

— Разумеется. Но не на уровне управления фирмой.

— А сколько же человек должны управлять фирмой, Алекс?

— Достаточно, чтобы можно было заполнить пустоту, если босс вынужден ненадолго отлучиться. Поверь мне, я тоже понял это не сразу. Пока я не дошел до этого, я был рабом собственного бизнеса. И я говорю тебе то, что знаю из личного опыта, Джо. Просто в какой-то момент начинаешь чересчур ревностно относиться к своему бизнесу, словно это ребенок... или любовник.

— Ты думаешь, я слишком ревностно отношусь к «Гринскейпс»?

— Джо, я вовсе не обвиняю тебя, — Алекс посмотрел на пустой стакан Джо. — Хочешь еще?

— Нет, спасибо. Наверное, лучше немного пройтись.

— Мимо магазинов Кондадо или по пляжу? — Алекс мысленно ругал себя за то, что коснулся неприятной для Джо темы. И зачем ему понадобилось делать это именно сейчас?

— По пляжу, — выбрала Джо.

Они двинулись к берегу. Джо сняла босоножки, Алекс тоже разулся, последовав ее примеру.

Лучи заходящего солнца светили им в спину. На Сиеста-Бич все было наоборот, неожиданно вспомнила Джо, и ей захотелось вдруг домой, во Флориду.

На родной земле она чувствовала себя куда увереннее как в делах, так и в личных взаимоотношениях. Но с тех пор, как Алекс встретил ее сегодня в аэропорту, ей было все время немного не по себе.

— Я начала делать в «Гринскейпс» кое-что из того, о чем ты говорил, — неожиданно произнесла Джо.

Алекс наблюдал за мальчиком и девочкой, играющими в пляжный волейбол. Они делали это лениво, почти чувственно, и было что-то соблазнительное в том, как большой красно-оранжевый мяч перелетал от одного к другому. В девочке уже чувствовалась женская грация, а в парнишке — просыпающаяся мужская сила. Это было что-то вроде завуалированных ухаживаний.

С тех пор как он встретил Джо в аэропорту, они только и делали, что обсуждали всякие ненужные вещи. Пора заняться любовными играми — ведь он встретился наконец-то с женщиной, которую любит всем сердцем.

Зачем ему понадобилось читать ей эту дурацкую лекцию об управлении бизнесом? Конечно, он говорил нужные вещи. Но выбрал для этого неподходящее время и место.

Теперь Алексу было стыдно. Он не мог не признаться себе, что все еще сердится на Джо за то, что она отказалась прилететь к нему на Гавайи. А потом в Нью-Йорк, не говоря уже о Вене. Они могли бы побродить вдвоем по Карнтнерштрассе, попробовать молодого вина в Гринцинге, взмыть высоко над городом на колесе обозрения в Пратере.

Он все время повторял себе, что, если бы Джо любила его так же сильно, как он ее, она не смогла бы устоять перед его приглашением. Но она отказала ему, легко и непринужденно, словно он был для нее просто хорошим другом, случайно пригласившим ее провести время вместе.

И когда Алекс размышлял над этим, ему вдруг пришло в голову, что Джо ведь никогда не говорила, что любит его.

Вечером Алекс повез Джо обедать в небольшой ресторанчик в самом центре старого Сан-Хуана, латинского квартала города, сохраненного в первозданном виде и так сильно отличавшегося от современного, более американизированного Кондадо.

Темноглазые кастильцы-официанты, изысканная пища и мягкая испанская музыка — все это заставило Джо воскликнуть:

— Мне кажется, будто мы в Мадриде. Хотя я никогда там не была.

— Очень похоже, — кивнул Алекс. — Но скорее на Севилью.

Он чуть было не добавил, что когда-нибудь покажет ей всю Испанию и еще много других мест, но вовремя сдержался. Дела шли так, что лучше было не загадывать на будущее.

Атмосфера ресторана была весьма романтична — белые стены, темная мебель, свечи, цветы. Но Джо снова принялась говорить о делах.

— Я пригласила в главный филиал человека из офиса в Тампе, — сказала она Алексу, поедая креветки.

— Да? — вежливо переспросил он.

Ему вовсе не хотелось говорить о бизнесе. Черт побери, он хотел заняться с ней любовью! Быть с ней, наслаждаться ее близостью, показать ей, как сильно он ее любит. Этот вечер казался ему почему-то важнее всех остальных, проведенных вместе. Им надо восстановить утерянное и двигаться дальше. Как она не понимает этого?!

— Недавно я была в Тампе, и Брюс Чэпмэн, помощник главного менеджера, произвел на меня благоприятное впечатление.

Алекс насторожился. Чем же так поразил ее этот Чэпмэн?

— Именно познакомившись с Брюсом, я поняла, как лучше работать с персоналом.

Алексу потребовалась вся его сила воли, чтобы не начать барабанить пальцами по столу. Во что превратилась Джо с момента их последней встречи? В высокомощную машину для ведения дел?

Нет, Джо вовсе не походила на машину. Никогда еще не выглядела она такой красивой, как сегодня! На ней было мягкое облегающее платье, подчеркивавшее изящные линии фигуры. Золотые сережки. Алекс испытал легкое разочарование, не увидев на шее Джо золотой волшебной лампы.

— Брюс проведет у нас шесть месяцев, — говорила Джо, и Алекс сообразил, что, задумавшись, пропустил несколько предложений. — А потом я могу перевести его в офис одного из филиалов и взять человека на стажировку оттуда. По-моему, ты говорил об обучении управляющего персонала. Потом...

Джо осеклась, заметив напряженное молчание Алекса. Он словно смотрел на что-то над ее головой. Поэтому она поспешила закончить:

— Ну, ты понимаешь, что я собираюсь сделать.

— Нет, — в голосе Алекса звучало раздражение, — не понимаю.

— Но ты ведь учил меня, что надо правильно распределять полномочия среди сотрудников, и я оказалась способной ученицей, — серьезно сказала Джо. — Я действительно чересчур ревностно относилась к «Гринскейпс», к своей роли в фирме. Но даже до нашего разговора я уже начала понимать, что мне нужен грамотный и надежный управленческий персонал. Итак...

— Итак, не заткнешься ли ты, дорогая, — вежливо предложил Алекс, стараясь говорить как можно тише, чтобы не услышали за соседними столиками.

Джо была в шоке. Она почти что пришла к выводу, что бизнес — единственное, о чем можно спокойно говорить с Алексом. Она не сомневалась, что Алекс активно интересуется бизнесом и что ему нравится давать ей советы с высоты собственного делового опыта.

Теперь же Джо чувствовала себя так, словно ее ударили по лицу.

— Извини, — виновато пробормотал Алекс. — Но если ты немедленно не прекратишь, я сойду с ума. Господи, Джо, неужели ты не способна думать ни о чем, кроме «Гринскейпс»?

Джо едва подавила горький смешок. Как он может задавать ей такой вопрос? Захотелось крикнуть, что иногда просто невозможно думать о фирме, потому что мешают мысли о нем, об Алексе. Она не могла припомнить ни одной ночи за последние недели, когда лицо его не возникало бы у нее перед глазами. И напрасно она пыталась заснуть.

Средь бела дня Алекс тоже врывался в ее мысли в самые неожиданные моменты. Иногда — как накануне, когда она обедала с клиентом, — Джо видела кого-нибудь, похожего на Алекса внешне, и сердце ее замирало. Или на пляже, когда она видела покрытые загаром сильные плечи и на нее накатывала вдруг волна желания.

Джо пришлось научиться брать себя в руки. Раньше она считала себя дисциплинированной, особенно когда требовалось разобраться с делами, но Алекс словно уничтожил в ней это качество. Иногда требовалось собрать в кулак всю свою волю, чтобы заставить себя думать о делах «Гринскейпс», но мысли об Алексе всегда все равно оставались, притаившись в уголках ее сознания.

Джо понимала, что Алекс сердится на нее за то, что она не приехала к нему раньше. Поэтому она и бормотала все время что-то о «Гринскейпс» — чтобы он понял, почему ей нелегко было освободиться.

Она ведь все-таки вырвалась и прилетела сюда, в Пуэрто-Рико. Неужели этого не достаточно?

— Джо! — настойчиво произнес Алекс.

— Что? — она все еще была в шоке от его грубости.

— Послушай, мне очень жаль. Но неужели ты не видишь, что я не хочу говорить о бизнесе? Я просто хочу быть с тобой. Я так чудовищно по тебе скучал. А ты?

— Конечно, и я скучала, — срывающимся голосом произнесла Джо.

— Тогда, дорогая, давай попытаемся... вернуть ту магию, что возникла между нами. Не знаю как, но надо постараться. В конце концов, у нас есть только сегодня и завтра.

У нас есть только сегодня и завтра.

Что именно имел в виду Алекс?

Глава 14

Они расстались в аэропорту Сан-Хуана. Алекс летел в Нью-Йорк, Джо — прямым рейсом до Майами, а оттуда — другим самолетом до Сарасоты.

Алекс с угрюмым видом поцеловал ее на прощанье.

— Я позвоню тебе вечером из Нью-Йорка, — пообещал он и пошел к воротам регистрации — его самолет вылетал на десять минут раньше, чем самолет Джо.

Джо смотрела ему вслед, и ей казалось, что глаза ее полны слез. Но щеки оставались сухими. Наверное, когда слез слишком много, они хранятся где-то внутри и не хотят проливаться. Ей не раз хотелось плакать во время этого уикенда в Сан-Хуане. Она жалела, что согласилась на эту встречу.

Вчера ночью они с Алексом на такси приехали из старого города обратно в отель. Затем, словно обоим была невыносима мысль, что сейчас они окажутся в номере одни, Джо и Алекс пошли прогуляться по Кондадо. Большинство магазинов еще работали. Джо с удивлением заметила среди маленьких бутиков и магазинчиков сувениров золотую арку «Макдоналдса», «Данкин донатс» и несколько других предприятий быстрого питания, а также известных аптек.

Джо купила несколько открыток с видами Кондадо и старого Сан-Хуана — не для того, чтобы послать кому-то, а просто для себя, на память. Ей нравилось в Пуэрто-Рико, хотя она понимала, что видит в Сан-Хуане только вершину айсберга. Может быть, когда-нибудь она сможет вернуться сюда и побыть подольше.

Она также купила украшения для Мардж и Мирны, рубашки с национальной вышивкой для Фреда и Лена.

Она не нашла ничего достойного, чтобы подарить на память Алексу. Видимо, он был такого же мнения, потому что не спросил ее, хочет ли она что-нибудь из того, что они разглядывали, да и вообще ничего не купил.

Вернувшись в отель, Алекс снова предложил попытать счастья в казино. Джо устала, и ей вовсе не хотелось играть. Но Алекс настаивал, и вскоре они заняли места за столом для игры в рулетку. За короткое время Джо проиграла все свои фишки.

Алексу везло не больше. Сначала он выиграл пару раз, но потом тоже продулся в пух и прах. Джо опасалась, что он захочет купить еще фишек, но Алекс признал наконец с неохотой:

— Наверное, сегодня просто не наша ночь.

Это действительно была не их ночь. Хотя оба старались изо всех сил вернуть связавшую их магию, она снова и снова ускользала от них. В номере они занимались любовью, и хотя Алекс был нежным и внимательным, не было уже той страсти, которой они наслаждались в прошлый раз. Алекс заснул, а Джо еще долго лежала с открытыми глазами, полная разочарования, беспокойства и почему-то чувства вины.

Что же она сделала не так?

В воскресенье они позавтракали довольно поздно, а затем Алекс заказал через администрацию отеля такси с англоговорящим водителем, чтобы тот повозил их по Сан-Хуану.

Они посетили знаменитые старинные крепости, осмотрели как следует старый город, огромную фабрику «Бакарди», открытый павильон которой был излюбленным местом отдыха не только туристов, но и местных жителей.

Здесь в баре под открытым небом подавались любые виды рома. Водитель уговорил их принять участие в дегустации, и, чтобы доставить ему удовольствие, Джо и Алекс взяли по пина-коладе.

Затем водитель сообщил им, что любой вид рома «Бакарди» можно купить дешевле всего в магазинчике при фабрике. Джо не соблазнилась на ром, зато она купила желтую футболку с огромной черной летучей мышью — символом «Бакарди», — чтобы подарить Тиму.

Настало время собирать вещи и ехать в аэропорт.

Алекс договорился с тем же самым водителем, что тот отвезет их. Всю дорогу до аэропорта они молчали. Алекс вылез из машины первым, Джо последовала за ним.

В самолете до Майами было много народу. Джо сидела, зажатая между огромным мужчиной и очень толстой дамой, ощущая себя сардинкой в банке. К тому времени, когда она забрала в Сарасоте свой багаж и машину со стоянки, Джо чувствовала себя так, словно из нее выпили за эти два дня все жизненные соки.

В квартире ей показалось особенно уныло и одиноко. Прежде чем уехать, Джо закрыла окна и выключила кондиционер, и теперь в доме было душно.

Она включила кондиционер на максимум и залезла под холодный душ. Все тело почему-то ломило. И преследовало чувство вины, когда она вспоминала печальный взгляд серо-голубых глаз Алекса, брошенный ей на прощанье в аэропорту.

Неужели она так сильно разочаровала его? Свернувшись калачиком на кушетке, Джо размышляла по этому поводу, но мысли ее путались и она не могла ничего решить.

А утром пришлось ехать на работу. Уезжая в пятницу, она ожидала, что вернется сюда в понедельник с блестящими от счастья глазами и Мардж сразу поймет, какой чудесный уикенд она провела. А вместо этого Джо с трудом передвигала ноги. Она была в ужасном настроении, особенно после того, как Алекс не позвонил вчера вечером.

Едва она вошла в офис, Мардж вскочила со своего места и заключила Джо в объятия.

— Слава богу, с тобой все в порядке!

Пока Джо пыталась понять, что означает такая встреча, в дверях появился Брюс Чэпмэн.

— До чего же я рад вас видеть! — воскликнул он. —

Когда я впервые услышал об авиакатастрофе, то испугался до смерти.

— О какой авиакатастрофе? — с трудом выдавила из себя пораженная Джо.

— Оказалось, тот самолет летел в Нью-Йорк, — объяснила Мардж.

— Про это написано в утренних газетах, — уточнил Брюс.

Джо напомнила себе, что Алекс улетел на десять минут раньше ее. И все же, когда она разворачивала газету, руки ее дрожали.

Статья «Трагедия в аэропорту Сан-Хуана» была на первой странице.

Рейс на Нью-Йорк задержали для повторного техосмотра. Когда лайнеру разрешили взлет и он как раз выруливал на взлетно-посадочную полосу, небольшой, только что приземлившийся местный самолет вдруг выехал прямо на него. Пилот рейса Сан-Хуан — Нью-Йорк успел повернуть, чтобы избежать столкновения, но все же зацепил крыло другого самолета, пилот которого погиб на месте.

В статье говорилось, что среди пассажиров рейса пострадало около тридцати человек, и некоторые серьезно.

Но если бы с самолетом Алекса что-то случилось, разве она не узнала бы об этом до взлета? Разве ее рейс не отложили бы из-за аварии?

Но логика подсказывала Джо, что это вполне мог оказаться самолет Алекса. Он летел той же авиакомпанией, и это единственная причина, почему он мог не позвонить. Может быть, Алекс лежит сейчас в больнице Сан-Хуана...

Джо опустилась на стул рядом со столом Мардж.

— Ты побелела, как простыня. Что случилось? — озабоченно спросила Мардж.

— Это мог быть самолет Алекса, — прошептала Джо. — Он должен был улететь на десять минут раньше меня и сказал, что позвонит мне из Нью-Йорка, но так и не позвонил. О, Мардж...

— Брюс, — быстро среагировала секретарша, — номер отделения «Моллз интернэшенэл» в Нью-Йорке находится в записной книжке у меня на столе. Позвоните туда и спросите Эндрю Карсона. Скажите, что мисс Джозефина Беннет обеспокоена.

Обеспокоена! Да ее всю просто трясло от ужаса!

Она слышала словно издалека, как Брюс говорит по телефону:

— Мистер Карсон? Брюс Чэпмэн из «Гринскейпс», Сарасота. Я — помощник мисс Джозефины Беннет. Мисс Беннет только что узнала об авиакатастрофе в Пуэрто-Рико. Она волнуется за мистера Гранта. Да, понимаю... — Брюс прикрыл трубку рукой и повернулся к Джо. — Вы не хотите поговорить с ним лично?

Джо встала и подошла к столу Мардж. Ноги подкашивались. Она схватила трубку, полная дурных предчувствий.

— Энди?

— С Алексом все в порядке, Джо, — поспешил заверить ее Энди Карсон. — Его немного тряхнуло — шишка на лбу, пара синяков, а так все о'кей. Его поместили вчера в больницу Сан-Хуана, а сегодня уже отпустили. Наверное, он как раз летит сейчас в Нью-Йорк и позвонит вам, как только доберется до офиса.

— Пожалуйста, Энди, попросите, чтобы он сразу же мне позвонил.

Остаток утра прошел как в тумане. Джо заперлась в кабинете и попросила Мардж не соединять ее ни с кем, пока не позвонит Алекс. Она неподвижно сидела, подперев руками голову.

А что, если бы Алекс погиб вчера? Если бы поцелуй в аэропорту стал бы их прощальным поцелуем?

Она вспоминала, как все время вылезала с идиотскими разговорами о работе. Что она пыталась доказать? Что она — тоже личность? А стоило ли доказывать это Алексу подобным образом?

Вряд ли. Ведь ее не волновало сейчас, что Алекс удачливый бизнесмен. Ее интересовал только сам Алекс.

Стук в дверь отвлек Джо от ее мыслей. На пороге стоял улыбающийся Брюс.

— Вынужден прервать ваши раздумья, Джо, — сказал он. — Если вам позвонят, я тут же ретируюсь. Но должен сообщить, что «Гринскейпс» выиграла приз Международного клуба дизайнеров за оформление торгового комплекса «Мимоза».

— Что? — Джо трудно было переключиться.

— Только что звонили из клуба. Я поговорил с ними сам — вы ведь просили ни с кем вас не соединять, кроме Алекса Гранта. Джо, это такая важная награда, — восхищался Брюс. — Церемония вручения состоится в Нью-Йорке в середине сентября. Об этом будут писать во всех газетах. Вы хоть понимаете, мисс Беннет, что вам предстоит стать известной?

Джо пыталась изобразить восторг, чтобы не разочаровать Брюса. Награда Международного клуба дизайнеров действительно важный знак признания. С этого момента Джо переходит в новое качество.

Всего несколько дней назад эта новость была бы такой радостной. Но сейчас Джо было абсолютно все равно. Единственное, о чем она могла думать, это о звонке Алекса. Отделавшись несколькими ничего не значащими замечаниями, она выпроводила Брюса из кабинета. Джо снова занервничала.

Где же Алекс?

Наконец ее терпение лопнуло. Она набрала номер нью-йоркского офиса «Моллз» и попросила Энди, но секретарша сообщила ей, что мистер Карсон на конференции.

— Я должна поговорить с ним, — почти в отчаянии настаивала Джо. — Пожалуйста, это срочно. Скажите, что звонит мисс Джо Беннет по поводу Алекса Гранта. Я...

— Одну минуту, мисс Беннет, — произнесла секретарша, и через несколько секунд Джо вдруг услышала в трубке такой знакомый хриплый голос, произносящий ее имя.

— Алекс? — Джо судорожно сжала трубку.

— Дорогая, Энди у меня в кабинете. Он только что сказал, что ты просила позвонить, и я как раз тянулся к трубке.

— Неважно, — прервала его Джо. — С тобой все в порядке? Это все, что мне хотелось знать.

— Со мной все в порядке, — сказал Алекс. — Ну, только...

— Алекс! — Джо не отпускало беспокойство, ей казалось, что Алекс что-то недоговаривает. — Алекс, пожалуйста. Если даже что-то не так, скажи мне об этом. Ты ранен?

— Джо, клянусь, со мной все в порядке. Только царапина на голове.

— Энди не сказал мне!

— Он не знал об этом, — спокойно произнес Алекс. — Но это сущая ерунда. Наложили пару швов. Дело в том, что они дали мне вчера в больнице успокаивающее и сказали выпить ещё одну таблетку в самолете. Поскольку я ничего не ел, это свалило меня с ног. Я приехал в Нью-Йорк в таком сонном состоянии, что сразу отправился к себе на квартиру и отрубился часа на четыре. Иначе позвонил бы тебе раньше.

— Я так волновалась, — все еще дрожащим голосом произнесла Джо.

— Я думал, тебе не придет в голову связать происшествие с моим рейсом. Иначе позвонил бы тебе прямо из Сан-Хуана, невзирая на время. Твой самолет взлетел как раз тогда, когда наш закончили проверять. Когда мы врезались в тот самолет... это было нечто, — продолжал Алекс. — Говорят, в такие моменты перед тобой проходит вся жизнь. А я вспоминал только тебя. И думал о том, как неудачно мы провели выходные.

— Я знаю, — сказала Джо. — В этом нет твоей вины, Алекс. Все из-за меня.

— Это не так, — возразил Алекс. — Я сам не должен был мучить тебя советами по поводу бизнеса. Я знаю, как усердно ты работаешь, Джо. Я не имел права начинать к тебе придираться.

— А мне не стоило постоянно говорить о «Гринскейпс». О, Алекс...

Она услышала, как Алекс сказал: «Да?» — и поняла, что кто-то, вероятно, зашел к нему кабинет. Она терпеливо ждала, слыша на другом конце провода радостные восклицания Алекса.

— Джо! — восторженно произнес он наконец в трубку. — Это же просто потрясающе!

Интересно, что он имеет в виду?

— Награда Международного клуба дизайнеров! Энди только что услышал, что вы получили ее! Какой чудесный подарок для «Гринскейпс»! Теперь ты в первых рядах. И «Мимозе» тоже не помешает лишняя популярность. Энди говорит, банкет будет здесь у нас в сентябре.

— Да, — тихо ответила Джо, которой по-прежнему было абсолютно все равно.

Видимо, Алекс не догадывался об этом.

— Прекрасно! — рассмеялся он. — Наверное, это единственная возможность вытащить тебя ко мне в гости.

Единственная возможность вытащить ее в гости. Чем больше думала Джо об этой реплике Алекса, тем больше она ее раздражала. И вызывала много вопросов. Неужели Алекс хотел сказать, что до середины сентября у них не будет времени повидаться? Ведь это целых два месяца!

Весь день она провела в офисе, стараясь наверстать упущенное. Вечером на улице было жарко и влажно, Джо почувствовала себя взмокшей, всего-навсего дойдя до машины.

Мысль о возвращении в пустую квартиру ей неожиданно показалась невыносимой. Вместо этого Джо поехала в торговый центр, в разных местах которого находились шесть кинотеатров. Она решила посмотреть картину, на которую давно собиралась сходить, и надеялась, что она поможет ей отвлечься хотя бы часа на два.

Но ничего не помогало. И не стоило винить в этом картину. Сейчас она была сама себе врагом, и прекрасно это знала.

Около одиннадцати Джо вернулась домой. Когда она входила, телефон звенел изо всех сил. Джо опоздала буквально на одну секунду — она подняла трубку, но в ней уже слышались гудки.

Кто это был? Алекс? Да нет, он наверняка уже спит, измученный.

И все же Джо чуть не набрала его нью-йоркский номер. Она остановила себя в последнюю минуту. А что, если это был вовсе не Алекс, и она только зря разбудит его? А если Алекс? Ну почему они все время кругами ходят друг вокруг друга?

Минут через десять телефон зазвонил опять. Это был Тим. И когда он признался, что уже звонил, Джо порадовалась про себя, что не позвонила Алексу.

— Во-первых, хочу поздравить тебя, дорогая кузина, — сказал Тим. — Мы тут узнали о награде. Ты наверняка в восторге.

— Да, это просто потрясающе, — скучным голосом ответила Джо.

— И ты хочешь, чтобы я поверил, что говорю с обрадованной Джо? Что случилось?

— Просто устала.

— Да? Не застав тебя, я позвонил Мардж, чтобы выяснить, не разъезжаешь ли ты снова по филиалам. Она сказала, что ты провела уикенд в Пуэрто-Рико. Ты случайно не собираешься открыть филиал в Сан-Хуане?

— Нет. Я отдыхала.

— А я-то хотел сказать, что, если ты задумала вести дела с пуэрториканцами, туда можно перевести меня. Будущая миссис Тимоти Беннет прекрасно говорит по-испански.

— Будущая миссис Тимоти Беннет?

— Я чуть было не рассказал тебе о ней, когда ты была у нас. Но тогда она еще не дала мне согласия. Я встретил ее через пару дней после того, как мы открыли здесь филиал. Фирма, где она работает, устроила распродажу спортивных рубашек прямо на улице. Я остановился около лотка во время ленча, чтобы взглянуть. И пока бродил вокруг Кармен, купил шесть рубашек.

Джо невольно улыбнулась:

— Ты шутишь, Тим!

— Нет, я предельно серьезен, — жизнерадостно проинформировал ее Тим. — Она наполовину кубинка, наполовину шотландка и, если говорить о красоте, стоит на втором месте после тебя, сестрица.

— Прекрати, Тим, — запротестовала Джо.

— Я действительно так думаю! А по-английски Кармен говорит лучше меня. — Он понизил голос. — Я надеюсь, вы понравитесь друг другу, Джо. Ты ведь знаешь, как много ты для меня значишь. Мне очень важно, чтобы вы с Кармен нашли общий язык. Мы хотим пожениться в начале сентября. Мы подумали, что, может быть, отправимся в свадебное путешествие на север и присоединимся к тебе в Нью-Йорке перед вручением награды. Но я хочу, чтобы вы с Кармен познакомились раньше, Джо. Например, в эти выходные. Не хочешь прилететь в Майами?

— А почему бы вам не приехать сюда? — предложила Джо. — Мы могли бы отпраздновать это событие в субботу. Я буду рада. Кстати, вы сможете остаться в моей квартире, а я переночую в комнате над офисом.

Переделывая дом под офис, Джо оставила наверху одну комнату, где стояли диван и телевизор, чтобы иметь возможность передохнуть там во время рабочего дня.

— Лучше мы поселимся над офисом, — предложил Тим. — Я все равно мечтаю показать ей питомник и все, что есть у нас в «Гринскейпс». Джо, мне хочется, чтобы Кармен тоже стала участником семейного бизнеса. Она очень умная и будет неплохой сотрудницей. Но у нас еще будет время поговорить об этом.

Они договорились на том, что Тим перезвонит Джо, как только закажет билеты на самолет, и Джо будет встречать их с Кармен в аэропорту в субботу.

Мысли о предстоящей вечеринке в честь Тима и его невесты помогли Джо продержаться неделю. Алекс звонил ей пару раз, но обычно по пути на какие-нибудь переговоры, так что беседы эти оставляли у Джо легкое чувство недовольства. Джо рассказала Алексу о предстоящей в субботу вечеринке, и он выразил надежду, что тоже когда-нибудь познакомится и с Тимом, и с его невестой.

Джо составила список гостей, куда включила Бакстеров, Мардж с мужем, Лена Фарадея, Брюса Чэпмэна и несколько других сотрудников компании, с которыми был дружен Тим. Все приглашенные, не считая Брюса, хорошо знали Тима. Джо поняла вдруг, что пригласила его не для Тима, а для себя. Конечно, не в качестве потенциального поклонника. Но Брюс был веселым и привлекательным. Приятно иметь поблизости любезного молодого человека, который может помочь тебе с напитками и всякими другими мелочами.

В явному удовольствию Тима, Джо и Кармен сразу понравились друг другу. Кармен была жгучей брюнеткой с голубыми глазами, чуть полноватой, но это ее не портило. И не могло быть никаких сомнений — они с Тимом сгорают от любви друг к другу.

Джо была рада за них, но в то же время ей было немного грустно, когда она одевалась для вечеринки в потрясающее белое платье с открытыми плечами.

Она заранее упаковала в чемодан необходимые вещи и положила его в багажник машины, чтобы быстренько улизнуть, когда гости разойдутся, и оставить Тима с Кармен ночевать в своей квартире.

Вечеринка прошла с успехом. Только один момент омрачил ее для Джо — кто-то случайно поставил пленку с записями Дэнни Форта, найдя ее среди других, которые Джо ставила Алексу в тот памятный вечер. При звуках знакомого голоса Джо передернуло, она замерла на месте и закрыла глаза.

— Что-то случилось, Джо? — поинтересовался проходящий мимо Брюс. — Вам нехорошо?

Мне плохо, мне очень плохо!

— Нет, нет, все в порядке, — произнесла она вслух.

Джо подумала, что Брюс вполне может помнить Дэнни Форта. Он был как раз подходящего возраста. Но если и так, Брюс ничего не сказал.

Наконец, когда уехали последние гости, Джо быстро последовала за ними.

Территория питомника ночью освещалась прожекторами, но вокруг царила почти зловещая темнота.

Джо открыла дверь офиса, зажгла свет и прошла наверх. Перед тем как ехать в аэропорт, она постелила себе на диване и теперь порадовалась своей предусмотрительности. Она вдруг почувствовала себя чудовищно усталой.

Надев ночную рубашку, Джо погасила свет, легла и вскоре погрузилась в сон, но сон этот был беспокойным. Один раз она даже проснулась: ей показалось, будто она слышала, как подъехала машина. Впрочем, видимо, машина просто проехала по близлежащему шоссе. Воздух был влажным и душным, звуки разносились далеко.

Джо снова заснула, но через несколько секунд села на постели, испуганно глядя перед собой. Внизу кто-то был.

Она ясно слышала какой-то странный треск. Слишком поздно Джо вспомнила о том, что забыла включить систему безопасности офиса после того, как вошла.

Ночь была безлунной и темной. Джо даже не подумала о том, чтобы захватить фонарь. Она быстро вылезла из кровати, мысленно проклиная себя за то, что не включила телефон наверху. У нее оставался один шанс — добраться до стола Мардж и позвонить в полицию.

Она как раз подкралась к лестнице, когда все вокруг вдруг залил неожиданно яркий свет. Злоумышленник добрался до выключателя, и теперь она стояла прямо перед ним. Спрятаться было негде. В следующий момент Джо чуть не упала в обморок от охватившего ее изумления.

У подножия лестницы стоял Алекс.

— Ничего себе крепость, — укоризненно произнес он. — Любой может забраться. Правда, я чуть не сломал шею, пока искал тут включатель.

Белый пластырь на лбу придавал Алексу немного хулиганский вид. На нем были шорты цвета хаки и голубая рубашка. Черные волосы слегка растрепаны. Наверное, споткнулся и упал, сломав при этом стул, подумала Джо, вспоминая испугавший ее треск.

Алекс внимательно посмотрел на Джо.

— Наверное, — сказал он, — ты хочешь спросить, как я сюда попал. Что ж, хотя ты оказалась не настолько хорошо воспитана, чтобы позвать меня на вечеринку в честь помолвки твоего кузена, я все равно решил приехать.

Джо открыла было рот, но тут же закрыла его снова. Ей даже не пришло в голову, что у Алекса может появиться желание приехать на вечеринку в честь Тима и Кармен.

— Однако, — продолжал Алекс, — мне снова не повезло с рейсом. Нас задержали на два часа в Вашингтоне. Потом потребовалась целая вечность, чтобы арендовать в аэропорту машину. Потом я логично предположил, что в это время суток найду тебя дома. Но минут через пятнадцать понял, что ошибся. Пришлось представиться Тиму и Кармен самостоятельно. У меня была бутылка шампанского, которую мы распили. В том числе подняли тост и за тебя. Потом Тим объяснил мне, где ты, дал свои ключи от офиса, и вот я здесь.

Джо смотрела и смотрела на Алекса, не зная, что сказать.

— Так ты собираешься пригласить меня внутрь? — поинтересовался Алекс.

Они встретились посередине лестницы.

Глава ♦ 15

— Ты ведь не думаешь, что чудеса бывают только во Флориде? — с невинным видом спросил Алекс.

— Конечно, нет, — твердо ответила Джо.

— Почему ты так уверена?

— Все дело в нас, — сказала она. — Чудеса зависят от нас. И не имеют никакого отношения к географии.

Джо и Алекс лежали на огромной кровати в люксе Алекса во «Флоридиане». Они приехали в отель перед рассветом. Проходя через фойе, Джо кивнула сонному клерку за стойкой регистрации, а тот быстро и профессионально спрятал удивление во взгляде.

Наверное, было видно, что одевались они второпях. К тому же Алексу явно требовалось побриться, и Джо никогда еще не видела его волосы такими взъерошенными. Ее волосы также рассыпались локонами по плечам, платье было помято — но все это нисколько не волновало Джо. Важно было, что звезды снова висели на своих местах и луна украшала небосвод над их головами. Конечно, сейчас, когда на востоке поднималось солнце, Джо не видела ни луны, ни звезд. Но она знала, что все на своих местах и с этим миром все в порядке.

Она никогда не забудет маленькую комнатку на втором этаже бывшего фермерского дома, где они с Алексом словно попали сегодня в другое измерение.

Прошло довольно много времени, прежде чем Алекс пробормотал:

— Я был бы не против чего-нибудь попросторнее этого дивана.

— Опять привередничаешь? — поддразнила его Джо.

— О чем это ты?

— Ну, не знаю. Может быть, теперь, когда ты починил забор — я имею в виду наши отношения, — можно перебраться и в более удобное помещение.

Засмеявшись, Алекс заключил ее в объятия, и они снова занялись любовью.

Потом они решили перебраться во «Флоридиану». Может быть, даже поплавать на рассвете, если открыт бассейн. Но у них снова нашлись более важные дела.

Лежа рядом с Алексом, Джо испытывала не просто удовлетворение, но и какое-то чувство благодарности судьбе. Она до сих пор вздрагивала, вспоминая об авиакатастрофе.

— В чем дело? — спросил Алекс, вопросительно глядя на Джо.

— Иногда я вспоминаю, что... что, если бы все сложилось иначе, тебя могло бы здесь не быть. — Джо снова невольно поежилась.

— От меня не так легко избавиться, — хрипло произнес Алекс.

— Это не шутки, — с тревогой сказала Джо. — Тебе никогда не понять, что я пережила, когда узнала о катастрофе. А потом выяснилось, что это был именно твой самолет...

— Думаю, я понимаю, что ты чувствовала, — тихо сказал Алекс. — Потому что могу представить, что испытывал бы сам, окажись я на твоем месте. — Он прочистил горло и сделал глубокий вдох. — Я говорил когда-нибудь, как сильно люблю тебя, Джо?

Едва Джо услышала эти три старых как мир слова, глаза ее наполнились слезами.

Наклонившись над ней, Алекс поцелуем стер слезы, трепетавшие на ее ресницах. Открыв глаза, Джо увидела в его взгляде удивление.

— Я вижу, ты носишь лампу Аладдина, которую я тебе подарил!

— Да. Я не снимала ее ни разу, кроме...

— Кроме путешествия в Пуэрто-Рико?

— Ты заметил? — удивилась Джо.

— Конечно, заметил. Я замечаю все, что касается тебя. И, должен признаться, я искал лампу, потому что... потому что придаю ей определенное значение, хоть это и глупо. И как ты могла ожидать от своего личного джинна, что он сделает для тебя что-нибудь, не взяв с собой волшебной лампы, которую обязательно нужно потереть?

Джо понимала, что Алекс хочет разрядить атмосферу, но в то же время она чувствовала, что он придает своим словам большое значение. Это был еще один сюрприз. Она и не подозревала, что Алекс обращает внимание на такие вещи.

— Я сняла цепочку, когда принимала душ, прежде чем отправиться в аэропорт, — призналась Джо. — И в спешке забыла надеть. Мне ее не хватало. Я пыталась убедить себя, что нельзя быть такой суеверной. Но можешь мне поверить, когда наш уикенд обернулся такой неудачей, я снова пожалела о том, что забыла лампу.

— А чего бы ты попросила у джинна, Джо? — осторожно поинтересовался Алекс.

Джо молчала. Иногда непросто было облечь свои чувства в слова.

— Я пожелала бы тебя, — наконец медленно произнесла она. — Хотя в тот момент мне хотелось большего. Я попросила бы джинна помочь нам разрешить... наши недоразумения. Конечно, они возникли по моей вине...

— Вовсе нет, — покачал головой Алекс. — Я тоже вел себя далеко не идеально.

— Неважно, кто виноват. Иногда важнее бывает вовремя остановиться, посмотреть трезвым взглядом на происходящее и произвести переоценку ценностей. Особенно в наше время... когда люди не всегда понимают, что должно быть на первом месте... Когда... когда я решила, что ты серьезно пострадал, я вдруг поняла: все, что казалось мне до сих пор важным, на самом деле не имеет значения. Я отдала бы «Гринскейпс» и все, что с ней связано, только бы...

Голос ее дрогнул. Алекс все еще лежал рядом, подперев щеку ладонью.

— Только бы что, Джо? — тихо и нежно спросил он.

— Только бы ты был рядом и в безопасности.

К удивлению Джо, Алекс вдруг резко сел, надел шорты и прошел к окну. Джо смотрела ему в спину, пытаясь разгадать его настроение.

Затем она тоже встала, накинула халат и подошла к Алексу.

Они смотрели на бульвар напротив отеля, ведущий к пристани.

Джо почти робко коснулась плеча Алекса, и тот повернулся в ее сторону. Джо не могла понять выражения его глаз.

— В чем дело? — спросила она.

— Несколько минут назад, — ответил Алекс, — я сказал тебе слова, которых не говорил еще ни одной женщине. Но ты так и не ответила мне. — Джо непонимающе смотрела на Алекса. — Я сказал, что люблю тебя. А ты никогда не говорила мне о своих чувствах.

Джо в изумлении сделала шаг назад.

— Так ты... ты мог сомневаться в том, что я тебя люблю? Разве я не сказала тебе только что, что готова была отдать все на свете, только бы ты был жив и рядом?

— Это не одно и то же. Так ты можешь сказать это, Джо?

— Сказать? Но разве это не ясно как божий день, Алекс? — На губах Джо заиграла улыбка. — Это самое простое, о чем ты меня можешь попросить. Да, я люблю тебя. Я люблю тебя, люблю тебя, люблю тебя! Сердце мое полно любовью, и она вот-вот забьет через край.

Джо почувствовала, как напряглось вдруг тело Алекса. Сделав шаг назад, она взглянула ему в лицо.

— Думаю, ты не понимаешь, как много это для меня значит, — пробормотал Алекс.

— О чем ты?

— С тех пор как я встретил тебя, я все время боялся

потерять то, что так долго искал. Это и была одна из главных проблем. Не твоя, а моя.

— Я тоже была напугана, Алекс, — призналась Джо.

Алекс сокрушенно покачал головой:

— О господи, я совершенно не умею выразить свои мысли!

— А что именно ты пытаешься выразить?

— Боюсь, что после той авиакатастрофы ты немного утратила чувство реальности.

— Что это значит?

— Не могу представить, чтобы ты решилась расстаться с «Гринскейпс». Я понимаю, что ты почувствовала, узнав об аварии. Но это все эмоции. Честно говоря, мне кажется, что бы ты ни думала в тот момент, потом ты захотела бы вернуть «Гринскейпс».

На лице Джо появилось такое выражение, словно ее ударили.

— Эй! — запротестовал Алекс. — Пожалуйста, Джо, пойми мои слова правильно. Я просто не хочу, чтобы наше будущее строилось на зыбучих песках.

Джо отвернулась.

— Я не знаю, что тебе сказать, — призналась она.

Алекс коснулся ее плеча.

— Дорогая, — хрипло произнес он, — неужели ты не понимаешь: я хочу, чтобы между нами все было честно. Так будет лучше для нас обоих.

— Я всегда была с тобой честной, Алекс, — Джо была почти в отчаянии.

— Знаю. Но теперь я прошу тебя снова подумать о нас. Теперь, когда я рядом с тобой, целый и невредимый. Ты и сейчас готова повторить, что не возражала бы расстаться ради меня с «Гринскейпс»?

Джо удивленно смотрела на Алекса:

— Ты хочешь, чтобы я отдала «Гринскейпс» тебе?

— Я бы не спешил с выводами. — Губы Алекса сжались в тонкую линию.

— Какого ответа ты ждешь, Алекс? Да, признаюсь, мне трудно было бы взять и завтра утром продать «Гринскейпс». Но я говорила о...

— Я знаю, о чем ты говорила. Ты хотела заключить сделку с судьбой, не так ли?

Алекс был беспощаден. Джо явно не удалось угадать, что он хотел от нее услышать.

Джо тяжело вздохнула.

— Я бы хотела принять душ и одеться, — объявила она.

— Пойдем поплаваем? — предложил Алекс, глядя в окно. — У бассейна уже есть пара ранних пташек.

— Спасибо, я не хочу. А ты иди.

— Может быть, пойду. Не знаю. Послушай, Джо...

— Да? — обернулась она, стоя на пороге ванной.

— Я вовсе не прошу тебя расставаться с «Гринскейпс». Ты вложила в это дело душу. И я понимаю, как много это для тебя значит.

Джо покачала головой и невесело улыбнулась:

— Ты не просишь меня отказаться от «Гринскейпс», но, если я сохраню ее, для нас нет никакого будущего, так?

— Вовсе не обязательно...

— О, Алекс, — взмолилась Джо, — давай будем честными друг с другом. Ведь именно из-за моего бизнеса мы не всегда понимаем друг друга. Плохо это или хорошо, но так и будет, пока я остаюсь президентом «Гринскейпс». Да, ты прав. Я не хочу отказываться от дела своей жизни. Я была честна, когда говорила, что пожертвовала бы «Гринскейпс» ради твоей безопасности. И буду чувствовать то же самое, если тебе опять будет угрожать опасность. Но ты прав — когда все нормально, на многие вещи смотришь по-другому. Я не знаю, как быть, — беспомощно закончила Джо.

Она долго стояла под душем, но вода не могла смыть ощущение поражения, которое охватило ее с того самого момента, когда Алекс заговорил о «Гринскейпс».

Кажется, Алекс твердо намерен относиться к ее предприятию как к сопернику. И это было смешно. Как он не понимает, что в ее жизни есть место не только для работы, но и для глубоких личных отношений. Ведь сам он избегал серьезных отношений с женщинами все эти годы вовсе не потому, что не верил в возможность совместить их с успешным ведением дел. Алекс понимал это. Или нет?

Джо надела бледно-розовый сарафан, который прихватила с собой накануне вечером, и вышла к Алексу. Он успел переодеться в купальные шорты.

— Думаю, мне все-таки стоит сходить поплавать.

— А тебе можно — ведь швы еще не сняли?

— Я не буду мочить голову. — Алекс на секунду задумался. — Или мне лучше сначала заказать тебе завтрак?

— Нет. У тебя на кухне есть растворимый кофе. Сделаю себе чашечку. А о еде думать еще рано.

Алекс грустно смотрел на Джо.

— Не знаю, почему у меня все выходит наоборот, когда дело касается тебя, дорогая. Наверное, потому, что я очень волнуюсь. Джо...

— Да?

— Пожалуйста, не убегай.

Она удивленно посмотрела на Алекса:

— У меня и в мыслях не было...

— Ради бога, не уходи, пока я плаваю. Мне важно знать, что я застану тебя здесь, когда вернусь.

Джо немного озадачило напряжение, звучавшее в голосе Алекса.

— Я буду здесь, — сказала она.

— Обещаешь?

— Обещаю.

Когда Алекс ушел, Джо сделала себе кофе и выпила его. Стоя на кухне.

Зазвонил телефон, и Джо чисто автоматически взглянула на часы. Без пяти восемь в воскресенье утром? Наверное, Алексу звонят по делам из Нью-Йорка.

Она подняла трубку и услышала хриплый голос Алекса:

— Джо?

— Где ты? — Джо пронзило вдруг чувство тревоги.

— Я звоню из фойе. Не знаю, что это нашло на меня десять минут назад. Почему я всегда становлюсь в твоем присутствии полным идиотом? Если бы я вел таким образом свои дела, то давно бы обанкротился.

Джо рассмеялась, а затем произнесла дрожащим голосом:

— Думаю, это можно сказать о нас обоих.

— Послушай, дорогая, позволь сообщить тебе раз и навсегда то, что я никак не могу выдавить из себя, когда ты рядом. Я никогда не попрошу тебя расстаться с «Гринскейпс», но прошу тебя: впусти меня в свою жизнь. Я имею в виду... навсегда.

Джо почувствовала, как сердце начинает учащенно биться.

— Я знаю, — продолжал Алекс, — тебе трудно будет справиться и с бизнесом, и с таким требовательным мужем, каким я, скорее всего, окажусь. Я знаю, ты не можешь перенести «Гринскейпс» в другое место. Но я могу перенести «Моллз интернэшенэл».

— Алекс, ты... — Джо не хватало воздуха.

— Моя штаб-квартира вовсе не обязательно должна находиться в Нью-Йорке. Сарасота ничем не хуже. Это одна из причин, — продолжал он, — почему я так заинтересовался собственностью в этих местах. Я хочу купить домик на Сиеста-Ки — для нас. Фред уже подыскал кое-что.

— Фред Бакстер? — Изумлению Джо не было предела.

— Да. Фред нашел несколько весьма живописных коттеджей. Я говорил об этом с Энди. Он не против перебраться во Флориду. И другие сотрудники тоже. Мы оставим офис в Нью-Йорке, так что те, кто не хочет переезжать, тоже не окажутся на улице.

— Ты говоришь так, будто уже дал этой идее зеленый свет, — тихо произнесла Джо.

— Не совсем, — признался Алекс. — Скорее, желтый. Это свет, призывающий к осторожности. И я старался быть очень осторожным. Особенно после Пуэрто-Рико. Дело в том, что...

— В чем же?

— Я хочу, чтобы ты была уверена в себе и во мне, Джо.

— А ты поверишь, если я скажу, что это так?

— Не знаю, — честно признался Алекс. — Мне остается только попросить у тебя прощения за то, что я такой неисправимый скептик. Дело не в том, что я не верю тебе. Я верю. Но я должен быть уверен, Джо, что в твоей жизни найдется для меня место. Мне так много от тебя надо!

Джо не знала, что ответить. Конечно, в ее жизни было место для Алекса. И она многое могла ему дать. Сердце ее было переполнено любовью. Но Алекс должен поверить в это. Должен поверить в нее, как она поверила в него. Ведь только так между людьми возможна настоящая близость. Джо была готова к этому. Оставалось только убедить Алекса.

— Джо?

— Да?

— Послушай, как-то в Нью-Йорке, еще до нашего уикенда в Пуэрто-Рико, я кое-что приготовил для тебя. Я взял это с собой в Сан-Хуан, но дела пошли так, что я решил подождать. Но я привез это с собой. Это... это лежит в верхнем ящике комода. Ты не пропустишь. Я хочу, чтобы ты взяла это и... нашла этому применение.

— Нашла применение?

— Да. Посмейся немного. А чуть позже я присоединюсь к тебе.

Алекс повесил трубку. Заинтригованная, Джо последовала его указаниям. Открывая ящик, она чуть побаивалась того, что должна была там увидеть.

Это оказался портативный магнитофон, рядом с которым лежала кассета. По-прежнему заинтригованная, Джо попыталась отыскать на кассете какую-нибудь надпись, но ее не было. Значит, пленку записал Алекс. Что же на ней?

Она отнесла магнитофон и пленку в гостиную, села и только после этого решилась нажать на кнопку.

Послышались звуки гитары. Кто-то наигрывал мелодию, которую Джо никогда не слышала раньше. Мелодию в духе Дэнни Форта.

Но Джо почти сразу же поняла, что слышит вовсе не Дэнни. Пел Алекс. И она прислушивалась к хрипловатому голосу, находя в нем то, чего не хватало Дэнни Форту. Зрелость. Глубину чувств.

Прислушавшись к словам, Джо поняла, что Алекс на

исал эту песню для нее. Это было его объяснение в люб-
и. Он говорил ей в этой песне о том, чего никак не мог
казать в жизни:

> Я бродил в одиночестве,
> Я жил в одиночестве.
> Серая леди в ветхих одеждах
> Кралась за мной, заслоняя весь мир.
>
> А потом я увидел тебя,
> Стоящую между солнцем и тенью.
> Я увидел тебя, и твоя красота позвала меня,
> Я пошел к тебе, а серой леди пришлось
>   повернуться и уйти.
>
> Ты открыла для меня новый мир, дорогая,
> Твой мир, мой мир, наш мир.
> Смогу ли я удержать его в руках?
> Смогу ли я удержать его в сердце?
>
> Или... ты покинешь меня?
> И вернется серая леди в унылых одеждах?
> Снова схватит меня, и я не смогу ее
>   больше прогнать?
> И буду бродить в одиночестве?
>
> И буду жить в одиночестве?
> Как жил с начала времен,
> Пока ты не возникла между светом и тенью
> И не подарила мне свою любовь.

Когда прозвучал последний аккорд, по щекам Джо
бежали слезы. Она подошла к туалетному столику Алекса, взяла из ящика пару носовых платков, но вскоре и они
стали мокрыми. Джо снова поставила пленку и присела
на стул. Только теперь она поняла, как много значит для
Алекса.

И тут она вспомнила слова Мардж о том, что Алекс
очень одинок. А ведь она спорила с ней тогда! Как может
мужчина быть таким красивым, богатым, удачливым и
одиноким, спрашивала она.

Теперь Джо знала. *Буду ли я жить в одиночестве? Как
жил с начала времен?*

— Нет, милый, — пробормотала Джо. — Нет, ты больше никогда не будешь один.

Наконец она вынула пленку из магнитофона и поло-

жила ее в коробку. Последний раз вытерла глаза, плесну
ла в лицо холодной водой, вышла из номера, решительн
направилась к лифту и нажала на кнопку нижнего этажа
Ей вдруг пришло в голову, что, записав песню, Алекс на
рушил указания своего врача. Но Джо была рада, чт
Алекс все же сделал это. Только один раз!

Она направилась к бассейну, ища Алекса глазами. О
был в воде. Алекс плавал точно одержимый туда-сюда
Видимо, надеялся, что, задав себе физическую нагрузку
сможет избавиться от страха перед будущим.

Джо внимательно наблюдала за ним. Доплыв д
конца бассейна, Алекс повернулся и увидел ее.

Он был слишком далеко, Джо не видела его лица
Глядя, как Алекс вылезает из воды, она поняла, что н
может больше ждать.

Джо побежала вокруг бассейна. Несколько раз он
поскользнулась на мокрых плитках. И вот она уже в объ
ятиях Алекса. Струйки воды катились по его груди н
плечи Джо.

— Я намочу тебя, — хрипло сказал Алекс.

Джо смотрела на него снизу вверх, пытаясь вложить
этот взгляд всю свою душу. Потом они будут говорить
потом она расскажет ему, что испытала, услышав сочи
ненную для нее песню. Скажет, что хочет провести рядом
с ним всю свою жизнь. Что она любит его. О боже! Ка
она любит его!

Но сейчас дела значили больше слов. Джо притянул
к себе голову Алекса и впилась губами в его губы.

Когда поцелуй наконец ненадолго прервался, Дж
прошептала, переводя дыхание:

— О, мой дорогой, никогда не сомневайся во мне.

Она почувствовала, как напряглось на мгновение
тут же снова расслабилось тело Алекса. Увидела в ег
синих глазах влагу, не имевшую никакого отношения
бассейну. Он улыбнулся, и для Джо взошло солнце. Ей н
надо было тереть волшебную лампу и звать джинна
чтобы понять, что сейчас сбывается самая заветная мечт
ее жизни.

Приглашение к счастью

Роман

Глава 1

Сумерки окутали Вашингтон мерцающей лиловой вуалью. Под покрывалом холодного январского вечера, словно тысячи светлячков, мигали фонари.

Был час «пик», и потоки машин запрудили Массачусетс-авеню. На заднем сиденье такси, застрявшего в пробке, сидела Марта Бреннан, рядом с ней — Тони Эшфорд. Они возвращались с приема в британском посольстве.

Вечер показался Марте интересным, хотя и не во всем приятным. С Тони посол и его супруга были обворожительны, и Марте, как его невесте, также досталась полная чаша любезных улыбок и комплиментов. Марта, не привыкшая к такому отношению, чувствовала себя неловко: она предпочитала, чтобы люди хвалили ее за реальные достоинства.

В целом «дружеское чаепитие» оставило по себе смутно-раздражающее впечатление. Ни внешний вид, ни интерьер посольства — огромного здания на Массачусетс-авеню — не располагал к непринужденности. Сэр Артур и леди Люсинда Каррингтон-Смит, милые и доброжелательные люди, были при этом классическими образцами суховатых англичан и явно не собирались ломать возводимые годами внутренние барьеры ради какой-то незнакомки. Они разговаривали с Тони и Мартой так, как могла бы королева на дипломатическом приеме беседовать с президентом Соединенных Штатов.

Марта вздохнула. Она и раньше понимала, что Тони принадлежит к чуждому ей кругу и ведет совсем иную жизнь, — но только сейчас впервые серьезно об этом задумалась. Марта невольно покосилась на сверкающее на пальце обручальное кольцо с крупным бриллиантом.

Сможет ли она приноровиться к образу жизни Тони настолько, чтобы их брак был успешным? Сможет ли остаться собой, сохранить свою личность и карьеру и при этом достойно играть роль миссис Энтони Эшфорд? Особенно если вспомнить, что, хотя к Тони она питает самые дружеские чувства, сердце ее давно и бесповоротно принадлежит другому...

Тони, услышав вздох, повернулся к ней.

— Что-то не так? — заботливо спросил он.

— Нет, что ты! — заверила она.

— Тогда откуда такие тяжкие вздохи?.. Марта, у тебя же руки просто ледяные! Тебе не холодно?

— Тони, со мной все нормально, — ответила Марта. — Немного устала, только и всего.

Со всех сторон слышались гудки нетерпеливых водителей, но это было бесполезно — машины не двигались с места.

— Дорогая, мы можем не ехать на коктейль к Фармингтонам. Найдем телефон, я позвоню и скажу им, что что-нибудь случилось. А потом поедем к тебе или ко мне в отель и отдохнем вдвоем.

Марта покачала головой.

— Я хочу поехать к Фармингтонам, — ответила она.

Марта действительно хотела познакомиться с этой супружеской парой. Фармингтоны, английские друзья Тони, жили в Букингемшире, недалеко от деревенского дома его матери. Когда Марта и Тони поженятся и переедут в Англию, они будут встречаться с Фармингтонами по крайней мере раз в месяц...

Когда они с Тони поженятся. Дата этого торжества была еще неизвестна, но Марта понимала, что до отъезда — а уезжает Тони завтра вечером — он захочет назначить день свадьбы.

— Я тоже хочу, чтобы ты с ними познакомилась, — согласился Тони. — Но, может быть, лучше в другой раз?

Прежде чем Марта успела ответить, пробка рассосалась, и такси рванулось с места.

Фармингтоны жили на Коннектикут-авеню, в квартире, снятой на полгода — именно на этот срок Гай Фармингтон приехал в США с правительственным заданием.

Дом был довоенной постройки, и старинный лифт поднимался наверх с шипением и скрежетом.

Когда они вошли в лифт, Тони с беспокойством взглянул на Марту.

— У тебя усталый вид, — заметил он. — Постараемся уйти, как только сможем.

— Посмотрим, как получится, — ответила Марта.

Чем меньше времени до отъезда Тони она проведет с ним наедине, тем лучше. Он непременно захочет назначить день свадьбы, а Марта еще не готова к такому решительному шагу.

Марта жила в Вашингтоне уже три месяца — она приехала сюда по заданию журнала, поручившего ей сделать фоторепортаж о женщинах, занимающих высокое положение в правительстве. Однако работа почти закончена, осталось лишь несколько интервью. После этого придется искать новый заказ — или пойти навстречу желаниям Тони.

Марта тоже арендовала квартиру в Джорджтауне — пригороде Вашингтона. Квартира принадлежала знакомому журналисту, уехавшему на несколько месяцев в командировку в Центральную Америку.

Усилием воли Марта подавила очередной вздох. «Откуда такое уныние? — строго спросила она себя. — Откуда эта непривычная апатия, равнодушие ко всему? Может быть, все, что тебе нужно, — поскорее выйти замуж за Тони и пустить корни в Англии?»

Но в это Марте плохо верилось.

Марта бросила взгляд на жениха. Высокий — примерно на дюйм ее выше, — широкоплечий, мускулистый, крепкий, как скала, Тони был образцом английского джентльмена-спортсмена. И в школе, и в университете он прославился как игрок в соккер; он катался на горных лыжах, играл в теннис и превосходно танцевал.

«Он умеет все, что мне так нравится, — напомнила себе Марта, — и все, за что берется, делает на «отлично».

И еще Тони был нежным и внимательным возлюбленным. Он требовал очень немногого — и только тогда, когда чувствовал, что Марта этого ждет. Порой Марте казалось, что он даже слишком боится ее обидеть. Предыдущие два брака Тони были неудачными: видимо, он твердо решил, что на этот раз не допустит никаких просчетов.

Лифт, скрипнув в последний раз, остановился. Тони и Марта вышли в широкий коридор. Дверь в конце коридора была приоткрыта, оттуда долетали голоса и смех.

Тони рассмеялся.

— Шейла Фармингтон сказала, что мы сразу найдем ее квартиру по шуму, — объяснил он Марте.

Марта выдавила из себя слабую улыбку. «А ну-ка соберись! — приказала она себе. — Ты же на вечеринке!» В самом деле, о чем ей грустить? Ей тридцать два года, она — преуспевающий фотограф, ее работы получают первые призы, а заказов сыплется столько, что она не успевает их выполнять. Ее стройная фигура, смуглая «цыганская» красота и умение одеваться вызывают восторг не у одного Тони...

И вдруг Марте вспомнилось, что Джош называл ее худышкой и клялся откормить как следует...

«Я хочу, чтобы ты была пухленькой», — говорил он, сопровождая свои слова такой улыбкой, что у Марты на миг останавливалось сердце.

Джош. Сколько она с ним не виделась? Уже больше двух лет. С того дня, как он вышвырнул ее из своей жизни. Уже больше двух лет она отклоняет любые предложения, связанные с поездкой в Нью-Йорк. Боится, что из миллионов людей, гуляющих по Манхэттену, судьба столкнет ее именно с Джошем — и этого Марта не выдержит.

Может быть, позже, когда время залечит раны, Марта сможет вспоминать об этом спокойно. Выйдя за Тони, начав новую, спокойную и безопасную жизнь, она, возможно, даже рискнет встретиться с Джошем. Осмелится поднять взгляд к его лицу и взглянуть в обманчиво холодные серые глаза, которые — как хорошо она это знала! — умеют загораться испепеляющей страстью...

— Познакомься, Марта, это Шейла Фармингтон, — послышался над ухом голос Тони.

— Марта, я так рада нашей встрече! — с энтузиазмом воскликнула хозяйка. — Тони столько о вас рассказывал!

Марта что-то пробормотала в ответ, надеясь, что ее вымученная улыбка выглядит достаточно искренне. Перед ней стояла маленькая пухленькая женщина с рыжими кудряшками и веселыми голубыми глазами.

— Прошу простить за опоздание, — извинился Тони. — Нам пришлось заехать на чай к сэру Артуру.

— По-моему, — весело заговорила Шейла, — вам обоим нужно выпить чего-нибудь горячительного! Тони, бар в столовой, бармен тоже где-то там...

— Мы его найдем, — Тони взял Марту под руку, и они двинулись вперед.

Они пересекли квадратное фойе и остановились на пороге гостиной.

— Теперь наша главная задача, — весело объявил Тони, — определить, где у них столовая — слева или справа?

Марта не отвечала. Если честно, она попросту не могла ответить. Среди гостей она увидела человека, которого узнала бы с первого взгляда в любой толпе.

Она почувствовала тошноту. Подкашивались ноги. Казалось, что она в ловушке, из которой нет выхода. Сотни противоречивых эмоций раздирали Марту на части. И в этот миг Джош повернулся к ней, и взгляды их встретились.

Марта готова была поклясться, что он вздрогнул. Но в следующую секунду подумала, что это ей только показалось. Джош спокойно отвел взгляд и снова повернулся к своей собеседнице — изумительной блондинке-актрисе, которая в отличие от многих кинозвезд в жизни была еще обворожительней, чем на экране.

— Смотри-ка, это же Трина Катальдо! — воскликнул Тони и, прежде чем Марта успела опомниться, потащил ее через всю комнату к красавице кинозвезде... и к Джошу.

Марта заметила, что Джош, как видно, не растерял своего знаменитого обаяния. Трина Катальдо ловила каждое его слово и улыбалась ему своей самой сияющей улыбкой.

Марта почувствовала укол в сердце — несомненный симптом ревности. «Этого еще не хватало! — сердито подумала она. — Что угодно, только не это...»

«Где твоя гордость? — мысленно прошипела она себе. — Не забывай, что этот человек тебя бросил!»

— Трина, какой приятный сюрприз! — словно издалека послышался голос Тони. — Не знал, что ты в Штатах!

— Тони, дорогой мой! — радостно ответила Трина.

Тони слегка обнял ее и дружески чмокнул в щеку.

— Трина, позволь представить тебе мою невесту, Марту Бреннан, — заговорил он снова.

В этот миг Марта смотрела Джошу прямо в глаза. Сомнений не было — он потрясен! Наконец-то она его достала!.. Победа над Джошем обрадовала Марту, но еще больше удивила, ведь он свой выбор сделал два года назад. Если она выходит замуж за другого, ему-то какое до этого дело?

Выразив должный восторг по случаю помолвки, Трина повернулась к Джошу и защебетала:

— Джош, дорогой, это Тони Эшфорд, он из Лондона, работает на Би-би-си. А это его невеста...

— Мы с Мартой знакомы, — тихо ответил Джош.

Слишком тихо, подумалось Марте.

Вправду ли голос его чуть дрогнул? Или это снова ее фантазия?

Она почувствовала, что Тони напрягся, и в его безукоризненном голосе с британским акцентом послышались жесткие нотки:

— Очень рад познакомиться с вами, мистер Смит. Вы, если не ошибаюсь, работаете в «Американском стиле жизни»?

Джош кивнул.

— Недавно Джош стал главным редактором этого журнала, — сообщила возникшая рядом Шейла.

Марта молчала, охваченная сладкой горечью воспоминаний.

Два года назад Джош сотрудничал в редакциях обоих журналов — «Американского стиля жизни», служащего приложением основного журнала — «Американского стиля архитектуры». Марта сама делала для Джоша — и вместе с Джошем — материалы для того и другого.

«Американский стиль архитектуры» стал пробным шаром, запущенным издательской компанией на рынок печатных изданий. Дочернее издание, «Американский стиль жизни», вскоре стало одним из самых популярных журналов в стране. И Марта полагала, что в этом немалая заслуга Джоша Смита. Очевидно, к такому же заключению пришли и издатели, предложившие Джошу то место, которое он заслуживал по праву.

Прислушавшись к разговору, Марта заметила, что Тони расспрашивает Джоша о журнале, а тот отвечает односложными репликами.

Марта поежилась. Она тщетно пыталась отвести взгляд от Джоша — он сверлил ее глазами, приковывая к месту. Трина Катальдо ничего не замечала, поглощенная беседой с Тони, — им, старым друзьям, было о чем вспомнить. Марта надеялась, что они не скоро обратят внимание на нее. Больше всего ей хотелось куда-нибудь спрятаться — все равно куда, лишь бы избежать пронзительного взгляда Джоша. Господи, хоть бы что-нибудь случилось!

И господь услышал ее молитву. Появился официант с шампанским на подносе. Марта выдавила из себя улыбку. Тони взял бокал и передал ей — Марта надеялась, что он не заметил, как дрожат ее пальцы.

Она поднесла бокал ко рту и уже хотела отпить, когда Джош сказал:

— Трина, ты не возражаешь, если я произнесу тост? За будущих счастливых супругов!

— Конечно! — поддержала его Трина. — Тони, дорогой, пусть тебе всегда улыбается судьба, и вам тоже, Марта.

Марта поднесла бокал к губам, но не сделала ни глотка, опасаясь подавиться.

Беседа продолжалась. Трина спрашивала Тони, когда он возвращается в Лондон. Услышав ответ: «Завтра», задала следующий неизбежный вопрос: поедет ли с ним Марта?

Марта глубоко вздохнула и с трудом выдавила:

— Нет, у меня работа в Вашингтоне.

— Марта — фотограф, — вставил Тони, ласково улыбаясь невесте. — Ах нет, я неправильно выразился: она — фотограф с мировым именем!

— Я знаю, дорогой, — откликнулась Трина. — Американские журналы борются за ее чудесные работы! — Засим последовал еще один неизбежный вопрос: — Марта, а когда состоится ваша свадьба? И где вы собираетесь пожениться?

Джош все это время стоял молча, как каменный истукан.

— Ну, мы, собственно, еще не назначили даты... — промямлила Марта, не осмеливаясь поднять глаз ни на Тони, ни на Джоша.

— Мне хотелось бы сыграть свадьбу в День святого Валентина, — объявил Тони. — Что касается места, то скорее всего в Лондоне. Марта прожила там большую часть последних двух лет. Кроме командировок, — добавил он, — когда редакционные задания забрасывали ее в самые отдаленные уголки земного шара. Но, — закончил Тони с улыбкой, — надеюсь, когда мы поженимся, я сумею уговорить Марту обратить свое профессиональное внимание на Британские острова.

Тони допил шампанское, поставил бокал на столик и к большому облегчению Марты, сменил тему:

— Кстати, вы не видели Гая? Марта, по-моему, пора бы поискать нашего хозяина!

Трина сказала, что Гай, кажется, в столовой, находящейся слева от гостиной. Джош по-прежнему молчал.

Тони и Марта смешались с толпой. Марта вздрогнула, почувствовав, как буравит ей спину взгляд Джоша.

— С тобой все нормально? Ты сейчас похожа на выходца из могилы, — тихо заметил Тони.

— Что? — с удивлением спросила Марта.

— Ты так дрожишь! И лицо у тебя последнюю четверть часа такое, словно ты увидела привидение.

— Не обращай внимания! — попросила Марта. — Я почему-то чувствую себя не в своей тарелке.

— Я был очень рад увидеть Трину, — к радости Марты, Тони резко сменил тему. — Как она хороша, правда?

— Да, очень хороша.

— И умна в отличие от многих своих коллег, — заметил Тони и тут же добавил: — И с Джошуа Смитом мне было интересно познакомиться. У нас есть общие друзья в издательском деле. Они отзываются о нем с большим уважением.

— Ага, — пробормотала Марта, от души желая как можно скорее увидеть Гая Фармингтона и покончить наконец с этим разговором!

— Я не знал, что ты с ним знакома, — как ни в чем не бывало продолжал Тони. — Тебе, наверно, случалось для него работать?

— Да.

— Для «Американского стиля архитектуры»?

— И для «Стиля архитектуры», и для «Стиля жизни».

— А-а, — откликнулся Тони.

Он явно ждал объяснений. Марта знала, что должна что-то сказать. Объяснить, кто такой Джош Смит и почему он вызывает у нее такие чувства. Однако, сама не понимая почему, Марта не могла заставить себя говорить о Джоше с Тони.

— Одно время я очень дружила с сестрой Джоша, — наконец выдавила она.

— Вот как? — Даже не глядя на Тони, Марта догадалась, что он вопросительно поднял бровь.

— Дженнифер занимается интерьерами помещений — точнее сказать, дизайном. Мы познакомились, когда она переделывала старый дом в Уотч-Хилле, на Род-Айленде, для Керри Гундерсена. За этого парня она потом вышла замуж. Джош дал мне задание отснять весь процесс переделки — от начала до конца — для большой статьи в «Стиле архитектуры». Эта работа заняла немало времени и с профессиональной точки зрения была нелегкой. Но результаты получились блестящие, и статья вышла не только в «Архитектуре», но и в «Жизни».

«В то время я видела Джоша Смита почти каждый день. Я любила его — даже после всего, что случилось, — и ни один врач в мире не смог бы излечить меня от люб-

ви. Я пыталась притвориться, что с Джошем покончено...
нет, лучше сказать, притворялась, что за последние два
года в моей болезни наступило улучшение. Но стоило
мне его увидеть — и все началось сначала...»

— Марта? — негромко окликнул ее Тони.

Марта поняла, что он что-то сказал, но, поглощенная
своими мыслями, она не слышала ни слова.

— Да? — откликнулась она.

— Я говорю, жаль, что он калека. Не может ходить без
трости.

Марта похолодела. Джош хромал — это правда. Но
никогда в жизни она не назвала бы его «калекой». Это
страшное слово не имело к Джошу никакого отношения.

Однако Марта была уверена, что немалую роль в их
разрыве сыграла именно больная нога Джоша. Конечно,
он не пожалел сил, чтобы убедить ее в обратном. Неудивительно — он так горд... так упрям...

— Марта! — снова позвал Тони.

— Да?

— Я слышал, что он был пилотом и пострадал в аварии. Это правда?

— Он окончил летную академию и служил в ВВС, —
ровным голосом ответила Марта. — Его самолет попал в
катастрофу, и Джош был тяжело ранен. Просто чудо, что
он выжил. Дженнифер рассказывала, что несколько недель он был между жизнью и смертью.

— И на этом его военная карьера закончилась?

— Да.

— Ну что ж, — заметил Тони, — потеря американской
авиации обернулась выигрышем для американской пе-
чати.

Наконец они вошли в столовую. Зоркий глаз Тони заметил в толпе хозяина дома, и они направились к нему.

Гай Фармингтон оказался высоким стройным джен-
тльменом с сединой в волосах, удивительно темными глазами и приятным, как и у Тони, британским акцентом.

Рядом с ним Марта позволила себе немного расслабиться. Позволила себе забыть, что Джош — в соседней
комнате, отделенный от нее только одной стеной. Впрочем... стены бывают разные.

Джош смотрел, как Марта под руку с Тони уходит прочь. Рука его так сжимала бокал, что, казалось, еще немного — и хрусталь раскрошится между пальцами.

Прием шел своим чередом. Кто-то обращался к нему с приветствиями и вопросами, и Джош заставлял себя отвечать, не вдумываясь в смысл произносимых слов. Перед глазами его по-прежнему стояла стройная черноволосая женщина — женщина с самым выразительным лицом, какое он когда-либо видел. И на этом выразительном лице он прочел изумление. Да, похоже, Марта была потрясена нежданной встречей не меньше его самого.

Он так хорошо ее знал! Он видел, что, несмотря на фальшиво-сияющую улыбку, Марта устала, напряжена... и несчастна. Черт возьми, почему?

Это всерьез беспокоило Джоша. Ведь ей он желал счастья гораздо больше, чем самому себе.

Два года назад он дал Марте свободу. Про себя он называл тогдашний разрыв именно так. Марта не имела представления, на что себя обрекает, стремясь к прочным отношениям. Но Джош понимал, что ее жизнь превратится в бесконечное жертвоприношение. И решил этого не допустить, ведь он любил ее больше всего на свете.

И он вышвырнул Марту из своей жизни — грубо и безжалостно, чтобы ей и в голову не пришло вернуться. Это решение и все, что последовало за ним, далось Джошу необычайным напряжением воли. Два года он провел, как в аду, терзаясь угрызениями совести и тщетными сожалениями. Мало того — из-за этого он едва не рассорился с сестрой, которую горячо любил с детства. Но в конце концов Дженнифер пришлось принять случившееся как непоправимый факт.

В эти два года он сознательно не хотел ничего знать о Марте. Что-то слышать все-таки приходилось: не все знакомые знали об их личных отношениях, но о профессиональном сотрудничестве были осведомлены многие. Имя Марты Бреннан всплывало во многих деловых разговорах, а еще чаще на столе у Джоша появлялись ее работы — чаще всего в конкурирующих журналах.

Однако о помолвке ее с Тони Эшфордом, восходящей

звездой Би-би-си, Джош услышал впервые. В первую минуту он с трудом удержался на ногах... да, как ни странно, он ничего подобного не ожидал.

Джош никак не думал, что встретится с Мартой снова — по крайней мере так скоро. Он знал, что большую часть времени Марта проводит в Лондоне, и отметил для себя, что, хотя Лондон ему и нравится, на ближайшие несколько лет о нем лучше забыть. В Вашингтон Джош приехал по заданию «Американского стиля жизни» и рассчитывал завтра утром вернуться в Нью-Йорк.

Джош крепче сжал трость, и прикосновение к гладко отполированному дереву, как всегда, вернуло ему внутреннюю силу. Теперь он мог прислушаться к тому, что говорят собеседники, и выбросить — или хотя бы попытаться выбросить — из головы Марту.

Тони и Марта стояли в дверях, пока привратник искал для них такси.

— Похоже, вот-вот снег пойдет! — заметил Тони, поднимая воротник. — Непредсказуемый вашингтонский климат. В Англии почему-то считается, что здесь у вас почти тропики.

Марта молчала. Ее бил озноб, никак не связанный с холодной погодой. Марте и Тони удалось выбраться из переполненной гостями квартиры, не встретившись ни с Джошем, ни с Триной Катальдо, однако она все время была в напряжении, ожидая, что вот-вот снова столкнется с бывшим возлюбленным.

Подъехало такси. Тони открыл дверь и помог Марте сесть, уселся сам и только после этого спросил:

— Хочешь, поедем ко мне в отель? Перекусим там, а потом отправимся куда-нибудь еще. Или ты поедешь к себе?

Марта мысленно отметила, что он сказал: «Ты поедешь», а не: «Мы поедем». Смутная тревога охватила ее, но она ответила:

— Если ты не возражаешь, Тони, давай лучше ко мне.

— Хорошо. — И Тони объяснил таксисту, куда ехать.

Предчувствие не обмануло Тони — скоро за окнами автомобиля закружились снежинки.

Марта смотрела в окно и думала о том, как красив первый снег, — неужели правда, что ни одна из падающих снежинок не повторяет узор другой? При мысли о том, как недолговечна эта хрупкая красота, Марте стало грустно.

Жизнь так коротка, думала она, а люди к тому же бессмысленно ее растрачивают. И сама она целых два года потеряла на бесплодное уныние и жалость к себе.

Мало ли женщин на свете по самым разным причинам теряют любимых? Ей плохо, а что же сказать о вдовах, обездоленных непоправимым несчастьем? И какое право имеет Марта сетовать на судьбу? Мир полон зла и страданий. Чего стоит ее маленькое личное горе по сравнению с трагедиями, о которых ей случалось делать репортажи?

Немало людей, переживших куда более страшные потрясения, преодолевают отчаяние и начинают жизнь заново — или по крайней мере делают вид, что живут.

Впрочем, и она поступала так же, и немало в этом преуспела. По крайней мере, карьера ее в последние два года круто идет в гору.

Такси остановилось у дома в Джорджтауне, где Марта снимала квартиру. Тони расплатился с водителем и вышел вместе с Мартой, остановившись у низкого крыльца.

Прямо над головой Тони сиял фонарь, придавая его русым волосам золотистый отсвет. Однако лицо его оставалось в тени, и Марта, поднявшаяся на верхнюю ступеньку, не могла разглядеть его выражения.

— Марта, — окликнул он ее своим глубоким голосом, хорошо знакомым всей Англии, — подожди минутку, хорошо?

Марта, рывшаяся в сумочке в поисках ключа, подняла голову. Предчувствие подсказало ей: сейчас что-то произойдет.

— Сегодня я не стану подниматься к тебе, — произнес Тони. — Мне кажется, ты хочешь побыть одна.

Марта защелкнула сумочку и двинулась к нему.

— Но ведь завтра ты уезжаешь! — возразила она.

— Поздно вечером, — напомнил он. — Мы сможем пообедать вместе, если, конечно, у тебя нет других дел.

— Конечно, я пообедаю с тобой и провожу тебя в аэропорт.

— Как хочешь, — ответил Тони.

— Как хочу? Тони, что случилось? — Она приблизилась к нему, вглядываясь в лицо, однако глубокие тени надежно скрывали его лицо от ее глаз. — Я тебя чем-то обидела?

— Нет, нет, — быстро ответил он. — Ничего подобного. Просто мне показалось, что сегодня вечером ты испытала потрясение — как и я.

Марта нахмурилась.

— Тони, да о чем ты?

— Это он, верно? — мягко спросил Тони. — Джошуа Смит.

— Что значит «он»?

— Человек, которого ты любишь.

У Марты пресеклось дыхание. Прежде чем она успела ответить, Тони тихо добавил:

— Милая, я всегда знал, что в твоей жизни есть кто-то другой.

Глава 2

Марта свернула на узкую улочку, ведущую от Верхнего Бродвея к Риверсайд-драйв. В спину ей ударил ледяной порыв февральского ветра. «Хорошо, что не в лицо», — подумала Марта, ускоряя шаг. Ей хотелось, чтобы ветер поднял ее, как пушинку, и вознес на вершину холма. Дорога в квартиру Джоша Смита казалась Марте ненамного легче пути на Голгофу, хоть она и знала, что сам Джош сейчас где-то за тридевять земель.

Сегодня Марте представился, может быть, единственный случай встретиться с Дженнифер и Керри Гундерсенами и увидеть их полугодовалых близнецов.

Check Out Receipt

Rogers Park

Thursday, September 5, 2019 4:06:34 PM

Item: R0602449719
Title: Nazvanie igry : roman
Due: 09/26/2019

Item: R0602450817
Title: Velikiĭ Getsbi : roman
Due: 09/26/2019

Item: R0324666431
Title: Spustit's?ia s nebes ; Priglashenie
k schast'?iu : romany
Due: 08/26/2019

Total items: 3

Thank You!

Rogers Park Branch Library
6907 N Clark Street
Chicago IL 60626
312-744-0156

43

Здравый смысл призывал ее отказаться от приглашения, однако Марта не прислушалась к здравому смыслу.

После отъезда Тони она впала в уныние и позвонила Дженнифер, с которой не разговаривала уже почти два года, лишь для того, чтобы услышать голос старого друга.

В разговоре Дженнифер упомянула, что в начале февраля они с мужем и близнецами приедут на несколько дней в Нью-Йорк — у Керри здесь какие-то дела. Марта решила, что время как раз подходящее, тем более что Джош сейчас где-то на другом конце Америки.

— Мы остановимся в квартире Джоша, — сказала Дженнифер. — Пообедай с нами! К сожалению, Джоша мы даже не увидим: он будет на конференции редакторов в Калифорнии.

У Марты было в Нью-Йорке неотложное дело, иначе ни за что она не поехала бы в город, для нее навеки связанный с Джошем. Однако один из нью-йоркских журналов предложил ей задание, связанное с командировкой в Западный Берлин, и Марта хотела лично обсудить подробности с редактором. Поэтому она и решила, что на пути из Вашингтона в Лондон задержится на несколько дней в Нью-Йорке.

Со своей вашингтонской работой Марта тянула, как только могла. Однако настал день, когда материал был закончен, и ей оставалось только лететь в Лондон и готовиться к свадьбе.

Тони был очень терпелив и тактичен. После того вечера у Фармингтонов он ни разу не упоминал о Джоше. Не заговаривал он и о дате свадьбы — Марту порой даже раздражала такая деликатность. Она понимала, что он предоставляет решать ей самой. Однако Марте хотелось свалить решение на его плечи — и пусть думает побыстрее!

На приглашение Дженнифер она ответила согласием. «Зачем?» — спрашивала она себя и не находила ответа. Марта понимала, что в квартире Джоша, в разговорах с его сестрой ей придется встретиться лицом к лицу с воспоминаниями, от которых она тщетно старалась избавиться целых два года.

Однако, когда Марта дошла до углового многоквартирного дома и, открыв дверь из толстого стекла, вступила в мраморный вестибюль, ей почти удалось овладеть собой. Тоска о прошлом отступила. Призвав на помощь всю силу воли, Марта стянула перчатку и нажала на блестящую кнопку лифта. Она дала слово Тони Эшфорду. И это слово должна сдержать.

«Так что следи за собой!» — строго предупредила она себя.

Лифт со знакомым скрипом понес ее на десятый этаж. Знакомый коридор повел ее в квартиру Джоша. Казалось, коридор этот тянулся целую тысячу миль. Когда Марта подошла к двери, она едва держалась на ногах и могла лишь надеяться, что ее состояние не отражается на лице.

Дрожащим пальцем она нажала на кнопку звонка. Дверь отворилась: на пороге стояла Дженнифер. Секунду женщины молча смотрели друг на друга, затем бросились друг к другу в объятия, и Марта, к своему ужасу, почувствовала, что ее темные глаза наполняются слезами.

Позади жены стоял Керри Гундерсен. Он тоже раскрыл Марте объятия и крепко прижал ее к себе. «На твидовом пиджаке следов от слез не будет заметно», — с надеждой подумала Марта.

Дженнифер отступила на шаг, чтобы полюбоваться дорогим костюмом и плащом подруги. Черные волосы Марты в беспорядке рассыпались по плечам, а в ушах при каждом движении сверкали длинные серебряные серьги. Черные туфли на высоких каблуках делали ее еще выше и стройнее. Дженнифер заметила, что ее подруга похудела, хотя и два года назад была достаточно стройна.

— Марта, как я рада тебя видеть! — воскликнула наконец Дженнифер.

— Чертовски давно не виделись! — словно эхо, откликнулся Керри. — Просто ужас!

— Да, — согласилась Марта, — очень давно.

— И все это время ты каталась по свету, делая гениальные снимки и получая призы на конкурсах, — продолжала Дженнифер.

Керри повел женщин в гостиную, откуда открывался вид на реку.

— Да, несколько призов было, — подтвердила Марта, думая совсем о другом. Она вспоминала, как захлопнула за собой эту дверь и вылетела в прихожую после той последней, ужасной ссоры с Джошем.

Огромное окно в дальней стене приковывало к себе внимание с первого взгляда. Вид, открывающийся из него, был различен в разные времена года, но всегда прекрасен. Джош выбрал эту квартиру, несмотря на высокую арендную плату, именно из-за вида на реку. Сейчас над рекой клубились тяжелые снежные тучи, а сама вода серела тусклой сталью. Марта старалась не вспоминать, как они с Джошем вместе любовались видом из окна...

И вдруг острая боль пронзила сердце, словно предчувствие надвигающейся беды. Она резко обернулась — и пошатнулась, хватая ртом воздух. В кресле в углу комнаты сидел Джош. Он медленно встал, и глаза их встретились.

Джош заговорил первым.

— Здравствуй, Марта, — холодно сказал он.

— Джош! — выдохнула она. — Я думала, ты в Калифорнии! — Эти слова вырвались у нее помимо воли.

— Я там и был, — подтвердил он.

Пока Марта раздумывала, что это значит, заговорил Керри:

— Марта, давай мне свой плащ. Мы будем пить «Мимозу». Или предпочитаешь что-нибудь другое?

— Нет, «Мимоза» вполне подойдет, — с трудом ответила Марта — у нее пересохло в горле, и голос звучал хрипло.

— Я разогрею обед, — поспешно предложила Дженнифер, и, к ужасу Марты, оба они исчезли, оставив ее наедине с Джошем.

Марта не хотела смотреть на него. Однако не смотреть не могла. Казалось, он стал еще красивее. Темно-рыжие волосы выгорели на солнце. Кожа покрыта загаром. Да, в Калифорнии он времени даром не терял.

— Что же ты стоишь, присаживайся, — предложил

Джош и добавил: — Я прилетел с побережья вчера вечером. Слышал, ты закончила работу в Вашингтоне?

Марта кивнула, все еще не оправившись от потрясения.

— И чем займешься теперь? — вежливо поинтересовался Джош.

Невыносимая горечь охватила Марту.

— Завтра улетаю в Лондон, — сообщила она.

В комнате повисло напряженное молчание. Казалось, в воздухе между ними вибрируют туго натянутые невидимые нити. Марта отчаянно искала какую-нибудь безопасную тему, позволяющую прервать молчание.

— Дженнифер сказала, что они с Керри привезут с собой близнецов. Или их оставили в Провиденсе?

— Нет, — ответил Джош, — близнецы здесь. Спят в комнате для гостей. Пойдем, покажу, — добавил он, к большому удивлению Марты.

С этими словами Джош потянулся за тростью, прислоненной к ручке кресла. При виде этого движения Марта закусила губу, чтобы не разрыдаться. Она ненавидела эту трость. В этой гладко отполированной палке воплощалась для нее та безымянная злая сила, что отняла у нее Джоша.

Счастье, которое потеряла Марта, не было напрямую связано с физической близостью. Одно присутствие Джоша, самый незначительный разговор с ним поднимал ее на недосягаемые в обычной жизни вершины. Ни прежде, ни после она никогда не испытывала такого блаженства.

— Пойдем, — позвал он, и Марта послушно последовала за ним в такой знакомый холл... Все в этой квартире было ей слишком знакомо. Джош шел рядом, почти касаясь ее плеча, и вся сила воли требовалась Марте, чтобы не упасть к нему в объятия. Как хотелось ей уронить голову ему на плечо, почувствовать, как он зарывается губами в ее волосы... Услышать нежные имена, которыми он называл ее когда-то... Впрочем, слова любви Джош произносил лишь однажды — когда перепил шампанского. А на следующее утро уверял, что ничего не помнит.

Но в ту ночь они занимались любовью. Не в первый

раз — потом оказалось, что в последний, но эта ночь превзошла все предыдущие. Их страсть, подогретая шампанским, не знала никаких границ. Они отдавались друг другу свободно и раскованно, они уносились куда-то за горизонт и ныряли в сверкающее золотое море.

Марта надеялась, что такая близость изменит их отношения... Однако этого не случилось. Джош предпочел притвориться, что той чудесной ночи не было. Его поведение оскорбляло Марту. Обида и гнев копились в ней, пока не привели к той последней ужасной ссоре. Ссоре, когда он заявил прямым текстом, что постель — это одно, а жизнь — совсем другое. И делить с Мартой жизнь он не собирается.

Дженнифер в тщетной попытке их примирить пригласила обоих к себе на Род-Айленд — тогда она только что вышла за Керри. Марта ждала, что Джош заговорит первым, извинится, скажет, что совсем не это имел в виду... Но он молчал. Тогда Марта приняла заказ крупного английского журнала и улетела в Лондон.

Шли месяцы. По заданию лондонского журнала Марта исколесила всю Европу. Она видела Кению и Марокко. Делала острые репортажи о волнениях в Кейптауне и Бейруте. Получила несколько наград. Но Джоша не было рядом, и увлекательная прежде работа не приносила радости.

С Тони она познакомилась на вечеринке в Мэйфере. Он пригласил ее пообедать, и Марта согласилась. Тони был красив, обаятелен, остроумен и, главное, необычайно внимателен. Порой он даже заставлял ее забыть о Джоше — на день или два. Но теперь Марте казалось, что двух лет, прожитых без Джоша, как будто и не было. Она сделала круг и вернулась к началу — точнее, к концу пути.

Джош ввел Марту в комнату для гостей, где спали двое чудесных малышей — прелестные, похожие на ангелочков мальчик и девочка. Мальчика звали Джошуа — в честь мужчины, стоящего сейчас рядом с Мартой; девочку — Каролиной, в честь матери Джоша и Дженнифер.

Марта молча смотрела на спящих детей. Ей казалось,

что какой-то злой великан ради забавы сжимает в кулаке ее сердце. Джош стоял рядом: его суровое лицо разгладилось, обычная холодность сменилась нежностью. С той же нежностью в глазах он обернулся к Марте:

— Здорово, правда? — прошептал он, указывая глазами на маленьких племянников.

— Чудесные малыши, — шепотом ответила Марта.

Однако, как ни прекрасны были дети, гораздо сильнее ее взгляды привлекал Джош. Когда она наконец поддалась искушению и взглянула на него, то едва не вскрикнула от изумления: в глазах Джоша она увидела боль. Хорошо скрытую — Джош вообще мастерски скрывал свои истинные чувства, но все же несомненную боль.

— Пойдем-ка отсюда, — поспешно сказал он, — а то разбудим близнецов, и нам достанется от Дженнифер.

Марта кивнула, не доверяя собственному голосу. Когда она повернулась, руки их встретились... и вдруг неистовое желание пронзило Марту насквозь. Она поспешно отстранилась и, чувствуя, что лицо у нее горит, машинально поднесла руку к щеке. На пальце сверкнуло кольцо с бриллиантом.

Лицо Джоша застыло, взгляд не отрывался от бриллианта. Ему казалось, что этот камень насмехается над ним — и с полным правом! Каким идиотом он был, когда, едва услыхав, что Марта появится у него в доме, оставил конференцию и поспешил сюда!

Он позвонил Дженнифер, чтобы напомнить ей, где лежит ключ, — на случай, если она забудет свой. Дженнифер рассказала о разговоре с Мартой и о том, что пригласила ее к себе на обед. И Джоша охватило неодолимое желание увидеть прежнюю возлюбленную. Он не мог сопротивляться ему, да и не хотел, — просто, едва положив трубку, тут же снова поднял ее и набрал номер аэропорта.

Но один вид кольца на руке Марты привел его в чувство, словно пощечина, нанесенная холодной, расчетливой рукой. Да и чего иного он ожидал? Неужели надеялся, что Марта запрется в хрустальном замке и станет ждать невозможного? Ждать, что, может быть, когда-нибудь он смирится со своим увечьем?

Марта молода, красива и привлекательна. За эти два года ее обаяние, несомненно, свело с ума немало мужчин. Джош заметил, что она похудела, но от этого, пожалуй, стала еще краше. Для него же она всегда оставалась самой желанной женщиной на свете. Прекрасная, талантливая, остроумная, щедрая, артистичная, непредсказуемая, порой беспричинно унылая или капризная, но всегда столь искренняя и любящая, что Джош с легкостью прощал ей любые перепады настроения.

Господи, как он любил ее! Как любит до сих пор!

Джош поднял взгляд и увидел, что Марта смотрит на него, вопросительно округлив и без того огромные глаза.

Джош выдавил из себя улыбку и произнес почти спокойным голосом:

— Дату свадьбы уже назначили?

Она покачала головой:

— Нет. Думаю, мы с Тони поговорим об этом, когда я прилечу в Лондон.

— Кажется, — заметил Джош, — в Вашингтоне Тони говорил что-то о Дне святого Валентина.

— Ну, к этой дате мы уже опоздали, — ответила Марта.

— И теперь, Марта, ты будешь жить в Англии?

— В последнее время я почти только там и работаю, — уклончиво ответила Марта.

— Но будешь продолжать работу и вне Лондона?

— Да, наверно, — ответила Марта и поспешно добавила, желая поскорее покончить с этой трудной темой: — Нам с Тони еще нужно это обсудить. Как ты, наверно, понял из беседы с ним, он не в восторге от моих «метаний по свету», как он это называет.

— Да, его можно понять, — ответил Джош.

— Конечно. Но... это моя работа. Я не могу, сидя на одном месте, готовить полноценные репортажи. И потом...

— Что потом?

— Ну, — сбившись, закончила Марта, — мы все это обсудим в Лондоне. Думаю, свадьба состоится где-нибудь в конце весны. Мне нужно будет на некоторое время вернуться в Нью-Йорк.

Джош постарался не выдать своего волнения:

— Вот как?

— Мне в Нью-Йорке предлагают несколько заманчивых заказов, от которых я не могу отказаться, — объяснила Марта. — Они мне очень по душе. Один связан с медициной. Другой — с угольными копями: возможно, я поеду в Пенсильванию и смогу увидеться с родителями.

— Ты по-прежнему занимаешься всем, чем придется? — пробормотал Джош.

— Да, я люблю разнообразие, — ответила она.

От этих слов Джош заметно поморщился. Не то чтобы ему не нравился стиль работы Марты, нет, он его понимал и одобрял. Он подумал о том, что и жизни своей Марта не мыслит без калейдоскопа мест, людей, впечатлений... А останься она с ним, она оказалась бы прикована к инвалиду. Поэтому Джош и оборвал их отношения, не позволив им зайти слишком далеко.

Джош крепче сжал рукоять своей трости. Он снова безжалостно напоминал себе о том, что красивой, талантливой женщине, женщине, подобной Марте Бреннан, нечего делать рядом с человеком, который не идет, а ковыляет по жизни. Марта любит спорт. Она бегает по утрам, играет в теннис, катается на лыжах и увлекается скалолазанием. Она божественно танцует. Однажды на рождественской вечеринке Джош видел, как она танцевала с другими мужчинами. А он сидел и смотрел. И теперь при этом воспоминании его охватывала невыносимая горечь.

Боже, как он хотел бы танцевать с ней сам!

Джош не мог спокойно смотреть, как Марта танцует с другими. Но понимал, что не имеет права лишать ее этой радости. Им не пройти свой путь вместе: слишком различен их шаг. Когда-то Джош тоже бежал по жизни вприпрыжку. Но долгие месяцы вынужденной неподвижности, а затем — отказ от многих прежних увлечений научили его находить радость в простых вещах, доступных и таким, как он. В хорошей книге. В классической музыке или хорошем джазе. В вечно новой и все же неизменной природе. В тихих радостях повседневной жизни, которых он не замечал, пока был здоров.

Марта же смысл жизни видела в движении. Джош понимал, что люди с такими разными жизненными установками не уживутся вместе.

Конечно, бывали минуты, даже часы, когда он думал по-другому. Например, когда они стояли рядом вот у этого окна, любуясь Гудзоном в наступающих сумерках. Когда вели долгие беседы обо всем на свете. Когда лежали, прижавшись друг к другу, и слушали, как бьются в унисон их сердца.

Джош вспоминал, как они узнавали друг друга и с каждым шагом находили в себе все больше общего. Наконец наступил миг, когда оба не могли больше отрицать вспыхнувшего между ними влечения. Так их отношения обрели новое измерение.

Позже Джош не раз говорил себе, что физическая близость — даже такая яркая и волнующая, как у них с Мартой, — еще ничего не решает. Все дело в том, могут ли двое жить вместе. А им с Мартой вместе не ужиться. Пройдет несколько недель, и они поймут, что вдвоем им хорошо только в постели.

Одной этой мысли было достаточно, чтобы бежать без оглядки, порвать с Мартой, несмотря на боль, которую причинил разрыв им обоим.

Два года они провели в разлуке. Два года — большой срок, через который не так-то просто перешагнуть. Впрочем, теперь, напомнил себе Джош, это не имеет значения. Ведь весной Марта выходит замуж за Тони Эшфорда.

Джош никак не ожидал, что сама мысль о замужестве Марты причинит ему такую боль. И вдруг, забыв о всех своих благих намерениях, о твердых решениях, о клятвах, которые давал самому себе, Джош спросил:

— Скажи-ка, прежде, чем ты осядешь в Англии, не сможешь сделать один материал для «Стиля жизни»?

Мысленно Джош перебирал темы будущего выпуска. Хоть бы там нашлось что-нибудь такое, против чего Марта не сможет устоять!

Марта онемела от изумления. Если бы кто-нибудь спросил ее: «Чего не может случиться с тобой никогда и ни при каких обстоятельствах?», она, не раздумывая, ответила бы: «Я никогда не получу заказ от Джоша Смита».

— Ну... — пробормотала она, немного придя в себя, — ты... что ты конкретно имеешь в виду?

Джош ответил первое, что пришло ему в голову:

— Я хотел бы сделать острую статью на тему «Личность в политике», — объявил он. — Однажды, слушая речь кандидата в мэры, я задумался: а зачем, собственно, он в это ввязался? Реальная власть мэра невелика — на самом деле всем в городе заправляет совет из семи членов. Зарплата, как я выяснил, тоже небольшая. Тогда зачем?.. Может быть, он мечтает стать президентом, а пост мэра для него — лишь первая ступенька на пути к вершине? Или просто тешит свое тщеславие? — размышлял вслух Джош.

— Звучит интересно, — осторожно заметила Марта. — Но зачем тебе фотограф?

Джош нахмурился:

— Чтобы делать снимки, зачем же еще?

— Фотопортреты разных политиков?

— Нет, это было бы слишком примитивно, — ответил Джош, мысленно ругая себя за необдуманное предложение.

Хотя последняя работа Марты и была связана с женщинами в политике, вообще говоря, политика — не ее стихия. На рабочем столе Джоша в редакции лежали все материалы, отснятые Мартой за последние два года. Среди них — уникальные фоторепортажи, где каждый снимок буквально искрился ее талантом. Марта своеобразно видела мир и умела донести свое видение до зрителя.

Мысль Джоша отчаянно работала.

— Я хотел бы, — начал он, — чтобы в поле зрения попали четыре различных политика из разных районов страны. Скажем, так: мистер Северо-Восток, мистер Юг, мистер Средний Запад и мистер Западное Побережье. Нам нужны достаточно крупные шишки — чином не ниже губернатора. С другой стороны, они должны быть новичками в большой политике. Я хочу узнать и показать читателям, что это за люди, чем они живут и дышат. — Идея Джоша, спонтанно возникшая в голове, неожиданно заинтересовала его самого. Он продолжал со все возрастающим воодушевлением: — Так что, как видишь, о каждом нужно будет снять целый фоторепортаж. Получив пост главного редактора, — продолжал он, — я решил не бросать прежнюю работу. Руководитель должен быть в курсе дел своих подчиненных и не отставать от жизни. Так что этим материалом я займусь сам, — небрежно произнес он фразу, ради которой и затеял весь этот разговор.

— Придется очень много ездить, — заметила Марта.

— Да, немало.

Джош не позволял себе думать о поездках вместе с Мартой. Хотя Марта сделала немало материалов для «Стиля архитектуры» и «Стиля жизни», они ни разу еще никуда не ездили вместе. Тот единственный заказ, над которым они работали вдвоем, был связан с Уотч-Хиллом: Марта поехала туда, а Джош остался в Нью-Йорке и, когда было нужно, звонил. В то время ему не грозила опасность проводить вдвоем с Мартой целые дни. Долгие дни в незнакомых местах...

И снова Джош напомнил себе, что Марта скоро выйдет замуж. И переселится в Англию.

— Не знаю, Джош. Не знаю, хватит ли мне времени... — нерешительно заметила Марта.

К собственному удивлению, Джош немедленно ответил:

— В следующем месяце займемся Югом. Затем отправимся на Юго-Запад... скажем, в Калифорнию. После этого возвращаемся на Восток, по пути задержавшись на Среднем Западе.

— Если уж на то пошло, Джош, в Штатах есть и другие значительные регионы. Даже на Северо-Востоке, например, Мэн и Коннектикут — это почти что две разных страны!

— Ну, детали я еще не проработал, — уклончиво ответил Джош.

Они стояли в холле у дверей в гостевую комнату. Вдруг из-за двери раздался детский плач.

— Ой! — воскликнула Марта. — Похоже, малыши проснулись. Пойду-ка позову Дженнифер!

Дженнифер уже накрыла на стол, и они собирались сесть, но тут раздался детский крик. Услышав, что малыши проснулись, она схватила две бутылочки с молоком и побежала в детскую, пригласив Марту помочь. Марта хотела было отказаться, она боялась, что, взяв ребенка на руки, тут же уронит его и разрыдается. Однако отказаться значило обидеть подругу.

Пока Дженнифер занималась Каролиной, Марта держала на руках маленького Джоша. Он, пыхтя, сосал молоко из бутылочки, а Марта думала: «Неужели его тезка в шесть месяцев был таким же?»

— Я кормила их грудью до четырех месяцев, — рассказывала Дженнифер. — Пока педиатр не сказал, что их пора переводить на искусственное вскармливание. Ты посмотри, как сосет! — воскликнула она, с нежностью глядя на круглую головенку Каролины. — Еще немного — и бутылочку проглотит!

— Они просто прелесть, — дрожащим голосом подтвердила Марта.

Дженнифер внимательно взглянула на подругу, затем заговорила совсем другим тоном:

— Я знаю, что лезу не в свое дело, но... я, конечно, рада, что ты помолвлена, но, знаешь, я всегда надеялась, что Джош наконец придет в чувство, и ты станешь моей невесткой.

— Я знаю, — тихо ответила Марта, стараясь не расплакаться. — Знаю. Но, пожалуйста, — взмолилась она, — не начинай все сначала!

— Марта, мне трудно об этом не думать. Я ведь люблю и тебя, и Джоша. Мне больно видеть, что вы оба несчастны.

Марта горько рассмеялась:

— Неужели это так заметно?

— Ты очень старательно это скрываешь, но иногда чувства прорываются наружу. И с моим упрямым братцем та же история. Но...

Поколебавшись, Дженнифер продолжала:

— Может быть, я и ошибаюсь, но, мне кажется, Джош

вернулся из Калифорнии на день раньше, потому что узнал, что здесь будешь ты. Я сказала об этом, когда говорила с ним по телефону. Он ничего не ответил, а сегодня утром без всякого предупреждения появился на пороге. Марта...

Марта не отвечала. Она напряженно обдумывала слова Дженнифер. Возможно ли, чтобы Джош вернулся в Нью-Йорк ради нее? Нет, Дженнифер заблуждается, и не стоит тешить себя напрасными надеждами.

Поколебавшись, Дженнифер добавила:

— Может быть, я не должна этого говорить, особенно теперь, когда ты выбрала другого... но, Марта, мой брат любит тебя. И я не могу не верить, что и ты его любишь. Любовь — не игрушка: ее нельзя просто сломать и выбросить.

Марта сжала губы. Целую минуту она не отрывала взгляда от ребенка. Когда же наконец подняла темные глаза, застывшая в них тоска ясно показала Дженнифер, что та задела больное место. Однако голос ее звучал твердо:

— Нет, Джен, не думаю, что Джош меня любит. Если бы он любил меня — по-настоящему любил, — он бы думал обо мне больше, чем о себе. — Марта оборвала себя, вспомнив, что разговаривает с сестрой Джоша. Помолчав, она продолжила уже мягче: — И к тому же...

— Что?

— Дело не в том, что я выбрала другого, — слабо улыбнувшись, продолжала Марта. — Наши отношения с Джошем были обречены. Он закоренелый холостяк и хочет таким и оставаться до конца жизни. Неужели ты сама этого не замечаешь?

— Ты знаешь, почему он стал таким, — тихо ответила Дженнифер.

— Я не уверена. Немало людей с гораздо более тяжкими увечьями женятся и заводят семью. Так поступают почти все.

— Но Джош... он не такой, как все.

— Это мне известно, — саркастически отозвалась Марта. — Так что, видишь, дело не в том, что я выбрала другого. Просто Джош не хочет, чтобы его выбирали. —

Марта фыркнула, давая выход гневу, и резко продолжала: — Джен, я не хочу провести остаток жизни в одиночестве. Думаю, ты меня понимаешь. Брак с Керри показал тебе, как прекрасна семейная жизнь.

— Да, пожалуй, — согласилась Дженнифер. — Однако, — добавила она, — ведь мы с Керри очень любим друг друга.

— Ты думаешь, я не люблю Тони?

— Откуда мне знать?

— В какой-то степени ты права, — помолчав, согласилась Марта. — Никому другому я бы в этом не призналась, но с тобой могу быть откровенна. Но, Дженнифер, я все же люблю Тони, иначе я никогда не согласилась бы выйти за него замуж! Это просто иная любовь. В ней нет того огня, той страсти, что в моих отношениях с Джошем... — Она замолкла, задумавшись, затем продолжала: — Нас с Тони ждет интересная, насыщенная жизнь. У нас много общего. Нам никогда не скучно друг с другом. Тони катается на лыжах, отлично играет в теннис, потрясающе танцует...

— Иными словами, он может все то, чего не может Джош, — с горечью подытожила Дженнифер. Она хотела напомнить подруге, как два года назад та уверяла, что для нее все это неважно... но слова застыли у Дженнифер на устах, когда она заметила, что Марта с ужасом смотрит куда-то поверх ее головы.

В дверях, опираясь на трость, стоял Джош. Сомнений не было: он слышал последнюю часть разговора. Именно те слова, которые должны были задеть его больнее всего на свете.

Глава 3

Лицо Джоша было непроницаемо, да и голос звучал спокойно, даже слишком спокойно.

— Керри удивляется, что вы так долго кормите детей, — сказал он. — Шампанское выдохнется, а горячее

стынет, если мы немедленно не сядем за стол. — Не до-
идаясь ответа, он повернулся и пошел прочь.

Несколько секунд подруги стояли молча, словно оце-
енев.

— О господи! — простонала Дженнифер.

— Не волнуйся, Джен, — быстро ответила Марта. —
корее всего он ничего не слышал.

— Марта, ты прекрасно знаешь, что слышал!

— Ну... может быть, это и к лучшему.

За обедом Марта тщетно пыталась обрести спокойст-
ие. Ни вкусный обед, приготовленный Дженнифер, ни
окал шампанского не доставили ей ни малейшего удо-
ольствия. Вскоре после обеда Марта откланялась, со-
лавшись на дела.

Уже в дверях Дженнифер спросила ее:

— Не хочешь погостить у нас в Уотч-Хилле? Мы бу-
ем очень рады.

— С удовольствием, если смогу, — искренне ответила
Марта. — Я позвоню вам из Лондона.

Однако уже в лифте она пожалела о своем обещании.
Может быть, до свадьбы лучше держаться от Дженнифер
одальше? Ведь для нее Дженнифер слишком неразрыв-
о связана с Джошем.

В Нью-Йорке у Марты было много друзей. Она про-
ила здесь несколько лет, пока после разрыва с Джошем
е уехала в Лондон. Поэтому, стоило Марте хотя бы не-
адолго оказаться в Нью-Йорке, каждый из многочис-
енных приятелей и приятельниц считал своим долгом
озвать ее к себе.

Вот и сегодня после обеда с Дженнифер она отправи-
ась на коктейль к знакомому фотографу и его жене.
После коктейля — на ужин к людям, с которыми позна-
омилась в свой первый приезд сюда. Сейчас Марта была
олько рада компании, ей нужно было развеяться и вы-
росить из головы Джоша, и приглашения друзей оказа-
ись очень кстати.

Однако, едва Марта осталась одна, мысли о Джоше
ахлынули на нее с новой силой. Опять он ничего не

понял! Но на этот раз Джош должен понять, что Марта
такая, как он думает!

За обедом Керри и Дженнифер говорили, что отпр
вятся на ужин к деловому партнеру Керри и вернут
поздно. Дженнифер со смехом добавила, что Джош с
гласился побыть нянькой у близнецов. Взглянув на ч
сы, Марта подумала, что Гундерсенов скорее всего ещ
нет. И Джош не спит. Он всегда был «совой» и ложил
поздно.

Не оставляя себе времени на колебания, Марта бі
стро набрала номер. Джош снял трубку почти сразу —
одного звука его голоса было достаточно, чтобы понят
никогда, никогда она не сможет его разлюбить!

— Джош! — произнесла она и сама услышала, ка
дрогнул ее голос.

Наступила короткая пауза.

— Да, — ответил он наконец.

— Это Марта, — сказала она.

— Я узнал.

В ушах Марты гулко отдавались удары сердца. Ка
объяснить ему, зачем она звонит? Ведь любым неосто
рожным словом она может обидеть его еще сильнее! Н
Марта была полна решимости рассеять недоразумени
Она не допустит, чтобы Джош думал о ней дурно.

— Надеюсь, я тебя не разбудила, — робко начала она

— Нет, Марта, я ложусь поздно.

Пауза.

— Джош!

— Да?

— Сегодня...

Снова молчание.

— Что «сегодня»? — терпеливо спросил Джош, словн
разговаривал с застенчивым ребенком.

— Сегодня, когда ты пришел звать нас с Дженнифе
обедать, ты услышал несколько фраз из нашего разгово
ра, — решительно начала Марта. — Но, мне кажется, т
нас неправильно понял...

— Марта, — прервал ее Джош, — может, не надо?

— Джош, послушай меня! — взмолилась Марта. Она должна наконец разрушить эту стену непонимания!

— Слушаю.

— Скажи мне, что ты слышал?

Джош шумно вздохнул, словно сдерживался из последних сил. Марта испугалась, что сейчас он просто положит трубку. Но он ответил:

— Марта, я не помню, о чем вы с Дженни говорили.

— Пожалуйста, Джош! Что ты слышал?

— Ну хорошо. Ты рассказывала о своем женихе, о том, как много у вас общего. Перечисляла все его таланты. — Последнее слово Джош как будто выплюнул. Помолчав, он добавил: — И прекрасно. Так и должно быть. Желаю тебе счастливой семейной жизни.

— Ты же так не думаешь! — возразила Марта.

— С чего ты это взяла? — с искренним удивлением спросил Джош. — По-твоему, я должен желать тебе несчастья? — Марта молчала, и он продолжал: — Послушай, Марта, уже поздно. Тебе завтра лететь в Лондон. Думаю, у тебя еще куча дел, да и поспать перед полетом не мешает.

— Джош, ты все еще хочешь дать мне заказ?

Этот вопрос вырвался у нее помимо воли.

После долгой напряженной паузы Джош ответил:

— Знаешь, я... я, пожалуй, поторопился. Не знаю, стоит ли вообще затевать этот проект.

— Скажи лучше, ты изменил мнение о моей работе? Может быть, это ближе к истине?

— Вовсе нет, Марта. Мне просто нужно еще раз пересмотреть свои планы. Вероятно, материал о политиках лучше дать перед выборами мэра.

— Я с удовольствием сделаю любой материал для «Стиля жизни», — услышала Марта свой собственный голос.

— У меня создалось впечатление, что пока заказов у тебя хватает, — ответил Джош.

Даже в первые годы своего продвижения наверх Марта никогда не унижалась ради работы. Теперь же она с ужасом поняла, что готова едва не на коленях вымаливать у Джоша этот заказ. Неужели он откажет?

— У меня есть несколько предложений, — призналась она. — Но я пока не знаю, на чем остановиться. Решу на следующей неделе, когда вернусь из Лондона. Тогда я буду знать, сколько времени проведу в Штатах.

— Иными словами, вы что — назначите день свадьбы?

— Да.

Снова долгое ледяное молчание. Наконец Джош произнес:

— Тогда я не понимаю, зачем тебе нужен этот заказ.

Марта фальшиво рассмеялась и ответила:

— Ну, Джош, ты же меня знаешь. Я — перекати-поле! Не могу долго оставаться на одном месте.

— Верно, — согласился он.

В голосе его Марта явственно расслышала сарказм. Она и сама понимала, что эта неудачная шутка только углубляет пропасть между ними. Джош, хотя и не прикованный к постели, сильно ограничен физически. Она же — всегда в движении, всегда лучится энергией. Нервной энергией? Может быть. Марта знала, что ее природная конституция требует постоянного волнения, риска, напряжения всех сил — как душевных, так и физических. Впрочем, в последние два года она скорее пыталась убежать от самой себя.

Самые счастливые минуты в ее жизни были тихими и спокойными. Марта провела их рядом с Джошем, у окна с видом на Гудзон. Они разговаривали обо всем на свете или просто молчали, любуясь открывшейся панорамой. В эти мгновения Марта испытывала такое счастье, словно оказалась на обратной стороне Луны, не ведомой никому из остальных землян.

Поколебавшись, она начала:

— Джош... — и тут же умолкла, понимая, что продолжать нет смысла. Напрасно она затеяла этот разговор. Джош упрям, как мул. Он уже составил свое мнение и теперь яростно противится всем попыткам его разубедить. И Марта оставила свои безнадежные старания.

После долгой паузы Джош спросил:

— Марта, что ты хотела сказать?

— Неважно, — пробормотала Марта.

Джош знал, что должен кончить разговор. Но не мог. Он боялся заговорить, опасаясь, что дыхание его пресечется и голос задрожит так же жалко и беспомощно, как голос Марты.

Марта была права: он действительно слышал их разговор, и этот разговор только упрочил его решение. Может быть, если бы Джош никогда не ходил на лыжах, не бегал, не танцевал, ему было бы проще. Он бы не знал, какое счастье заключено в полной свободе движений. Но Джош с юности увлекался спортом. В теннисе и горных лыжах он стал настоящим профи. А потом — та авария в Техасе... и жизнь его круто и бесповоротно изменилась.

Джош терпеливо учился жить заново. Его военная карьера разбилась вместе с самолетом. Невеста, увидев Джоша на костылях и узнав, что, возможно, таким он останется навсегда, разорвала помолвку. Разумеется, она клялась и божилась, что ее решение никак не связано с увечьем Джоша.

Отец, офицер с многолетним стажем, узнав, что сын не сможет пойти по его стопам, воспринял это как семейную трагедию. Джош подозревал, что генерал Эшли Сандерсон Смит так и не оправился от удара. В горькие минуты Джош говорил себе, что отцу было бы легче видеть сына мертвым, чем искалеченным.

Джош выздоровел физически, но в душе его осталась незаживающая рана. Однако он выстоял. Он начал новую жизнь, нашел новую перспективную работу и новые удовольствия.

За последние годы у Джоша было несколько романов. Он заканчивал их сам, не желая заходить слишком далеко. Джош был честен с самим собой и признавал, что ни одна из известных ему женщин никогда не смирится с его увечьем. Больная нога никак не влияла на потенцию — здесь, слава богу, проблем не было. Постепенно он привык к своему положению и уже не скрипел зубами, мысленно сравнивая себя с «нормальными людьми». Но, когда в его кабинет — и в жизнь — легкой походкой вошла Марта, старые страхи ожили и разрослись до чудовищ-ных размеров. Как будто какой-то злой волшебник поста-вил перед ним кривое зеркало, безжалостно высвечиваю-щее его физическую слабость.

Иногда Джош спрашивал себя, не лучше ли было рискнуть — довериться Марте, презрев опасность поте-рять ее навек? Но каждый раз он отвечал себе, что уход Марты стал бы для него непосильным ударом. Он не го-тов ставить жизнь на карту ради минуты счастья. Лучше уж отказаться от такого опасного подарка.

Сегодня, когда Марта попрощалась и пошла к две-рям, Джошу пришлось собрать в кулак всю волю, чтобы не броситься за ней. Он не знал, когда увидит ее вновь и увидит ли вообще когда-нибудь.

Когда, сняв трубку, Джош услышал ее голос, в пер-вый миг он решил, что бредит. Едва ли в мире найдется другая женщина с таким же мелодичным голосом. Но те-перь...

Теперь он должен отказать ей в заказе и оборвать эту связующую их нить. Все, что нужно сделать, пожелать Марте спокойной ночи, повесить трубку... и взмолиться к небесам, чтобы близнецы проснулись и заставили его хоть на несколько минут забыть о своем разбитом сердце.

Но вместо этого, извинившись за молчание, Джош произнес:

— Может быть, ты мне позвонишь, когда прилетишь из Лондона? Я просмотрю свои планы, и мы вместе ре-шим, что делать.

Марта не верила своим ушам. Будь у нее хоть капля разума, она ответила бы: «Знаешь, Джош, ты прав, у меня сейчас и так много работы, и не стоит взваливать на се-бя еще одну ношу — может быть, как-нибудь в другой раз», — прекрасно зная, что «другого раза» не будет.

Но ничего этого Марта не сказала. Словно машина, подчиненная чужой воле, она медленно произнесла:

— Хорошо, Джош. Я тебе позвоню.

— Отлично, — ответил Джош и внезапно охрипшим голосом добавил: — Счастливого пути.

Автобус с пассажирами подъехал к терминалу международного аэропорта Гетвик. Накрапывал дождь. Выглянув в окно, Марта поморщилась. В Нью-Йорке сейчас было холодно, но по крайней мере светило солнце. Здесь же все расплывалось в мутно-серой пелене тумана. Марта любила Лондон, но английская зима порой выводила ее из терпения.

Пройдя через таможню, Марта села в такси и поехала в маленький отель в Кенсингтоне, где заказала себе номер. Она вошла в номер, распаковала чемоданы и принялась нервно мерить шагами комнату.

Марта обещала Тони, что позвонит из Нью-Йорка и скажет, когда ее встречать. И не позвонила. Более того, остановилась в отеле, хотя знала, что Тони приготовил для нее комнату у себя в особняке.

Большую часть времени, проведенного в Лондоне, Марта жила в квартире приятеля-фотографа, улетевшего на несколько лет в Испанию. Именно из этой квартиры она улетела в Вашингтон. Однако у Тони были все основания надеяться, что эти несколько дней она захочет провести с ним. Он даже говорил, что перестраивает дом, отделывая комнаты в ее вкусе. Медовый месяц, говорил Тони, они проведут на островах Эгейского моря, а потом будут жить в фамильном гнезде Эшфордов.

Тони, конечно, ждет звонка, думала Марта, беспокойно расхаживая по комнате. Он немало удивится, узнав, что она уже в Лондоне. Марта не могла придумать себе никакого оправдания — она и сама не понимала, почему не позвонила из Нью-Йорка. Просто глупость какая-то! И тем более не сможет она объяснить Тони, зачем заказала себе номер в гостинице.

Марта взглянула на свою руку с кольцом. Бриллиант, казалось, злорадно подмигнул ей в ответ. Марта неохотно подошла к телефону, набрала номер студии Би-би-си и назвала секретарше свое имя.

Через несколько минут в трубке послышался голос Тони:

— Марта, я ничего не перепутал? Бетти сказала мне, что ты уже здесь!

— Я здесь, — безжизненно ответила Марта.

В звучном баритоне Тони послышались растерянные нотки:

— Дорогая, что-то случилось? — спросил он. — Ты... с тобой все в порядке?

— Да, конечно. Все хорошо.

— Тогда... — Тони помолчал. — Прости, я думал, что ты позвонишь мне из Нью-Йорка.

— Я собиралась, но...

— Но что?

— Но я здесь, — отрезала Марта, не желая придумывать своему поведению ложных объяснений.

— Марта, что-то случилось в Нью-Йорке?

В самом деле, что случилось в Нью-Йорке? Смотря с какой стороны взглянуть... Пожалуй, случилось непоправимое. Увидев Джоша, Марта поняла, что все попытки забыть его были тщетны. Два года она обманывала себя, а теперь вернулась к реальности, которую не готова принять.

— Тони, все время в Нью-Йорке я провела на ногах и очень устала. Вот и все. А еще долгий перелет и смена часовых поясов. Я просто хочу отдохнуть. Проспать несколько часов и проснуться веселой и бодрой.

— Хорошо, дорогая, — ответил Тони, — отдохни. У меня через несколько минут совещание. Но постараюсь сбежать отсюда, как только смогу. Уверен, когда я приеду домой, ты будешь уже бодрой и полной сил. Если тебе что-нибудь понадобится, попроси миссис Хокинс.

— Тони, я... я не у тебя, — с трудом произнесла Марта.

— Не у меня? — воскликнул Тони. На секунду с него слетел весь английский лоск. — Марта, где тебя черти носят?!

— В «Бентли Армс», в Западном Кенсингтоне.

— Господи, как ты там очутилась?

— Приехала из аэропорта. Просто это знакомый отель. Я останавливалась здесь, когда приезжала в Лондон впервые.

— Не в этом дело. Почему ты отправилась туда? Тебя ждет миссис Хокинс. Наконец, я тебя жду!

Тони почти кричал, и Марта не могла его за это винить.

— Прости, я об этом не подумала, — медленно ответила она.

Молчание Тони ясно показало ей, что такого извинения ему недостаточно. Когда он наконец заговорил, голос его звучал подчеркнуто вежливо и спокойно, английский джентльмен взял верх:

— Марта, это не похоже на тебя. Насколько я тебя знаю, ты — уравновешенный человек, не меняющий своих планов из-за минутного каприза. Пока ты еще не разобрала вещи, бери такси и поезжай ко мне. Я приеду, как только смогу.

Марта уже разобрала вещи, но не хотела об этом говорить, чтобы не вызвать новой вспышки гнева. Вместо этого она решила выиграть время.

— Тони, сначала мне надо поспать.

В трубке послышался чей-то отдаленный голос — видимо, Тони приглашали на совещание.

— Хорошо, — произнес он, не скрывая раздражения. — Спи сколько хочешь. А потом позвони мне. Если я буду еще на совещании, скажи Бетти, когда за тобой заехать.

Марта вскипятила себе чай — в каждой комнате здесь стоял электрический чайник, — легла и попыталась заснуть. Однако сон не шел. Стоило ей закрыть глаза, как перед мысленным взором возникало лицо Джоша.

Наконец Марта забылась тяжелым сном... и проснулась в темноте от резких звуков телефонного звонка.

— Марта, я дома уже больше часа! — говорил Тони. — Ты даже не позвонила — ни на студию, ни сюда!

— Извини, Тони, — пробормотала Марта.

— Я, как видно, тебя разбудил, — сухо заметил Тони.

— Я заснула не сразу и... кажется, проспала дольше, чем собиралась, — извиняющимся тоном пролепетала Марта.

— Уже почти семь, — сообщил ей Тони. — Мне за тобой заехать?

В этот миг Марта поняла, что не сможет жить с Тони. Не сможет прожить с ним даже три или четыре дня. Ей необходимо побыть одной — слишком многое нужно обдумать. Она услышала свой собственный голос:

— Тони, здесь на первом этаже есть коктейль-бар и ресторан, где очень неплохо кормят. Может быть, мы поужинаем здесь? Я в самом деле страшно устала.

— Если хочешь, пожалуйста.

Слава богу, согласился! Марта боялась, что он начнет возражать, говоря, что миссис Хокинс уже приготовила ужин и обидится, если ее старания пойдут прахом. Разумеется, Тони хотел, чтобы Марта поскорее собрала вещи и переехала в дом, который скоро станет для нее родным. Однако он не хотел давить на нее.

— Спасибо, — сказала она с искренней благодарностью. — Этого я и хочу.

Полчаса спустя Марта сидела в холле гостиницы и листала журнал, ожидая прихода жениха. Она сама не могла объяснить, почему не стала дожидаться его в комнате, а вместо этого переоделась, освежила макияж и спустилась вниз.

Со своего наблюдательного пункта, загороженного пальмой в кадке, Марта видела, как Тони вошел через вертящуюся дверь и направился прямо к столу портье, очевидно, желая узнать, в каком номере она остановилась. Сейчас он выглядел старше своих сорока двух: на лице застыла усталость, и Марта ощутила укол вины. Она действительно очень перед ним виновата.

До сих пор Марта думала, что любит Тони. Иначе никогда не приняла бы его предложение. Но только сейчас она начала понимать, что от дружеской симпатии, какую она питала к Тони, еще очень далеко до любви. Симпатия — спутница любви, но одно вовсе не заменяет другого. И Марта, к своему отчаянию, поняла, что вовсе не любит Тони. Никогда не любила и никогда не полюбит.

Подавленная этой мыслью, она подошла к нему сзади и тихо сказала:

— Привет, Тони!

Тони обернулся. Увидев невесту, он наклонился и поцеловал ее в щеку.

Тони не любил проявлять свои чувства на людях, и за это Марта всегда была ему благодарна. Однако сегодня, прежде чем поцеловать, он бросил на нее настойчивый, вопрошающий взгляд, заставивший Марту содрогнуться. «Неужели он знает? — подумала она. — Господи, откуда?»

В баре, освещенном лишь свечами на столиках, играла тихая успокаивающая музыка. Тони и Марта сели и заказали напитки.

Марта была как на иголках. Надеясь немного оттянуть неприятный разговор, она начала расспрашивать Тони о сегодняшнем совещании. Тот рассказал о новых программах, которые готовит руководство Би-би-си. Марта расслабилась и была словно громом поражена, когда посреди легкого разговора Тони вдруг спросил:

— Ты встречалась в Нью-Йорке с Джошуа Смитом?

— Ты что, читаешь мысли? — вопросом на вопрос ответила Марта, как только вновь обрела способность говорить.

— Нет, — ответил Тони. Грустная улыбка тронула его губы. — И не хотел бы. Должно быть, очень неприятно сознавать, что собеседник видит тебя насквозь. Но тебя я хорошо знаю. И... я люблю тебя, — просто добавил он.

Несколько минут назад Марта думала, что хуже, чем ей теперь, не бывает — однако сейчас ей стало еще хуже. Нервы натягивались как струны: казалось, еще минута, и она взорвется. Как хотела она ответить Тони то, что он надеялся услышать! Что она тоже его любит, что в их отношениях ничего не изменилось. Что встреча с Джошем Смитом не вырыла между ними непреодолимой пропасти.

— И не пытайся, милая, — мягко предупредил Тони. — Все равно не получится. У тебя на лице все написано. Может быть, за это я тебя и полюбил. За искренность и неспособность лгать — редкие качества в наш просвещенный век. Особенно среди преуспевающих деловых женщин.

— Спасибо, — выдавила из себя Марта.

Тони отхлебнул свой коктейль и продолжал:

— Марта, мне уже за сорок. Я дважды был женат и дважды разводился. Ты это знаешь.

Она кивнула:

— Я никогда не могла понять, что в тебе не устраивало твоих бывших жен.

— Наверно, самолюбие, — улыбнулся Тони. Однако улыбка вышла грустной, а синие глаза смотрели на Марту таким прямым и тяжелым взглядом, что ей стало сильно не по себе.

Это чувство усилилось, когда Тони сказал:

— А теперь, дорогая, расскажи мне о Нью-Йорке и о Джошуа Смите.

Марта изумленно уставилась на него. Вот уж чего она не ожидала — и не собиралась делать!

— Марта, — терпеливо продолжал Тони, — тебе нечего стыдиться. Ты приехала в Нью-Йорк, встретилась со Смитом...

— Тони, ты так говоришь, словно я это спланировала заранее, — обиженно возразила Марта.

— Прости меня, — ответил Тони, кажется, он действительно устыдился своего тона. — Милая, я ни в чем не собираюсь тебя обвинять. Мою... нашу проблему не решить ложью и взаимными обвинениями. Я знаю, что ты приехала в Нью-Йорк по делу.

— Да, и совершенно не собиралась встречаться с Джошем Смитом, — твердо ответила Марта. — Но...

И вдруг заговорила торопливо, глотая слова:

— Я позвонила Дженнифер Гундерсен. Пойми меня правильно, Тони, мне просто захотелось с ней поговорить. Это никак не связано с Джошем. Она не только его сестра, но и моя старинная подруга. Я тебе о ней рассказывала.

Марта сделала паузу, собираясь с духом.

— Дженнифер сказала, — продолжила она, — что у Керри, ее мужа, какие-то дела в Нью-Йорке и она собирается поехать с ним, взяв с собой детей. Они решили остановиться в квартире Джоша, пока он в отъезде. Дженнифер пригласила меня на обед... — Марта внезапно замолчала.

— Что же дальше? — подбодрил Тони.

— Я очень хотела увидеться с Дженнифер и Керри и посмотреть на близнецов — я ведь их ни разу не видела! Поэтому я согласилась. А Джош неожиданно вернулся из Калифорнии. Когда я пришла, он был уже там.

Марта замолкла — рыдания сдавили ей горло. Тони ждал продолжения, и она знала, что должна продолжать, но целую минуту молчала, опустив глаза и надеясь, что скудное освещение не позволит Тони разглядеть на ее щеках слезы.

— Я думаю, увидев Смита, ты испытала... сильное потрясение, — помог ей Тони.

— Да, — дрожа, прошептала Марта. — Ах, Тони, Тони! Прости меня! Мне так жаль!

Тони помешал свой коктейль. Отпил немного. Снова помешал. Только после этого он заговорил:

— Мне тоже, Марта. Мне тоже. Однако, скажу по совести, я не удивлен. Я наблюдал за тобой в тот вечер у Фармингтонов. Я видел, что с тобой делалось, когда ты смотрела на него. И тогда мне многое стало ясно. Я ведь говорил тебе тогда, в Вашингтоне: я всегда знал, что в твоей жизни есть кто-то еще. Ты была со мной нежна и ласкова, но я всегда чувствовал, что какая-то дверца в твоей душе закрыта от меня наглухо.

Тони улыбнулся одними губами.

— Любовь не дается по принуждению, — просто закончил он.

— Тони... — начала Марта и замолкла, не в силах подобрать слов.

Тони поднял руку, останавливая ее.

— Марта, не вини себя, — предупредил он. — Здесь есть и моя вина. Признаю, я слишком давил на тебя. Порой ты выглядела такой... такой потерянной. Мне бы задуматься, чем это вызвано, а я стремился окружить тебя лаской и заботой, надеясь, что моя нежность тебя согрет. Я очень надеялся, что со временем ты меня полюбишь. Боже, я так старался! Но теперь...

— Что теперь?

Марте трудно было смотреть на Тони, еще труднее его слушать. Она ненавидела себя за то, что причинила ему такую боль.

— Как я тебе уже говорил, я был женат дважды. И, честно говоря, не хочу третьей неудачи. Меня не устраивает образ человека, меняющего жен, как перчатки. Может быть, такие слова в моих устах тебе покажутся странными, но я очень серьезно отношусь к браку. Моя третья женитьба должна быть успешней первых двух. Марта, я женюсь, только если буду совершенно уверен в удачном браке.

— Ты думаешь, наш брак будет неудачным? — неуверенно выговорила Марта, не зная — огорчаться его словам или радоваться.

Прежде чем ответить, Тони подозвал официантку и заказал еще розового джина.

— А ты как думаешь? — спросил он.

Марта зажмурилась. Ей казалось, что она летит в бездонный черный колодец. Она обидела человека, которого любит и уважает, которому ни за что в жизни не хотела бы причинить боль.

— Не знаю, Тони, — натянуто ответила она. — Я стараюсь, как только могу...

— А этого достаточно?

Ее губы судорожно искривились.

— Не знаю, Тони, — слабым голосом призналась она. — Просто не знаю.

— Спасибо, — ответил Тони, — за твою честность. В нашем положении вранье — последнее дело. Наш единственный шанс в том, чтобы быть предельно честными друг с другом.

— Я никогда не лгала тебе, Тони. — Это была правда. Марта никогда и никому не лгала. Она ненавидела лжецов.

— Знаю, — ответил Тони. — Поэтому и прошу тебя говорить правду. Не пытайся меня щадить. Ты его любишь?

— Да, — горестно прошептала Марта. — Люблю. И,

боюсь, не разлюблю никогда. Но... в его жизни нет места для меня. Он дал мне понять это еще два года назад. И сейчас... ничего не изменилось.

— Он знает, что ты его любишь?

Марта покачала головой.

— Нет. Порой мне кажется, что Джош вообще не верит в любовь. Не знаю. Господи, Тони, — растерянно добавила она, — я только сейчас поняла, что, в сущности, ничего не знаю ни о себе, ни о...

Тони протянул руку и успокаивающим жестом накрыл ладонью ее ладонь.

— Марта, — сказал он мягко, — это не причина ни для паники, ни для спешки.

— О чем ты говоришь?

— Милая моя, до сих пор нам было хорошо вместе. У нас с тобой много общего. Хотелось бы думать, что ты любишь меня так же, как я тебя, но сегодня я узнал, что это не так. Впрочем, я догадывался об этом еще с той ночи в Вашингтоне. Но я — взрослый человек и знаю, что брак может строиться не только на пылкой любви. Не менее важна обоюдная симпатия и взаимопонимание.

— Тони, я... — Марта запнулась. — Может быть, теперь я не смогу выйти за тебя замуж. После сегодняшнего... Теперь ты всегда будешь знать, что часть моей души принадлежит другому. Это так несправедливо...

— Может быть, — спокойно ответил Тони. — А может быть, и нет. Чего нам с тобой сейчас надо остерегаться — это непродуманных действий. Нельзя под влиянием минутного настроения принимать решения, о которых мы потом будем сожалеть.

Марта нерешительно повертела на пальце кольцо. Тони снова протянул к ней руку.

— Марта, если ты хочешь вернуть мне кольцо — пожалуйста, не надо. Поноси его... хотя бы еще немного.

Он грустно улыбнулся.

— Можешь смеяться над моим самолюбием, но, пожалуйста, не снимай кольцо, пока все как следует не обдумаешь. У нас с тобой есть общие знакомые по обе стороны океана. Я не хочу, чтобы среди них пошли слухи, что моя невеста приехала в Англию лишь для того, чтобы расторгнуть помолвку.

— Но это не так, — возразила Марта.

— Знаю, дорогая, однако именно так выглядит. Так что не снимай его еще немного, хорошо, Марта? А когда вернешься в Нью-Йорк, постарайся увидеться со Смитом.

— Что?

— Марта, ты должна проверить, насколько истинно твое чувство. Прежняя любовь часто кажется вечной, но порой достаточно пообщаться с предметом любви поближе, чтобы она развеялась, как дым. Так что... Марта, дай мне шанс. Дай шанс нам обоим. Обещаешь?

Марта снова покосилась на кольцо с бриллиантом. Ее обуревало странное чувство: смесь стыда, печали... и облегчения. Да, она не будет снимать кольцо. Пока она не готова отвечать на недоуменные расспросы друзей и родственников. И, разумеется, ни за что на свете она не появится без кольца перед Джошем!

Почему-то Марте казалось, что бриллиант на руке охранит ее от опрометчивых шагов. Может быть, это ложная уверенность, но все же...

— Марта, ты будешь носить кольцо хотя бы до конца весны? — мягко настаивал Тони. — Ты дашь нам еще один шанс?

Марта смахнула со щеки слезу. Бриллиант сверкнул в пламени свечи.

— Хорошо, Тони, — пообещала она.

Глава 4

— Вас спрашивает мисс Бреннан.

Джош делал заметки на полях статьи, предложенной для «Стиля жизни» одним независимым журналистом. Статья была хороша, и Джош подумывал ее купить.

Услышав слова секретарши, он уронил карандаш и уставился сначала на интерком, затем на телефонный аппарат так, словно увидел привидение. Наконец он медленно снял трубку.

— Марта?

— Здравствуй, Джош!

— Откуда ты звонишь? — удивленно спросил Джош. Марта улетела всего три дня назад — однако непохоже, чтобы она звонила из Лондона!

— Я вернулась в Нью-Йорк, — объяснила Марта.

— Так скоро!

— Д-да... ты просил, чтобы я позвонила, когда вернусь.

Это правда, но Джош никак не ждал ее звонка сейчас. Марта застала его врасплох. Он не успел настроиться на нужный лад, чтобы разыграть вежливое равнодушие.

Прежде чем Джош успел придумать достойный ответ, Марта заговорила сама:

— Может быть, пообедаем вместе?

— Сегодня?

— Да.

— Подожди секунду, — попросил Джош, листая настольный календарь. Промежуток между заседанием совета редакторов и вечерним совещанием был ничем не занят.

— Я могу приехать к тебе в редакцию, и мы поговорим там, если тебе так удобнее, — предложила Марта.

Джош от души одобрил это предложение и совсем было собрался согласиться, но вместо этого почему-то ответил:

— Нет, лучше пообедаем.

Кабинет Джоша был суровым и аскетическим: никаких безделушек, никаких фотографий на стенах — только скромный набор профессиональных книг и журналов да персональный компьютер, которым Джош пользовался очень редко. В этом кабинете немыслимо было думать или говорить о чем-либо, кроме работы: именно поэтому Джош предпочел бы встретиться с Мартой здесь.

— Как насчет «Л'Обержа»? — предложил он. — Я позвоню туда и закажу столик.

— Отлично, Джош. Когда?

— В час — подойдет?

— Хорошо.

Они положили трубки одновременно. Джош отодвинул кресло от стола, откинулся на спинку и уставился на стол, на котором валялись карандаши и почтовые марки. Стол был застелен бумагой; края ее пообтрепались, и Джош думал, что надо бы купить новую. Еще надо постричься. Сходить в супермаркет Шварца и купить чтонибудь в подарок для близнецов — ведь скоро он поедет в Уотч-Хилл. Конечно, игрушек у них достаточно, но неудобно появляться в доме, где есть дети, с пустыми руками...

Джош пытался сосредоточиться на повседневных мелочах, но в сознание властно врывались мысли, от которых он хотел бы убежать навсегда... Со вздохом Джош поднял телефонную трубку и, набрав номер ресторана, заказал столик на двоих на втором этаже, в отдельном кабинете с камином.

Двумя часами позже метрдотель вел Джоша к столику. Тот молча шел за ним, спрашивая себя, почему выбрал именно этот ресторан и этот кабинет. Комната с высокими потолками, обставленная и отделанная в викторианском стиле, была по-настоящему уютной. В мраморном камине пылали настоящие дрова — большая редкость для Манхэттена. Все вместе, пожалуй, выглядело слишком романтично.

Марта уже сидела за столиком вполоборота к Джошу, завороженно глядя на огонь, пылающий в камине. Она была так красива, что Джош невольно замер, и только слова метрдотеля: «Сюда, мистер Смит», вывели его из оцепенения и заставили двинуться вперед.

Джошу редко случалось видеть на лице у Марты такую грусть. Как хотел бы он сжать ее в объятиях, утешить своими ласками и нежными словами! Но Марта уже заметила его и повернулась, чтобы поздороваться, при этом стала еще заметнее печаль, переполняющая огромные темные глаза.

О чем грустить Марте? Она влюблена, помолвлена —

Джош метнул взгляд на кольцо с бриллиантом — и скоро выйдет замуж. Она — прелестная, умная, талантливая женщина, чуждая всяких комплексов. Именно этим она всегда его и восхищала. Что касается карьеры, то сейчас Марта на вершине, и ее успеху ничто не угрожает, ибо успех этот заработан только собственным талантом и трудом.

Джош поздоровался и сел за столик, все еще недоумевая, что с ней. Впрочем, Марта и раньше часто его удивляла. Она заметно осунулась, под глазами залегли темные тени, и вся она выглядела какой-то измученной, что очень необычно для Марты Бреннан. Но Джош предпочел думать, что она просто устала после долгого перелета.

— Когда ты вернулась? — спросил Джош, не тратя времени на предисловия.

— Вчера днем.

— Недолго ты пробыла в Лондоне.

— Я и не собиралась там надолго задерживаться.

Джош хотел спросить, назначили ли они с Эшфордом дату свадьбы. Еще ему хотелось знать, действительно ли она любит Эшфорда и хорошо ли ей было с ним в Лондоне. Но он сурово напомнил себе, что все это не его дело, и вместо этого спросил, что она будет пить.

— Может быть, чинзано, — напряженно ответила Марта.

Обычно Джош не пил за обедом. От спиртного, выпитого посреди дня, его клонило в сон, а на деловых встречах, происходящих обычно в послеобеденное время, необходима была трезвая голова. Но сейчас, к собственному удивлению, он заказал себе мартини.

— Что с тобой? — спросил он, разглядывая темные круги под глазами у Марты. — Трудный перелет? Или смена поясов так действует?

Марта слабо улыбнулась.

— Неужели это так заметно?

— Просто у тебя усталый вид.

Марта опустила глаза.

— Да, наверно, мне не мешает поспать, — признала она. — И потом...

— Что?

Марта заметила, что Джош то и дело косится на ее бриллиант. Лицо его было непроницаемо, как всегда, но Марте показалось, что кольцо его раздражает.

«Это добрый знак», — подумала Марта. Ее так и подмывало сообщить Джошу о разрыве помолвки. Однако она обещала Тони носить кольцо до конца весны. Она обещала, что даст их отношениям еще один шанс, что увидит Джоша лишь для того, чтобы разобраться в своих чувствах. Но в чем тут было разбираться? Она не проговорила с Джошем и пяти минут, а правда уже рвалась наружу, властно требуя выхода. С Тони все кончено — окончательно и бесповоротно! Она любит только Джоша! Марта опустила глаза, боясь, что Джош догадается о ее чувствах.

Джош смотрел на нее с возрастающим удивлением, а Марта отчаянно придумывала тему для разговора, которая удержит его от нежелательных вопросов.

— Джош, так ты займешься той статьей о политиках? — спросила она наконец.

Джош не был готов к прямому ответу. Он напомнил себе, что теперь не время для деликатности. Как бы он ни любил Марту, сейчас он должен видеть в ней врага.

— Нет, — ответил он, покачав головой. — Я решил пока отложить этот проект. Он займет больше времени, чем я могу себе позволить. — Марта молчала, и он продолжал: — Ты ведь сама сказала, что четырьмя регионами мы не обойдемся.

— Да, я говорила что-то в этом роде.

— И в любом случае у меня здесь, в Нью-Йорке, куча материала, которым нужно заняться в первую очередь. Понимаешь, я не могу сейчас уезжать в командировку, — продолжал Джош, сам не понимая, зачем оправдывается. — У меня неотложные дела, которые нельзя бросать.

— Да, конечно.

— Может быть, займемся этим в будущем году. Разработаем план, все тщательно продумаем...

Наступило молчание. Наконец Марта тихо сказала:

— Джош, тебе незачем придумывать оправдания.

До сих пор Джош смотрел в стакан, на тарелку, на скатерть — куда угодно, только не в глаза Марте. Но ее тон заставил его поднять голову.

Лицо Марты оставалось совершенно спокойным, только нижняя губа чуть заметно вздрагивала. По этому конвульсивному подергиванию Джош понял, что она держится из последних сил. И почему у нее так блестят глаза? Марта Бреннан не из тех, кто ударяется в слезы по пустякам.

Сердце Джоша разрывалось от жалости, но он сдержанно ответил:

— Марта, я не ничего не выдумываю. Подумай немного, и ты согласишься, что я говорю разумно.

— Нет, Джош, я не думаю, что это разумно, — дрогнувшим голосом ответила Марта. — Почему бы не сказать правду? Ты просто не хочешь, чтобы я работала для твоего журнала.

На лице Джоша отразилось искреннее удивление.

— Во-первых, — возразил он, — «Стиль жизни» — не мой журнал. Во-вторых...

Джош понимал, что Марта права. Он не может мыслить спокойно и беспристрастно, слишком много душевной боли связано для него с этим проектом.

Джош заговорил о политическом фоторепортаже импульсивно, едва увидел обручальное кольцо на руке Марты. Хитрость, порожденная отчаянием. Хотя рассудок убеждал его, что свадьба Марты и ее переезд в Англию — лучший выход для них обоих, все существо Джоша восставало при одной мысли об этом. Однако он напрасно предложил Марте работу, да еще связанную с совместной командировкой. Это не приведет ни к чему, только добавит еще одну рану в сердце.

Джош оценил свой замысел с профессиональной точки зрения и понял, что, хотя мысль хороша, на воплощение ее сейчас нет времени. В этом он Марте не лгал. Но в то же время, как профессионал, он понимал, что фотографии, сделанные Мартой Бреннан, — подарок для любого журнала, и упускать такой случай нельзя.

Джош знал: чтобы отдалить разлуку с Мартой, ему достаточно заказать ей материал для журнала. Он презирал себя за слабость, но отказаться от этой козырной карты не мог.

Наконец Джош прервал молчание.

— Ты, видимо, неправильно поняла! — воскликнул он фальшиво-бодрым голосом, вовсе ему не свойственным. — Ты ведь теперь знаменитость! — добавил он, неестественно улыбаясь. — Одно твое имя на обложке гарантирует успех! А я, как все редакторы, забочусь об успехе журнала...

На мгновение ему показалось, что Марта сейчас выплеснет вермут ему в лицо. Однако она просто воскликнула:

— Хватит, Джош! Раньше по крайней мере ты был со мной честен!

— Я и сейчас честен... — начал Джош и вдруг умолк.

К своему ужасу, он увидел, что не ошибся. Марта плакала: слезы текли по бледным щекам. Она выхватила носовой платок, сердито смахнула слезы с глаз и вскочила с такой поспешностью, что едва не опрокинула кресло.

— Извини, — пробормотала она и кинулась в дамскую комнату.

Несколько минут Марта брызгала себе в лицо холодной водой и мысленно ругала себя последними словами за то, что проявила слабость перед Джошем.

Да, она не просто устала. Она была измучена. Визит в Лондон и тяжелый разговор с Тони совершенно выбили ее из колеи.

Марта взглянула на кольцо и еще раз похвалила себя за обещание, данное Тони. Кольцо на пальце — какая-никакая, но защита. Пусть Джош думает, что она все еще помолвлена. Тогда он не будет ее опасаться, и, может быть, она сумеет убедить его, что они созданы друг для друга. Ах, если бы только не его дурацкое упрямство...

Марта припудрила лицо и взяла сумочку. Она еще не вполне успокоилась, но не прятаться же от Джоша весь день в туалете!

Когда Марта подошла к столику, Джош встал.

— С тобой все в порядке? — тревожно спросил он, и на его красивом лице отразилось беспокойство.

— Да, — солгала она.

— Может быть, нам лучше уйти отсюда?

«И куда же мы пойдем?» — подумала Марта, но вслух этого не спросила.

— Нет, — коротко ответила она и заняла свое место. Подошел официант.

— Хочешь заказать что-нибудь? — спросил Джош.

— Да.

Серые глаза Джоша, потемневшие от беспокойства, не отрывались от ее лица. Сейчас она могла бы поклясться, что Джош ее любит. Но через мгновение он овладел собой, и взгляд его стал твердым, как Гибралтарская скала, загадочным, как сфинкс, и непроницаемым, как Форт-Нокс.

Марта попыталась заговорить, но вместо этого снова всхлипнула.

Джош удивленно взглянул на нее.

— Да что с тобой?

— Ничего, — овладев собой, поспешно ответила она. — Мне, пожалуйста, консоме «Мадрилен».

— Что-нибудь еще? — спросил официант.

— Пока ничего, благодарю вас. — Марта чувствовала, что есть сейчас не сможет. — Может быть, попозже я закажу десерт.

Джош снова бросил на нее внимательный взгляд и заказал омлет с грибами.

Марта знала, что Джош отличался завидным аппетитом. Порой она даже удивлялась, как ему удается сохранять отличную физическую форму и поджарую фигуру при том количестве пищи, которую он съедает. Однако, несмотря на свое увечье, — точнее сказать, именно из-за увечья, — Джош регулярно занимался спортом. Каждый день он по нескольку часов проводил на тренажере «Наутилус» и через день посещал бассейн в атлетическом клубе.

Почему же он заказал только омлет? Может быть, он тоже слишком взволнован и расстроен, чтобы есть? Но еще больше удивилась Марта, когда Джош попросил еще мартини.

Джош выудил из омлета оливку и съел ее. Затем медленно произнес:

— Пока ты выходила, мне пришла в голову мысль, которая должна тебя заинтересовать.

— Джош, не надо придумывать заказы, чтобы меня утешить.

Он плотно сжал губы.

— Раньше ты не была обидчивой.

— Это смешно слышать, особенно от тебя! Ты — самый обидчивый человек из всех, кого я знаю!

В иных обстоятельствах Джош не оставил бы этот выпад без внимания, но сейчас он ответил, не поднимая глаз:

— Мы пришли сюда не для того, чтобы обсуждать меня. По крайней мере, думаю, ты хотела меня видеть не для этого.

Он осмелился поднять глаза и выдавил из себя улыбку — точнее, слабое ее подобие. Это было совсем не похоже на Джоша. Улыбка была редкой гостьей на его лице — однако, когда он все же улыбался, все вокруг словно озарялось солнечным светом.

«Боже мой! — беспомощно думала Марта. — Ну почему я так его люблю!»

Дрожащей рукой она подняла бокал и допила свой вермут.

— Хочешь еще? — вежливо предложил Джош.

— Спасибо, не надо. А то еще напьюсь... — Помолчав, она добавила: — Джош, похоже, я действительно устала сильнее, чем думала. Может быть, мне не стоило, едва выйдя из самолета, назначать деловую встречу.

Больше всего на свете Джош хотел отшвырнуть разделяющий их стол и сжать Марту в объятиях. Отвезти к себе, уложить на огромную кровать и позволить ей как следует выспаться. А потом, когда она проснется, заняться с ней любовью... и еще раз... а потом еще...

Мысли об этом нахлынули на него с такой силой, что Джош ощутил, как, вырвавшись из-под контроля, растет в нем желание. Теперь он порадовался, что стол на месте, и Марта не может видеть, что с ним происходит.

Джош воззвал к своей силе воли. Он никогда не отличался слабостью духа; однако на этот раз невероятное усилие потребовалось ему, чтобы вернуться к деловому разговору. Может быть, даже подвижникам, умерщвляющим плоть в пустыне, не приходилось так отчаянно бороться с искушениями.

Впрочем, последние два года Джош и вправду жил по-монашески. В этом нет ничего дурного, если вы созданы для воздержания. Но Джош, несмотря на стену уединения, которой окружил себя двенадцать лет назад, по натуре был вовсе не аскет.

Джош откашлялся и потянулся за мартини, напомнив себе, что ему нужно подбодриться. Однако адреналин, бегущий по жилам, возбуждал его сильнее алкоголя.

— Марта, — осторожно начал он, — когда мы поедим, давай я отвезу тебя домой.

— У меня нет дома в Нью-Йорке.

До чего же она упряма! Конечно, в Лондоне-то у нее дом есть... Джош скрипнул зубами и терпеливо ответил:

— Хорошо, я отвезу тебя в отель и уложу в кровать.

— Я не ослышалась? — воскликнула Марта. — Ты действительно собираешься уложить меня в постель?

В голосе ее Джош услышал странные нотки — то ли сарказм, то ли нотки близкой истерики. Однако он предпочел их не заметить.

— Да, именно это я и сказал, — мягко ответил он. — Ты измотана. Тебе нужно часок поспать.

— Сейчас я не смогу заснуть. Я слишком устала. И...

— Что?

Марта заерзала под вопрошающим взглядом Джоша. Она была готова на что угодно, лишь бы он опустил глаза — серые и прозрачные, как лондонский дождь, порой холодные, как лед, но сейчас теплые и мягкие, как шерстка новорожденного котенка. Под его взглядом Марта таяла, словно сахар в чашке горячего чая.

— Боже мой, Джош! — простонала она. — Я просто не хочу сидеть одна в этом чертовом отеле! Мне нужно какое-нибудь уютное тихое место — кокон, в который я смогу завернуться и отдохнуть... А Дженнифер и Керри еще у тебя?

— Нет, — ответил Джош. — Они вчера уехали в Уотч-Хилл.

Джош подозвал официанта и попросил принести счет. Марта заметила, что он не доел омлет, да и сама она едва притронулась к консоме. Марта хотела попросить, чтобы он не беспокоился о ней и спокойно доел, но поняла, что Джошу сейчас тоже не до еды. Он молча вывел ее из зала, подвел к лифту; спускаться по лестнице ему было трудно. Через несколько минут они уже сидели рядом в такси.

Марта, забившись в угол, пыталась понять, что же с ней происходит. Она чувствовала себя... странно. Вспомнился глупый детский вопрос: «Странно — это хорошо или плохо?» «Чертовски плохо», — ответила себе Марта. Так худо ей никогда еще не было.

Последние два года она путешествовала почти беспрерывно. Она привыкла к смене часовых поясов, и перелет из Лондона в Нью-Йорк не мог до такой степени подействовать на нее.

Такси на полной скорости пронеслось мимо отеля Марты, и только тогда она сообразила, что не слышала, какой адрес назвал шоферу Джош. Машина выехала на Риверсайд-драйв, и Марта поняла — как ни невероятно это звучит, — что Джош везет ее к себе домой.

Она молча вошла вслед за ним в отделанный мрамором вестибюль, молча поднялась на лифте, молча ждала, пока он отопрет дверь.

— Входи, — сказал он наконец и молча ввел ее в прихожую, а оттуда — в спальню. В свою спальню.

Только теперь Джош позволил себе взглянуть на нее и широко улыбнуться.

— Вид у тебя, словно у ягненка на бойне, — заметил он.

Марта не могла поверить его улыбке и добродушному тону. Это какая-то ошибка, она принимает желаемое за действительное... Но, прежде чем она успела задуматься об этом, настроение Джоша резко переменилось.

— Послушай, Марта, — начал он серьезно. — Я знаю, что между нами немало и хорошего, и дурного. Но все это в прошлом. Сейчас, как мне кажется, тебе больше всего нужен друг. И я согласен на эту роль. Даже в худшие наши времена я считал тебя своим другом.

Другом? Тони в лондонском аэропорту, сажая ее на самолет, говорил, что, что бы ни случилось, надеется остаться ее другом. Теперь то же говорит Джош. Только одним Джош отличался от Тони: Марта никогда не воспринимала Джоша как друга. Хотя, конечно, всегда готова была ему помочь.

Как часто она молила бога: «Пожалуйста, пусть Джош поймет, что я ему нужна!» Если это случится, думала Марта, она бросит все и побежит к Джошу...

Она беспомощно подняла глаза. Сейчас Марта не могла отрицать ни своей любви, ни влечения, возникшего между ними в миг первой встречи.

Марта помнила эту встречу, как будто все произошло только вчера. Она предложила «Американскому стилю архитектуры» снимки роскошного здания, которое увидела на отдыхе во Флориде. Великолепная постройка блестяще сочетала в себе несколько архитектурных стилей. Заинтересовавшись материалом, Джош через секретаршу назначил ей встречу.

Он встретил Марту стоя. С первого взгляда ее поразили его высокий рост и удивительная мощь, сквозящая в его облике. Широкие плечи, поджарое тело, гордый разворот головы... Поговорив с ним всего несколько минут, Марта не могла не заметить особой атмосферы вокруг него — атмосферы власти и спокойной уверенности в себе. Однако Джошуа Смит вовсе не выглядел надменным или черствым. Он слушал ее рассказ с необыкновенным участием, словно священник на исповеди.

Марта села за стол напротив него. Глаза их встретились... Такого она не испытывала никогда! Словно невидимые часы пробили полночь и начали отсчет нового дня ее жизни. В голове у Марты звенели сотни колоколов. А в сердце... сердце, казалось, готово было разорваться от счастья. Не испытанный прежде восторг охватил Марту; ей казалось, что душа ее поднялась над грешной землей и летит все выше и выше.

Когда Марта заметила, что Джош не может ходить без трости, это ее только... заинтриговало. Еще одна интригующая деталь из жизни удивительного человека...

— Марта! — ворвался в ее воспоминания мягкий оклик.

— Да?

Джош подошел к гардеробу и достал оттуда махровый халат терракотового цвета.

— Прими горячую ванну, затем надень это, — приказал он. — Я включу электронагреватель и задерну занавески. Затем ложись в постель и поспи несколько часов. А если хочешь, спи хоть всю ночь.

— Но...

— У меня в офисе важная встреча, которую уже поздно отменять. Долго не задержусь. Автоответчик включен, так что к телефону можешь не подходить. Просто спи. Когда я вернусь, сяду за работу в кабинете, — продолжал он. — Если тебе что-нибудь понадобится, не стесняйся обратиться ко мне. Я займусь несколькими статьями, до которых все не доходили руки.

— Джош...

Он продолжал, как будто не слыша ее:

— Когда проснешься, я закажу пиццу. — Джош протянул ей халат. — Хорошо?

— Хорошо, — покорно согласилась она.

Джош пошел к дверям, но остановился в нерешительности.

— Марта, еще одно...

— Да?

— Жаль, что здесь нет Дженнифер, ведь все происшедшее могут неправильно истолковать...

— Что ты имеешь в виду?

Джош тяжело оперся на трость.

— Я имею в виду, что твоему жениху это может показаться странным, — резко ответил он. — Так что, полагаю, никому, кроме тебя и меня, об этом знать не стоит.

Марта слабо улыбнулась:

— Ты заботишься о моей репутации, Джош?

— Я подумал о Тони Эшфорде, — ответил Джош. — Если бы я был помолвлен и узнал, что моя невеста отсыпалась после трудного перелета в квартире у другого мужчины, я был бы, мягко говоря, расстроен.

И снова Марта едва удержалась, чтобы не открыть Джошу истину. Но сейчас не время для откровений. Если Джош поймет, что она не связана с другим мужчиной, он, чего доброго, просто посадит ее в такси и отправит в отель!

— Иди спать, — посоветовал Джош.

Марте казалось, что лед между ними почти сломан. Может быть, еще одно усилие... Но она была слишком измучена. Ей хотелось одного — остаться одной и провалиться в сон. Поэтому она только пробормотала слова благодарности.

Марта исполнила все предписания Джоша. Она приняла ванну, завернулась в терракотовый халат и уткнулась лицом в подушку, еще хранящую слабый запах Джоша. Не будь Марта так измучена, этот запах, пожалуй, вызвал бы в ней желание.

Но сейчас она просто уснула.

Глава 5

Кровать Джоша располагалась так, что человеку, лежащему на ней, открывался вид на Гудзон во всем его великолепии. Марта потянулась, открыла глаза и увидела сверкающий ночными огнями небоскреб на том берегу.

Несколько минут Марта лежала неподвижно: ее захлестнула теплая волна воспоминаний. Последний раз она видела эту роскошную панораму, покоясь в объятиях Джоша. Оба они заснули, когда закат заливал Гудзон золотистым светом. Проснулись через несколько часов в полночной тьме, потянулись друг к другу и снова занялись любовью...

Воспоминания наполнили Марту нестерпимой тоской по Джошу. Она привыкла к тому, что его нет рядом, и не сразу сообразила, что Джош сейчас в соседней комнате.

Впрочем, может быть, он решил не возвращаться домой, пока она здесь, и остался в редакции.

Марта встала и подошла к окну. Тоска ее не утихала. Над Гудзоном висела ущербная луна: звезды, как многие сотни лет, загадочно мерцали на черном бархате небосклона. Огни небесные и земные одинаково отражались в темной воде. Гармония царит в мире: почему же Марте так сложно жить?

— Марта!

Марте показалось, что какой-то призрак, возникший из тьмы, произнес ее имя.

Она напряглась, сделала шаг назад — и столкнулась с Джошем.

Пол в спальне Джоша покрывал толстый пушистый ковер. Марта хорошо помнила, как ласкал его ворс босые ноги, когда после страстных объятий она вставала и подходила к окну — любоваться Гудзоном ей никогда не надоедало. Сейчас Марта заметила, что мягкое покрытие к тому же поглощает звук. Джош подкрался к ней неслышно... хотя, конечно, слово «подкрадываться» к нему никак не подходило.

Марта пошатнулась и ощутила, как поддержала ее сильная рука Джоша. Ей показалось, что что-то рушится внутри, как будто она — ледник и прикосновение Джоша разбудило спящую в дальних ущельях лавину. Обжигающий жар охватил Марту.

Она, считающая слезы недостойной слабостью, зарыдала во второй раз за день. Жалобные всхлипывания сотрясали ее плечи, и Джош крепче сжал Марту в объятиях, пытаясь повернуть лицом к себе. Она противилась, но рука его становилась все настойчивей. С гневом и отчаяним Марта повернула к нему лицо, мертвенно-бледное в ризрачном лунном свете, и услышала его шумный вздох:

— Господи боже! — пробормотал он недоверчиво. — ы опять плачешь!

Марта зажмурилась, но предательские слезы текли з-под сомкнутых век. Джош тихо выругался... затем об- ял ее, и Марта, потерянная и отчаявшаяся, прижалась окрой щекой к его плечу, позволив теплу его тела со- реть себя.

— Посмотри на меня, — послышался настойчивый олос Джоша.

Марта с трудом открыла глаза — и поняла, что этого елать не стоило. Лунный свет подчеркнул четкие пра- ильные черты Джоша и заставил серые глаза заблистать еребром. И каждая черточка на его лице была для нее акой милой и родной! Медленно, словно во сне, Марта одняла голову и нашла его губы своими. Это было так стественно — раствориться в его прикосновениях, в его оцелуях...

Джош оторвался от ее губ и пробормотал ругательст- о, которого Марта прежде от него не слышала.

Он отдернул руки, словно обжегшись, затем накло- ился к кровати и поднял оставленную там трость.

— Я зашел только узнать, как ты себя чувствуешь, — ухо сказал он.

— Я... я знаю, — дрожащим голосом ответила Марта.

Да, это она знала. Джош не замышлял ничего дурно- о. Он не собирался заниматься с ней любовью, не соби- ался даже целоваться. В этом Марта могла бы поклясть- я на Библии. Она слишком хорошо его знала.

— Ты проспала несколько часов, — заметил он не- ного мягче.

Марта провела рукой по растрепавшимся волосам — ест, бессознательно выдавший ее нервозность.

— Наверно, я устала сильнее, чем думала, — признала на.

— Мне кажется, что ты совершенно измучена, — ко- отко ответил Джош. Поколебавшись, он добавил: — По- ушай...

— Что?

Марта не знала, что он хотел сказать, но догадалас[ь] что в конце концов он произнес совершенно не то, чт[о] собирался:

— Мне кажется, нам обоим нужно поесть. Я закаж[у] пиццу. А ты пока отдохни, договорились?

Марта молча кивнула и отвернулась к окну. Джо[ш] ясно дал ей понять, что не хочет видеть ее до ужина. Марта понимала, почему. Во время еды и руки, и рты [у] них будут заняты. Может быть, за ужином они немно[го] расслабятся. Смогут поддерживать дружескую бесед[у] хотя едва ли она продлится долго.

Марта с досадой сжала кулаки и почувствовала, ка[к] что-то укололо ладонь. Опустив глаза на кольцо с бри[л]лиантом, она мысленно повторила ругательство, несколь ко минут назад произнесенное Джошем.

Надо поговорить с Тони. Объяснить, что свадьбы н[е] будет. Что она умирает от тоски по Джошу... что, ед[ва] оказавшись наедине, оба они вспыхивают, словно сух[ие] дрова в камине... Продолжать эту комедию с помолвко[й] нечестно по отношению к Тони, а еще больше — к сам[ой] себе. Она должна ему все объяснить. И неважно, что ск[а]жут люди. Сплетни затихают так же быстро, как и рожд[а]ются.

Марта понимала, что формальный разрыв помолв[к]ки едва ли что-нибудь изменит в их отношениях с Дж[о]шем. Она может быть свободна, как ветер — и все равн[о] Джош приложит все усилия, чтобы не допустить ее [в] свою жизнь. Но он по крайней мере должен знать, чт[о] она не связана ни с каким другим мужчиной.

Но важно ли это для него? «Должно быть, важно», — решила Марта. Их поцелуй несколько минут назад ясн[о] показал, что Джош не может больше отрицать свои чувс[т]ва. Его, несомненно, влечет к ней не меньше, чем ее [к] нему.

Марта легла, подложила под голову подушку и, гляд[я] в ночное небо, напомнила себе, что сексуальное влече[ние] ние — одно, а готовность разделить жизнь — совсем др[у]гое. Джош не хочет делить свою жизнь ни с кем. Это о[н]

ъяснил Марте два года назад — так жестоко, что она за-
омнила этот урок навсегда.

Однако Марта лукаво улыбнулась при мысли, что все
е имеет над ним власть. Она может заставить его сделать
, что он вовсе не собирался... например, поцеловать ее
глубокой и искренней страстью. Джош, наверно, сейчас
вет и мечет! Еще бы: ведь одним этим поцелуем он раз-
ушил так долго и тщательно возводимую стену. Дал по-
ять, что и он уязвим, и он способен чувствовать, что
сть трещины и в его стальной броне.

Через некоторое время Марта услышала звонок в
верь и голос разносчика пиццы. Она встала и поспешно
ачала приводить в порядок лицо и волосы, чтобы разы-
рать перед Джошем спокойствие, как он играл перед
ей. Марта надеялась, что не хуже его справится со своей
олью.

Джош, как верно предположила Марта, рвал и метал.
окинув Марту, он отправился на кухню, налил себе ста-
ан крепкого скотча и осушил его одним глотком.

Неужели он только что сжимал Марту в объятиях и
растно целовал! Но, когда Джош увидел, как по ее ще-
ам в призрачном лунном свете струятся слезы, вся его
ешимость куда-то улетучилась.

Ее лицо, пушистые волосы, нежный, едва уловимый
ромат сводили его с ума. «Условный рефлекс, — мрачно
казал он себе. — Привычка. Физиология». Он так долго
чился сопротивляться Марте, что и теперь почти сразу
новь натянул на себя отброшенную броню.

Джош выпрямился, тряхнул головой, словно очнув-
ись, и рассеянно потер левое бедро. Нога побаливала —
то случалось от усталости или, как сейчас, от волнения.
ще во время первых ссор с Мартой Джош узнал, что лю-
ое тяжкое переживание влечет за собой физическую
оль. Может быть, оттого, что во время волнения непро-
звольно напрягаются мышцы.

Джош достал из маленького бара бутылку бургундско-
о, открыл ее и поставил на стол два высоких бокала,

когда в дверь позвонили. Джош отдал разносчику деньги и отнес пиццу на кухню. Он надеялся, что Марта тоже слышала звонок и придет сюда сама. Очень уж Джошу не хотелось идти ее разыскивать — полутемная спальня теперь представлялась ему опаснее минного поля.

Вскоре появилась Марта, и Джош вздохнул с облегчением. Ставя на стол пиццу и приправы, он окинул ее быстрым внимательным взглядом. Несмотря на долгий отдых, она выглядела такой же измученной, как днем. Под глазами у нее, в тех мягких уголках, которые он так любил целовать — раньше любил, поспешно напомнил он себе, — прочно залегли темные тени, а сами глаза чернели бездонными провалами во тьму. А ведь раньше ее глаза то и дело загорались — радостью, любопытством, гневом или каким-либо иным чувством. Такова была Марта, и Джош любил ее такой.

Марта подняла бокал, и на пальце сверкнуло проклятое кольцо. Джош напрягся, чувствуя, как ногу пронзает резкая боль, и выругался про себя. «Сколько можно!» — подумал он.

Джош поспешно заговорил — о чем угодно, лишь бы отвлечься от мучительных мыслей.

— Как долго ты пробудешь в городе? — спросил он.

Марта, потягивая вино, смотрела куда-то в пространство поверх головы Джоша. Просто глаз не отрывала, хотя он точно знал, что там нет ничего, кроме пустой стены.

— Мне кажется, — настаивал он на ответе, — у тебя очень насыщенное расписание.

— М-м, — пробормотала Марта и, прежде чем ответить, сделала еще глоток. — Да, относительно. Мне предложили несколько новых тем, и теперь нужно решить, стоит ли ими заниматься.

— Только ты можешь вот так издеваться над редакторами, — с улыбкой заметил Джош, хотя любого другого фотографа он бы в порошок стер за такие слова. Но Марта имела право выбирать: ее фотографии в журналах ценились на вес золота.

— Я никому не причиняю неприятностей, — сухо ответила Марта.

— Ну... — начал Джош и замолк. Зачем он заводит разговор, заранее не обещающий ничего хорошего? Давно пора покончить с этим делом и отправить Марту в отель. Однако Джош не мог остановиться.

— Ну... — начал он, — мне кажется, я могу предложить тебе кое-что... для «Американского стиля жизни».

— Вот как? — безучастно ответила Марта. Даже опытнейший психотерапевт не смог бы определить, насколько она заинтересована в предложении Джоша.

— Я хочу сделать материал под названием «Жизнь на колесах», — продолжал Джош. — О переездах, через которые проходит почти каждая американская семья.

— О переездах?

«По крайней мере она меня слушает», — подумал Джош.

— Да. Молодые пары начинают самостоятельную жизнь в маленьких квартирках в городе. Затем, возможно с рождением первого ребенка, переезжают в пригород. Потом, по мере того, как растет семья и повышается ее благосостояние, за городскую черту. Попросту говоря, в деревню. Отец ездит на работу в город...

— А мать? — спросила Марта.

Джош понял скрытый смысл ее вопроса.

— Хорошо, мать тоже работает в городе. Для нас важно то, что эти люди превращаются в настоящих деревенских жителей — особенно если сравнить с тем, с чего они начинали. Муж и жена работают в городе, однако живо интересуются делами местной общины, церкви, школы и так далее. Короче говоря, деревня вносит в их повседневную жизнь разнообразие.

Марта задумчиво кивнула.

— Дети вырастают и покидают дом. Родители оставляют работу...

— Мне показалось, ты говоришь об обычной семье, — колко заметила Марта.

— Марта, большинство людей рано или поздно уходят с работы.

— Не представляю, как такое возможно!

— Большинство людей, даже любящих свою работу, с нетерпением ждут пенсии, — терпеливо ответил Джош. — Знаешь, как в сказке — горшок с золотом на конце радуги. Радуга сама по себе прекрасна, но только горшок золота дает людям возможность исполнить все свои мечты — увидеть свет, заняться тем, на что прежде не хватало времени...

Марта скептически взглянула на него.

— Звучит красиво. Но, Джош, дорогой мой, отнюдь не все люди, у которых я брала интервью, с нетерпением ждут пенсии.

Было время, когда Марта едва ли не каждый раз обращалась к нему «Джош, дорогой мой», произнося эти три слова слитно, как одно. И теперь, услышав такое обращение, Джош едва не выдал своих чувств, но вовремя взял себя в руки.

— Марта, давай просто подумаем над этим, хорошо? — продолжил он.

— Хорошо.

— Я лишь сформулировал тему: раскрыть ее можно по-разному. Но для успеха статьи надо постараться, чтобы текст и изобразительный ряд соответствовали друг другу. Ладно?

— Если ты так хочешь, пожалуйста.

— Послушай, если тебе на все это до такой степени наплевать, может быть, я не буду тебе надоедать? — скрипнув зубами, прорычал Джош. Марта вывела его из себя — такого холодного приема не выдержал бы и белый медведь!

— Нет, Джош, ты вовсе мне не надоедаешь, — с легким удивлением ответила Марта. — Продолжай, пожалуйста.

— Короче говоря, — со вздохом продолжал Джош, хотя секунду назад он совсем было решил прекратить этот бессмысленный разговор, — по различным социальным или экономическим причинам чудесный домик в деревне становится для семьи слишком велик. Возможно, играет свою роль и однообразие провинциальной жизни. Наши герои снова тянутся к большому городу. В городе жизнь удобнее — по крайней мере, на мой взгляд. В городе все делают за тебя. Не нужно беспокоиться ни об отоплении, ни о горячей воде...

— Тебе — может быть, — упрямо ответила Марта, — а вот мне прямо здесь, в Манхэттене, приходилось беспокоиться и об отоплении, и о горячей воде, и о многом другом.

— Конечно, если ты делишь комнатушку в Сохо с этим парнем-фотографом, — мрачно ответил Джош. — Как, кстати, его звали?

— Звали или зовут? — Марта не удержалась, чтобы не поддразнить Джоша.

— Ах да, Стен, — пробормотал Джош, и его подвижный, правильно очерченный рот, который так любила Марта, сжался в упрямой гримасе.

Марта едва не расхохоталась. Джош ревнует к Стену, ее старому товарищу по дому! Этот огромный, как медведь, парень с вечной широкой улыбкой на лице был отличным фотографом и снял домик-развалюху в Сохо, чтобы сделать снимки городского пейзажа. Для работы и Стен, и Марта использовали огромную ванну, невесть какими путями попавшую в это неказистое жилище. Теперь Марта с грустью вспомнила, что именно в этой ванне проявляла лучшие из своих черно-белых снимков.

«Более платонических отношений и представить нельзя!» — думала Марта. Стен обращал внимание на «сожительницу», только когда она приглашала его к столу. Аппетит его соответствовал внушительным габаритам, а денег вечно не хватало. Впрочем, и у Марты тогда с деньгами было не густо — вот почему она снимала дом пополам с партнером.

Она «жила» со Стеном, когда встретила Джоша, и очень хорошо помнит, как отреагировал Джош на сообщение, что она делит кров с мужчиной. Марта могла бы поклясться, что его холодные серые глаза полыхнули огнем, — и Марту потянуло к нему еще сильнее. Сейчас она бросила на Джоша долгий взгляд и увидела — или, может быть, просто свет так падал, — что в глазах его блестят такие же, как и тогда, огоньки.

Не показывая своей радости, Марта продолжала:

— Да, в Сохо у нас были проблемы с отоплением и горячей водой. И в других местах, где я жила, тоже...

— Зависит от того, где ты жила, — коротко ответил Джош.

Марте показалось, что он хотел прибавить «и с кем», и она снова с трудом сдержала смешок.

— Во всяком случае, — продолжал Джош, — мои герои в «Жизни на колесах» возвращаются на старое место, потому что там легче жить, потому что в городе они находятся ближе к благам цивилизации, к которым привыкли и которые считают для себя необходимыми, к культурным центрам и развлечениям. Так замыкается круг.

— А как насчет движения в обратную сторону? — спросила Марта.

— Что ты имеешь в виду?

— Представь себе человека, выросшего в деревушке или на ферме. Единственная его мечта — перебраться в город. Он осуществляет эту мечту, женится, растит детей — ведь многие растят детей и в городе. Возможно, у него даже появляется дача где-нибудь на Кейп-Коде, или на побережье Джерси, или... да где угодно. Но вот дети выросли, и нашего героя начинает тянуть на родину. В бескрайние поля, или, может быть, в маленький городок, где он знает всех и каждого. Хотя, Джош, по-моему, большой город — это, в сущности, скопление десятка маленьких городов. Подумай о моем проекте. По-моему, об этом можно сделать неплохую статью.

— Спасибо, Марта, — холодно ответил Джош, — я запомню. Что касается маленьких городов, собранных в кучу, — по-моему, тоже идея неплохая. Однако...

— Однако твои проекты на первом месте?

— Да, если тебе нравится такая формулировка, — сухо ответил Джош.

Марта молчала, и Джош прибавил:

— Мне хотелось бы сделать «Жизнь на колесах» ударным материалом номера. Возьмем шесть семейных пар...

з разных слоев общества, с разным уровнем доходов.
лужащих и чернорабочих. С детьми и без детей.

— Ты хочешь втиснуть все это в одну статью или сде-
ть шесть отдельных репортажей?

— Шесть отдельных, но один главный, поднимающий
роблему в целом. Шесть историй будут короткими, каж-
ая — с выразительными фотоиллюстрациями. В основ-
ой части — наиболее яркие снимки всех шести пар, под-
ркивающие их общность и различия. Впрочем, это я
це не продумал.

— Придется много снимать, — заметила Марта.

— Да.

— Текст ты напишешь сам?

— Основную часть — да, отдельные главы — возмож-
о. В любом случае я ознакомлюсь с материалом.

Это означало, что, если Марта даст согласие на учас-
ие в проекте, им придется немало времени провести
двоем. Волна восторга захлестнула Марту и едва не
мыла остатки здравого смысла, но, взяв себя в руки, она
зглянула на дело как профессионал и ответила честно:

— Джош, я не уверена, что это мой профиль.

— Вот как?

— Идея мне очень нравится, и я уверена, если мы сде-
аем все, как ты предлагаешь, результаты будут блестя-
ими... — начала Марта.

— Марта, не надо мне льстить, — грубо оборвал ее
жош. — Если ты считаешь, что моя идея никуда не го-
ится, не стесняйся и скажи об этом прямо.

— Нет, Джош, замысел очень хороший, — честно от-
етила Марта. — Но я не уверена, что он мне подходит.

Джош подлил себе вина и, заметив, что бокал Марты
уст, налил и ей. Он сам понимал, что ведет себя хуже не-
уда. Когда это случалось, чтобы Джош наливал себе
режде, чем гостю? Со своими гостями он всегда был
зысканно вежлив. А Марта здесь — гостья, и ничего
ольше.

— Думаю, я должен поблагодарить тебя за прямоту, —
тветил он. — Да, я благодарен тебе, хотя и не согласен с
воим решением. По-моему, у тебя великолепно все по-

лучится. Люди и их частная жизнь — как раз твой профиль. Не мне тебе это объяснять.

— Я не уверена, что люди, с которыми ты собираешься работать, меня... вдохновят, — уклонилась от прямого ответа Марта.

Джош бросил на нее быстрый взгляд, красноречиво подняв брови.

— Ты говоришь как сущий сноб, — заметил он.

— Очень жаль, я совсем не это имела в виду. За последние два года, Джош, мне приходилось работать в самых разных местах и при самых разных условиях.

— Знаю.

Что это значит? Неужели он пристально следил за ее работой? Неужели ему и вправду небезразлична ее жизнь?

«Дура! — оборвала она себя. — Разумеется, он следил за тем, что со мной происходит. Так же как и ты — за его жизнью. Но на одном взаимном интересе мост через пропасть не выстроишь».

— Я обнаружила, что лучше всего мне удаются репортажи, связанные с экстремальными событиями, — осторожно продолжала она.

— Так тебя привлекают революции, землетрясения и прочие стихийные бедствия?

Теперь напряглась Марта.

— Джош, мне не нравится твой тон! — предупредила она. — Я не хищник и не питаюсь падалью!

— Хорошо, хорошо. Иными словами, Марта, ты полагаешь, что люди, о которых я говорю, не страдают в жизни?

— По крайней мере их страдания не так значительны, — помедлив, ответила Марта.

Джош нахмурился.

— Черта с два! — прорычал он. — Марта, на свете нет ни одного человека, кто проделал бы путь от рождения до могилы, не испытав горя! В деревне, разоренной войной или в разрушенном землетрясением городе человеческое страдание лежит на поверхности. Смерть, раны, нищета. да, ты великолепно схватываешь все это в глазок фотока меры. И я не отрицаю, что все это ужасно, непереносимо. Но страдание тихое, не заметное постороннему глазу, бывает и более глубоким. Душевная боль зачастую превышает физическую. В жизни каждого человека есть свои драмы и свои трагедии. Любой несчастный случай...

Марта взглянула Джошу в лицо и поняла, что он, возможно против воли, выдает свои собственные чувства. Он никогда не рассказывал ей об авиакатастрофе, в которой так жестоко пострадал. О несчастном случае, за несколько минут переменившем всю его жизнь. Раз или два Марта пыталась заговорить об этом, но всегда, даже в минуты наибольшей близости, Джош переводил разговор на другое. Катастрофа была для него запретной темой.

Марта заметила, как он откинулся назад, прикрыл глаза, и по лицу прошла гримаса боли. Страдания Джоша отозвались болью в сердце Марты. «Он все еще мучается от последствий той катастрофы, — подумала она. — И это никогда не прекратится».

Поколебавшись, она все же не удержалась от вопроса:
— Джош, что с тобой?

Он открыл глаза.
— А что?

— Мне показалось, — осмелилась заметить Марта, — что тебе больно.

— Со мной все в порядке, спасибо, — холодно ответил Джош. — Я пытался тебя убедить, но, если моя идея тебя не привлекает, я не стану за нее цепляться. Думаю, лучше ее оставить.

Марта растерялась. В голосе Джоша звучала твердая решимость. Из своей личной жизни он ее уже вычеркнул — два года назад. Теперь же был готов вычеркнуть ее и из своей работы.

Этого Марта позволить не могла. Однако не могла она и заниматься работой, которая была ей совсем не по душе.

Нужно срочно придумать выход, с отчаянием поняла Марта... И вдруг ей вспомнился разговор с Дженнифер в прошлое воскресенье.

Они говорили о том, как подействовало на Джоша

увечье. И о разрыве с Мартой. Дженнифер знала о своем брате больше, чем кто-либо другой, и не раз удивляла Марту своими суждениями. Марте вспомнились и ее собственные слова об инвалидах, которые женятся, обзаводятся детьми и живут счастливо... К Джошу это не относится — он, как верно заметила Дженнифер, ничего не делает, как все. Но сама по себе мысль хороша. Об этом можно сделать трогательную, берущую за сердце статью с выразительными фотографиями.

Но хватит ли у Марты духу ему это предложить?

— Марта, — заговорил Джош, — откуда этот блеск в глазах? Тебя посетило вдохновение? Ну-ка выкладывай!

— Да... просто мелькнула мысль, — пробормотала Марта. Она понимала, что предложить такую тему Джошу очень рискованно.

— Придумала что-то для «Стиля жизни»?

— Да.

— И что же?

— Джош, пожалуйста, прежде чем делать выводы, выслушай меня до конца, — попросила Марта.

— А почему я должен заранее делать выводы?

— Потому что я хочу сказать... просто послушай меня, хорошо? Как ты знаешь, в последние годы общество обратило внимание на жизнь людей с физическими недостатками. — Марта не осмеливалась поднять глаз. — Сложилась тенденция подчеркивать, что эти люди отличаются от всех прочих. Ты знаешь: все эти специальные места для парковки, пандусы на лестницах, широкие двери, особые туалеты и так далее. Это все правильно и необходимо. Но, мне кажется, пора обратить внимание и на другую сторону медали.

— И что это за другая сторона?

Тон Джоша оставался совершенно спокойным. Это-то и пугало Марту.

— Ну, — ответила она, поколебавшись, — личная сторона. Их частная жизнь. Джош, по-моему, из этого получится великолепный материал. Статья о людях, которые несмотря на свои увечья, достигают в жизни успеха и добиваются всего, чего желает каждый. Женятся. Рожают и воспитывают детей. Пользуются авторитетом в обществе.

— Не вижу связи между моим проектом и статьей о том, как инвалиды справляются со своими проблемами, — вежливо заметил Джош.

В мозгу у Марты звякнул тревожный сигнал. Однако она продолжала:

— Не просто «справляются», Джош! Гораздо больше...

— Забудь об этом, — ледяным тоном прервал Джош. — В Штатах немало специальных журналов для инвалидов, которые обеими руками вцепятся в этот проект — особенно в твоем исполнении. — Его слова резали сердце, словно осколки льда. — Но для «Стиля жизни» этот материал не годится, и лично я совершенно в нем не заинтересован.

Марта не могла вздохнуть, будто попала в безвоздушное пространство. А Джош нанес последний удар:

— Марта, чужие увечья меня не интересуют. С меня довольно моего собственного.

Глава 6

Марта твердо решила, что больше на глазах у Джоша плакать не будет! Что, черт возьми, с ней происходит? Чуть что — она готова реветь!

Марта отнюдь не была плаксой. Ей случалось проходить через тяжкие испытания, но она не проливала ни слезинки. Даже в тот ужасный вечер, когда Джош вышвырнул ее из своей жизни, она выбежала из дома, пылая гневом, досадой, обидой, но и тогда не разразилась слезами.

Теперь же Марта, кажется, перешла в другое физическое состояние — жидкое. Если она высунет голову в окно, Гудзон, наверно, выйдет из берегов.

Джош прервал молчание.

— Твоя пицца остыла. Хочешь, я поставлю ее в микроволновку?

Марта покачала головой. Она едва притронулась к пицце, но от одной мысли о еде к горлу подступила тошнота.

— Нет, спасибо, — ответила она. — Я не голодна.

— Я, кажется, задел твои чувства.

Эти слова немало изумили Марту. В прошлом Джош не раз задевал ее чувства — и гораздо сильнее, чем сегодня. Он, несомненно, понимал это, но никогда об этом не говорил. Теперь же... его слова прозвучали почти извинением.

— Послушай, Марта, — продолжал он, — я вовсе не хотел тебя обижать. Понимаешь, ты затронула больное место.

Таких слов от Джоша она и вообразить не могла! Прищурившись, Марта внимательно смотрела Джошу в лицо. Может быть, и он перешел в иное состояние?

— По-моему, — медленно проговорил Джош, — нам лучше попробовать что-нибудь другое.

Так он не вычеркивает ее из своей жизни! Марта воспряла духом.

— Джош, — начала она, — прежде чем предлагать новые идеи, давай подумаем над тем, что есть. Твоя «Жизнь на колесах» заслуживает более пристального взгляда.

— Вот как? — отозвался Джош, и Марта не могла винить его за звучащее в голосе недоверие.

— Ты прав, — искренне признала Марта. — Возможно, я смотрю на этот материал пристрастно, поскольку, как ты знаешь, последние два года я имела дело в основном со стихийными бедствиями и катастрофами.

Это сущая правда, сказала себе Марта. В последние два года она с радостью принимала заказы, связанные с потерями, смятением и хаосом. Она словно хотела затеряться в людском море, забыть о себе пред лицом чужих несчастий, еще раз убедиться, как ничтожны ее страдания в сравнении с истинными трагедиями. Работа на износ и зрелище чужого горя помогали ей хоть ненадолго забыть о собственных печалях. В районах стихийных бедствий Марта почти не вспоминала о Джоше.

Окончив работу, она возвращалась в Лондон, а там ее

ждал Тони. Что бы делала Марта без его внимания и любви! Тони, остроумный, обаятельный и нежный, порой совершал чудо: Марта засыпала без мыслей о Джоше, не видела его во сне и не сразу вспоминала о нем, проснувшись.

— Марта, тебе нет нужды передо мной заискивать, — мягко прервал ее размышления Джош. — Это я тебя обидел, а не ты меня.

— Джош, я привыкла получать отказы, — быстро ответила Марта. Она имела в виду отказы от работодателей, однако сообразила, что Джош может уловить в ее словах иной смысл, и, смутившись, добавила: — По крайней мере так было, когда я начинала карьеру.

Джош молча выслушал ее объяснение и ни словом не показал, что заметил румянец смущения на щеках.

— Не знаю ни одного редактора, которому придет в голову отвергнуть предложение Марты Бреннан, — негромко ответил он. — Я всегда отдавал твоим репортажам лучшие полосы.

Так он и делал. Но сейчас Марта краснела при одной мысли о том, что могла сделать такое идиотское, бестактное предложение. Как — зная, насколько тяжело Джош переживает свое увечье, предложить ему материал о счастливых инвалидах? Конечно, она хотела вселить в Джоша уверенность в себе... но это ее не оправдывает. Можно подумать, она мало его знает!

Стыдясь своего промаха, Марта заставила себя вернуться к идее Джоша.

— Я вовсе перед тобой не заискиваю, — ответила она. — Это бессмысленно, — это была сущая правда. — Однако, если я буду работать без вдохновения, по обязанности, это очень скажется на результате. Я не отвечу согласием, пока не буду точно знать, что смогу взяться за эту работу.

Джош согласился легче, чем она ожидала.

— Что ж, это честно. — Он медленно поднялся. — Пожалуй, тебе пора возвращаться в отель, — предложил он.

Марта уже почти забыла, что ее ждет просторная,

изящно обставленная комната в отеле в центре города. Хотя они с Джошем никогда не жили вместе, для нее казалось естественным остаться здесь. Когда-то, в иную эпоху, она осталась бы здесь на всю ночь.

— Может быть, ты закажешь такси? — поспешно предложила она.

Вскоре в дверь позвонил привратник и сообщил, что такси ждет у дверей. Джош вызвался проводить Марту. Ночь была холодной, и Марта заметила:

— Ты бы накинул пальто.

— Я на минутку, — ответил он.

Джош открыл для нее дверь машины, и, садясь, Марта соприкоснулась с ним. Даже это мимолетное прикосновение к Джошу согрело ее холодной февральской ночью: однако она была зла на себя за то, что так сильно реагирует на его близость.

— Постарайся поспать, — предложил он. — Выспись как следует, а потом закажи себе завтрак. И съешь его целиком, хорошо?

Марте был хорошо знаком этот тон — заботливый и снисходительный тон старшего брата. Ее собственные братья по любому поводу поучали ее и давали советы. В былые времена это раздражало Марту, но сейчас она скучала и по семье, и по родному дому в Пенсильвании.

Джош наклонился и поцеловал ее — и, как ни мимолетен был этот поцелуй, в нем не было ничего братского.

— Утром я тебе позвоню, — изменившимся голосом произнес он. — Подумай о «Жизни на колесах», — добавил он, — и посмотрим, что мы сможем сделать.

Последнюю фразу он произнес чисто деловым тоном, чем вернул Марту на землю. Однако, войдя в отель, она все еще дрожала как лист. Переживания нынешнего вечера выбили ее из колеи.

На телефонном аппарате горел огонек автоответчика. Включив ленту, Марта обнаружила, что за сегодняшний вечер три раза звонил Тони. Марта хотела перезвонить, но взгляд на часы подсказал ей, что в Англии сейчас слишком раннее утро. И потом, она все равно не сможет вести серьезный разговор. Впрочем, то, что ей нужно сказать, в любом случае по телефону не скажешь. Им с Тони нужно встретиться — хотя эта мысль ее и пугала. Она вернет ему кольцо и будет надеяться, что они останутся друзьями.

Этой ночью Марте снился не Джош, а алмазы. Полные шахты алмазов. Угрюмые шахтеры добывали их из земли, ювелиры обрабатывали и превращали в сверкающие бриллианты. Скоро весь мир был усеян бриллиантами, блистающими всеми цветами радуги. Марта пыталась набрать горсть бриллиантов, чтобы подарить их Джошу. Однако стоило ей сжать ладонь, как драгоценные камни рассыпались в пыль.

Марта исполнила указания Джоша с такой точностью, словно полагала, что он каким-то таинственным образом следит за каждым ее движением. Она заказала завтрак, принудила себя съесть его целиком и уже допивала вторую чашку кофе, когда зазвонил телефон.

— Надеюсь, я тебя не разбудил, — послышался в трубке голос Джоша.

— Нет, я уже давно встала.

— И напрасно. Послушай, Марта, у меня идея.

— Какая?

— Может быть, мы с тобой быстрее придем к соглашению, если навестим одну из семейных пар, которых я рассчитываю описать в очерке.

— А у тебя уже есть список кандидатов?

— Есть, — ответил он. — Большой список, который мы с тобой просмотрим и выберем шестерых самых колоритных — разумеется, если оба дадим проекту зеленый свет. Не стоит откладывать решение, ведь у тебя есть и другие дела.

— Какие?

— Ну, например, ты должна к свадьбе вернуться в Лондон.

Марта почувствовала, что попала в ловушку.

— Ну, — неохотно пробормотала она, — мы с Тони не собираемся справлять свадьбу раньше конца весны. — Она понимала, что сейчас совсем не время открывать Джошу правду.

— Тогда у нас есть два, даже два с половиной месяца, — подсчитал Джош. — Я бы не сказал, что это очень много, тем более что в Нью-Йорке у тебя есть и другие заказы.

— Так насчет посещения семейной пары, — напомнила Марта. — Кого и где?

— Жена — преуспевающий архитектор, — ответил Джош. — Один из наших журналистов познакомился с ней, когда делал статью. Муж проектирует детские игры и игрушки. Работает в основном дома, в студии, так что, когда они переехали из города в тихую сельскую местность, ездить в город пришлось ей.

Теперь она хочет работать дома на полставки. Оба они чувствуют, что пришло время сменить жилье. У них трое детей — все уже женаты и живут отдельно. Без детей жизнь в деревне кажется пустой. Муж и жена хотят вернуться в город, где больше возможностей интересно проводить время.

— Они надеются, что найдут в городе квартиру с двумя студиями? — недоверчиво спросила Марта.

— Об этом ты спросишь их при встрече, — ответил Джош. — Прежде чем позвонить тебе, я связался с ними и спросил, смогут ли они сегодня с нами встретиться. Муж сейчас поправляется после небольшой операции, и жена взяла отпуск, чтобы за ним ухаживать. Они сказали, что будут рады с нами поговорить, если позволит время.

— Где они живут?

— В восьми милях на север от города.

— Мы поедем на поезде?

— На машине, — ответил Джош. — Шоссе расчищены, и прогноз не обещает снегопада. По дороге ты сможешь сделать снимки зимней природы...

Зимняя природа, как и обещал Джош, была чудесной. Маленькие домики словно сошли с рождественских открыток, а бескрайние поля, покрытые белым покрывалом, и запорошенные снегом фермы вызывали в памяти картины великих мастеров.

Джош вел «Мерседес» — и вел его отлично. Мили неслись за милями; Марта откинулась на сиденье, прикрыв глаза. Она приняла решение.

Как бы ни сложилась жизнь дальше, никто и ничто не сможет отнять у нее этого дня, проведенного с Джошем. И Марта будет наслаждаться каждой минутой.

По предложению Джоша они остановились в придорожной закусочной, чтобы съесть по бутерброду и выпить кофе. Затем Джош позвонил Арнольду и Люсиль Грант — семейной паре, у которых они собирались брать интервью.

Проведя Джоша и Марту по уютному дому из пяти комнат — не считая пристроенной студии Арни, — супруги Грант предложили им домашний пирог и выдержанное вино. К концу обеда Марта настолько расслабилась, что с удовольствием прилегла бы где-нибудь в уголке, свернувшись клубочком, и подремала.

Они с Джошем провели в доме Грантов почти три часа. Их новые знакомые были обаятельными, жизнерадостными людьми и, несмотря на немолодой возраст, ни во взглядах, ни во вкусах не отставали от моды. Было у них давнее большое горе — старший сын погиб во Вьетнаме; случались и мелкие бытовые неприятности.

Поговорив с хозяевами дома, Марта достала камеру, которую всегда возила с собой, и сделала несколько снимков. Взглянув на Джоша, она заметила, что он следит за ее работой с веселым огоньком в серых глазах.

До сих пор Марта не задумывалась о том, почему он так хочет работать над этой статьей вместе с ней. Только над этой статьей? Или над любой другой тоже? «Нет, — сказала себе Марта, — он просто ценит мой талант и хочет украсить журнал моими снимками. Тут нет ничего личного. И не стоит обманывать себя, воображая, что он скучает без нее...»

Однако не думать об этом Марта не могла.

Об этом думала она, и когда они сели в машину и отправились в обратный путь. День в это время года быстро сменяется сумерками. Солнце скрылось за горизонтом, и заснеженные поля под сумеречным небом приобрели странный голубоватый оттенок. Марта следила глазами за пейзажем. Ей хотелось попросить Джоша остановиться, чтобы выйти и сделать несколько снимков, но, подумав, решила, что не стоит мешать работу и удовольствие. Фотографии зимней природы она сделает как-нибудь в другой раз.

Джош, до сих пор погруженный в собственные мысли, вдруг предложил:

— Может быть, остановимся и перекусим по дороге? А поужинаем, когда вернемся в Манхэттен.

Марта рассмеялась.

— Поверить не могу! — воскликнула она. — Ты слопал пять кусков пирога у Грантов, а перед этим еще пообедал! — Она окинула его критическим взглядом. — Смотри, растолстеешь, как пять свиней сразу!

— Зато тебе это не грозит.

— Джош, я от природы стройная.

— Стройная? Вот как ты это называешь?

Марта фыркнула с преувеличенным негодованием.

— Черт тебя побери, Джош! Вечно ты издеваешься над моей внешностью!

На лице Джоша отразилось искреннее удивление.

— Вот не думал, что ты сочтешь это за издевательство, — серьезно ответил он. — Ты действительно слишком худа, хотя, полагаю, половина женщин в мире десяти лет жизни не пожалеют, чтобы заполучить такую фигуру. Я просто боюсь за тебя: ведь, если ты заболеешь или что-нибудь случится, истощенный организм не сможет бороться...

Слова Джоша повисли в пустоте, и он снова сосредоточился на пустом шоссе.

Джош беспокоится о ней? Джош за нее боится? Растерянно моргая, Марта пыталась в точности припомнить его слова. Может быть, он сказал, что раньше боялся за нее? Нет, она была совершенно уверена, что Джош говорил в настоящем времени.

Однако надо продолжать разговор.

— Джош, я никогда не сидела на диете, — небрежно ответила она. — Просто обычно я так занята, что мне не до еды. Зато вечером я наверстываю упущенное.

— Сомневаюсь.

— Джош, я здорова как лошадь! — заверила она

его. — По-моему, нам обоим просто повезло, что не приходится следить за фигурой.

— Мне приходится, — к ее удивлению, неожиданно признался Джош. — Аппетит у меня, как ты заметила, и вправду волчий, а работа сидячая, если не считать редких выездов на природу, как сегодня.

Он не добавил, что больная нога не позволяет ему заниматься когда-то любимым спортом. На секунду Марте стало жаль его, но она тут же поспешно отбросила это чувство. Джош никогда не нуждался ни в чьей жалости.

— И ты сгоняешь жир на тренажерах? — спросила она. Джош кивнул, и Марта добавила: — Не знаю, хватило ли бы мне воли регулярно заниматься физкультурой.

— У тебя в отличие от меня есть выбор, — с неожиданной холодностью отозвался Джош, и Марта снова застыла от изумления. За все прошедшее время она не помнила ни одного случая, чтобы Джош сам заговаривал о своем увечье.

Джош заметил в стороне от дороги вывеску закусочной и свернул туда. Выходя вслед за ним из машины, Марта по-прежнему думала, можно ли считать его странную откровенность знаком прогресса. Означает ли это, что он готов разрушить сложенную им самим стену?

Нет, на это надеяться не стоит, решила она, садясь напротив него в кресло, обитое мягкой синей кожей. Джош, делая заказ, улыбнулся официантке, и та прямо расцвела. Неудивительно: Марта давно знала, как реагируют женщины на обаяние Джоша. Он заказал скотч с содовой для себя и, по просьбе Марты, перье с ломтиком лимона для нее — и обычный набор закусок.

Обеденный зал с побеленными стенами, высокими, обшитыми дубом потолками, массивной мебелью, кухонной утварью на стенах и огромным пылающим камином, был очарователен. Удивительное спокойствие вновь охватило Марту. Она почувствовала, как уходит из тела усталость. «Еще минута — и я замурлыкаю от удовольствия», — улыбнувшись, подумала Марта.

Заметив ее улыбку, Джош спросил:

— Что тебя рассмешило?

— Да нет, ничего особенного. Просто... сегодня очень

хороший день, — ответила Марта, от души надеясь, что Джош не станет портить ей настроение. На это у него временами открывался настоящий талант.

И Джош не стал. Вместо этого он сказал мягко:

— Да, верно. — Затем Джош вернулся к деловому тону: — Мне понравились Гранты. А тебе?

— И мне. Но, мне кажется, им не стоит переезжать в город.

— Марта, вдвоем в таком большом доме им неуютно.

— Только потому, что миссис Грант еще не работает дома. Как только начнет, ей, как и мужу, понадобится студия. Этот дом им как раз подходит. Мистер Грант вполне доволен своей студией. Его жена может устроить себе такую же с противоположной стороны дома. Это отличное место для рабочего кабинета архитектора — светло и много места для чертежей.

— Я вижу, ты обо всем подумала? — заметил Джош.

— Да. Они мне понравились, я серьезно задумалась об их планах, и мне кажется, что они не рассмотрели всех возможных вариантов.

— Марта, они умные люди и знают, что делают.

— Джош, умные люди тоже совершают ошибки. Может быть, даже чаще, чем глупцы.

Джош улыбнулся.

— Может быть, я неправильно подхожу к нашему материалу?

— Нет, Джош, твой подход совершенно верен. Просто мне кажется, что Гранты напрасно хотят переезжать. Но... это их личное дело, и мое мнение никак не скажется на качестве снимков.

— Пожалуй, Грантами займусь я сам, — сказал Джош. — Марта... означают ли твои слова, что ты возьмешься за мой заказ?

Она кивнула:

— Да. Мне казалось, ты понял, что, проведя четверть часа в доме Грантов, я была уже согласна.

— Я на это надеялся, — не глядя на нее, ответил Джош. — Завтра начну разрабатывать план. Выберу остальные пять семей. Ты сможешь просмотреть мой план и высказать свои замечания.

— С удовольствием, если ты согласен.

— Я согласен. Затем мы, не откладывая, разберемся с остальными делами. Ты, возможно, захочешь в первый раз поехать вместе с журналистом, который будет писать репортаж. Может быть, потом тебе будет лучше действовать самостоятельно. Во всяком случае, я не хочу тебя стеснять. У тебя будет много времени.

— Спасибо, — ответила Марта, хотя ее кольнуло разочарование. Из слов Джоша явствовало, что большинство статей будут писать неизвестные Марте журналисты. Ну что ж, он по крайней мере напишет основную часть и статью о Грантах.

Два года назад Джош был одним из редакторов «Стиля жизни». Теперь стал главным редактором. Это значит, что на его плечи легло несравненно больше ответственности — и бумажной работы.

Однако Марта страстно желала, чтобы Джош послал побоку все прочие дела и сделал материал о «Жизни на колесах» сам — от начала до конца.

Джош пригласил Марту поужинать вместе, но она отказалась от приглашения. Здравый смысл говорил ей, что они и так почти сутки пробыли вдвоем. На первый раз хватит.

Может быть, у Марты разыгралось воображение, однако ей казалось, что Джош все чаще косится на ее кольцо. Каждый раз, когда они останавливались перед светофором, глаза его скользили куда-то вниз, к ее левой руке.

«Может быть, я сама обращаю на это кольцо слишком много внимания», — подумала Марта, выходя из душа, заворачиваясь в веселый ярко-желтый халат и расчесывая волосы. Расчесывание волос ее всегда успокаивало.

«Что с тобой, Марта? — строго спрашивала она себя. — Совсем недавно ты чуть не плакала оттого, что он решил отдать большую часть статей коллегам. Чего же ты хочешь?»

Действительно, чего же она хочет?

Марта имела ответ на этот вопрос. Она хочет только Джоша — навсегда, навеки. Хочет, чтобы он был с ней в одном доме, в одной кровати, чтобы был рядом везде, куда бы ни занесла ее судьба... Вот тут-то и начинаются сложности.

У Джоша своя собственная жизнь и карьера, важная для него не меньше, чем для нее. Несмотря на неблагоприятные обстоятельства, которые могли бы сломить человека более слабого, Джош не только выжил, но и достиг успехов в любимом деле. За это Марта восхищалась им.

Джош красив, обаятелен, талантлив, уверен в себе, с увлечением работает и фонтанирует оригинальными идеями. Он нравится всем. Мужчины дружат с ним, женщины в него влюбляются. Марта грустно вздохнула. Она не сомневалась: если Джош захочет развлечься в женском обществе, все, что ему нужно, — дотянуться до телефона и набрать номер.

Джош не был отшельником, не искал внимания, не страдал от низкой самооценки — он активно вращался в обществе. Возможно, после катастрофы характер его изменился, но внешне это было незаметно. Джош любил людей и наслаждался их обществом, и люди отвечали ему взаимностью — достаточно вспомнить сегодняшний обед у Грантов. С другой стороны, Джош — из тех счастливцев, которым не скучно с самими собой. Марта не сомневалась, что те часы, которые он проводил у себя в спальне, любуясь видом на Гудзон, читая хорошую книгу или слушая музыку на своем суперновейшем стереопроигрывателе, вовсе не были для него потерянными.

Марта с грустью сказала себе, что Джош приспособился к жизни гораздо лучше ее самой.

И отсюда — неизбежное заключение. Два года назад он сказал правду. Как бы нас ни влекло друг к другу, в его жизни нет места для меня.

Марта легла, опустила голову на подушку и вздохнула... и тут зазвонил телефон.

Сердце Марты забилось как сумасшедшее. Предчувствие подсказало ей, что звонит Джош. Она схватила трубку. Но предчувствие ее обмануло: это оказался Тони.

— Я уже начал удивляться... — начал он.

Марта взглянула на часы, мысленно определила разницу во времени и спросила:

— А что случилось?

— Да ничего, — ответил Тони. — Если не считать того, что я звоню тебе с удручающей регулярностью каждые два часа. Мне уже надоело оставлять сообщения на автоответчике!

— Тони, прости, пожалуйста, — быстро ответила Марта. Ей в самом деле стало неловко. — Вчера я очень поздно вернулась, мне не хотелось тебя будить, поэтому я и не позвонила. И сегодня с самого утра пришлось уехать...

— Вся в делах?

— Да, — ответила Марта, предпочитая не уточнять, в каких именно.

— Ну хорошо, а то я уже начал беспокоиться, — с нервным смешком ответил Тони. — Кстати, у тебя не чесались уши сегодня после полудня по лондонскому времени?

— Что?

— Есть примета: уши чешутся, когда кто-то о тебе говорит.

— И кто же говорил обо мне?

— Трина Катальдо, — ответил Тони. — Мы вместе выпивали в «Рице». Насколько я понимаю, она приехала подписать контракт на съемки в Англии. Ее последний фильм в Америке был принят холодно, и продюсер решил на время спрятать ее в Европе. Она расспрашивала о наших свадебных планах.

— И что ты сказал?

— Ушел от прямого ответа. Знаешь, мне показалось, что Трина сама очень не прочь замуж.

— Вот как? — В мозгу у Марты загорелся красный сигнал тревоги. — И за кого же?

— За твоего приятеля Джоша Смита. Судя по ее словам, она от него без ума. Впрочем, Трина не склонна к романтическим безумствам. Я знаю ее много лет, и она всегда была очень... здравомыслящей женщиной. Однако о Смите она говорит серьезно, как ни о ком раньше.

Марта крепче сжала трубку, чувствуя, как по телу разливается идущая от сердца боль. «Это глупо, — сказала она себе. — Ревновать — совсем не в моем духе, кроме того, у меня нет на Джоша никаких прав».

— Прости, дорогая, — вдруг сказал Тони.

— За что? — с трудом выговорила Марта.

— Мне не следовало об этом рассказывать. Это... ребячество. Трина действительно влюблена, но ниоткуда не следует, что Смит отвечает ей взаимностью. Я пытался укрепить свои собственные позиции, — смущенно признался Тони.

— Тебе совершенно незачем извиняться, — ответила Марта, быть может, слишком резко. — Но... Тони, нам надо поговорить.

— Знаю, — согласился он. — Я объясню тебе, зачем так отчаянно дозванивался — помимо того, что беспокоился о тебе. Помнишь Шейлу и Гая Фармингтонов? Тех, у которых мы были в Вашингтоне?

— Конечно, помню, — нетерпеливо ответила Марта. — Это было всего месяц назад!

— А кажется, что прошла целая вечность... — задумчиво откликнулся Тони. — Так вот... они сняли зимний домик в Нью-Хэмпшире, в Белых горах. Гай позвонил мне сегодня и сказал, что вовсю катается на лыжах. Он пригласил нас с тобой туда в следующие выходные. Что ты на это скажешь?

Марте очень хотелось покататься на лыжах. Погода стояла прекрасная, и Марта чувствовала, что свежий морозный воздух развеет все ее тревоги. Ей случалось кататься в Белых горах, и она знала, что местные склоны как будто созданы для того, чтобы оттачивать на них мастерство.

Выходные, проведенные на природе, помогут Марте расслабиться и отдохнуть. После этого она сможет спокойно поговорить с Тони и объяснить, что у них нет общего будущего.

— Согласна, — ответила она.

— Отлично! — радостно отозвался он. — Утром я позвоню Гаю и закажу билеты на самолет.

Глава 7

Величественные Белые горы, покрытые снежными шапками, были поистине великолепны. На второй день отдыха Марта сказала себе, что именно это ей и было нужно. В первый день они с Тони катались по ущелью Кеннон, во второй опробовали склоны Луна. Погода стояла отличная: за два дня на синем небе не появилось ни облачка.

Вечером в субботу все четверо отдыхали у камина, потягивая пунш под названием «Сломанная Нога», состоящий, как объяснили Марте, из бурбона, апельсинового сока и чего-то еще. Горячий напиток помог ей расслабиться и потянул в сон. Марта заснула, едва ее голова коснулась подушки, радуясь тому, что Фармингтоны — судя по всему, люди незаурядной чуткости — предоставили им с Тони отдельные комнаты.

Утром в дверях появился Тони с чашкой горячего кофе, теплым приветствием и нежным поцелуем. Пока Марта пила кофе, он присел на краешек кровати, но — славный Тони с его неизменным тактом — говорил только о погоде и о лыжах.

Марта испытывала подлинное наслаждение от катания на горных лыжах. Вчера, принимая душ после возвращения с горы Лун, она думала, что без спорта жизнь для нее стала бы неполноценной. Марта была хорошо сложена, обладала гибкостью и координацией движений, и лыжи доставляли ей одно удовольствие.

Прошлой зимой, во время командировки на Юкатан, занявшей всего две недели, она выкроила время, чтобы взять несколько уроков подводного плавания — и через несколько дней занятий не уступала своим учителям. Любила она и водные лыжи. Теннис, пинг-понг, любая другая спортивная игра заражала ее азартом. Она любила выигрывать, хотя и проигрыш воспринимала стоически.

Тони был отличным партнером в этих развлечениях — об этом Марта и говорила Дженнифер в тот день у Джоша. Но нельзя же провести всю жизнь на лыжах или на корте! И Марта начала задумываться о том, как пойдет у нее жизнь с Тони... еще до того, как встретила Джоша.

«Чтобы ответить на вопросы Тони, не нужно вновь встречаться с Джошем, — напомнил ей внутренний голос. — Достаточно заглянуть в свое сердце. Ты уже все знаешь. Только с Джошем ты можешь испытать полное счастье. Только с ним ты не бежишь от себя...»

Марта вышла из душа, завернулась в махровое полотенце и вздохнула. Она, словно испорченная пластинка, повторяет одно и то же. Хватит думать о Джоше! Сейчас ее задача — поговорить с Тони и объявить ему, что свадьбы не будет.

«Сегодня вечером», — пообещала себе Марта. Завтра они возвращаются в Нью-Йорк, а во вторник Тони летит в Лондон. Сегодня — лучшее время.

Но начать разговор оказалось непросто.

В воскресенье вечером выяснилось, что Фармингтоны отправились в горы не просто так — они решили таким образом отпраздновать двенадцатую годовщину свадьбы. Тони и Марта узнали об этом за ужином.

Все четверо отправились в ресторан. В конце ужина у столика появился официант с серебряным ведерком, в котором во льду охлаждалась бутылка шампанского. Заметив недоумение своих гостей, Шейла объяснила причину торжества.

— Мы хотим разделить этот праздник с вами, — объяснила она Тони и Марте, — и надеемся, что еще через двенадцать лет сможем отпраздновать сразу два юбилея!

— Надеюсь, что вы будете так же счастливы в браке, как мы с Шейлой, — добавил Гай, поднимая бокал.

Марта окаменела, с трудом сохраняя на лице улыбку. Ее выручил Тони, который произнес приличествующий случаю тост в честь юбиляров. Она же не могла выдавить из себя ни слова, и даже шампанское застряло у нее в горле.

В зале играл небольшой оркестр, и Марта была благодарна Тони, когда он вежливо предложил:

— Потанцуем?

Однако на этот раз Марта не получала от танца ника-

кого удовольствия. Она дергалась, словно кукла на ни-
точках, и могла только надеяться, что со стороны это не
слишком заметно.

— Дорогая, — тихо начал Тони, — мне очень жаль,
что так вышло, но, пожалуйста, не обижайся на Шейлу и
Гая. Они до сих пор влюблены друг в друга, как два го-
лубка. Не стоит их осуждать, если в годовщину свадьбы
все видится им в розовых тонах. Пойми, они просто искренне хотят разделить свое счастье с нами.

— Не надо, Тони, — с трудом ответила Марта. Она
чувствовала себя настолько скверно, что еле могла говорить. — Как я могу обижаться на Шейлу и Гая за их добрые намерения? Ведь у меня на пальце твое кольцо. Они
не знают, что мы уже не помолвлены.

— Но, Марта, мы помолвлены, — к ее изумлению, ответил Тони.

Она откинулась назад, чтобы взглянуть ему в лицо, и
пропустила такт.

— О чем ты говоришь? — спросила она.

— О нас с тобой, — как ни в чем не бывало ответил
Тони. — Да, я помню наш разговор в Лондоне. Но мне
тогда показалось, что мы оба согласились пока оставить
наши отношения как есть. И ты знаешь, на что я надеюсь...

— Тони, мы оба решили, что у нас ничего не получилось, — перебила его Марта — она не желала слышать об
этой помолвке! — Я согласилась носить твое кольцо...

— Но кольцо на пальце как раз и означает, что мы помолвлены.

— Нет, и ты это прекрасно знаешь.

— Для нас — может быть, — уступил Тони. — Но для
окружающих-то это так и есть. Марта...

Музыка резко оборвалась, и Тони умолк. Марта остановилась. У нее болела голова и ломило все тело. Два дня
в раю куда-то улетучились, не оставив по себе ни малейшего следа.

— Это не так, — прошептала она.

Музыка заиграла снова.

— Может быть, сядем? — спросил Тони.

Она покачала головой.

— Нет. Я не смогу сейчас смотреть в лицо Фармингтонам.

Оркестр заиграл медленный танец. Тони уверенно повел Марту по залу. Он был одним из лучших танцоров, каких ей доводилось встречать, и отличным партнером для нее. Но сегодня Марта спотыкалась на ровном месте. Ей приходилось смотреть под ноги, чтобы не упасть.

— Марта, я не хотел тебя расстраивать, — тихо, но настойчиво прошептал Тони. — Очевидно, я тебя не так понял...

«Да, пожалуй, — с тоской подумала Марта. — Ты понимал лишь то, что хотел понять, слышал только то, что хотел слышать. И тебя нельзя винить: я понимаю твои чувства».

Точно так же вела себя сама Марта два года назад. Джош ясно давал ей понять, что их отношения не продлятся долго. Однако Марта на все закрывала глаза. Он честно предупреждал ее, но она не слушала.

И вдруг Марта поняла, что не может поступить с Тони так же, как Джош — с ней. Не может просто вышвырнуть его из своей жизни. Но с другой стороны, не может и выйти за него замуж. И заводить с ним тяжелый разговор в Нью-Хэмпшире нельзя. Во-первых, уже нет времени. Во-вторых, совсем не та обстановка. Гай и Шейла, не подозревая истины, превратили выходные в какой-то Валентинов день! И Марта видела, как надеется Тони, что она поддастся общему романтическому настроению. Может быть, это и глупо, но что делать — влюбленные часто грешат этим.

Музыка снова замолкла, и Тони проводил Марту к столику.

Прошел вечер, за ним ночь. Утром за завтраком Марта узнала, что Фармингтоны собираются в Нью-Йорк вместе с Тони и Мартой, чтобы провести там пару дней перед возвращением в Вашингтон. Марта надеялась, что поговорит с Тони по дороге: теперь же это оказалось невозможно. В пути она была сама не своя от досады и тревоги.

Мало того, Тони пригласил всех четверых поужинать вместе в своем любимом французском ресторане где-то на Восточных Пятидесятых. Шейла и Гай охотно приняли приглашение, а Марта могла только надеяться, что ее неудовольствие незаметно со стороны.

Тони отвез ее в отель и хотел подняться с ней наверх, но Марта отказалась, сославшись на головную боль. Никогда прежде Марта не страдала головными болями, и неудивительно, что Тони покосился на нее скептически. Однако голова и в самом деле раскалывалась. Марта задернула шторы и бросилась на кровать.

Оставшись одна в темноте, Марта напомнила себе, что приехала в Нью-Йорк по делам. Прежде чем переселяться в Лондон, ей нужно закончить работу в Америке. По крайней мере... это главная причина. Теперь же Лондон, где жил Тони, казался ей таким же опасным местом, как и Нью-Йорк — город Джоша.

Однако вне зависимости от того, где она собирается жить, работа есть работа. Два года назад разрыв с Джошем помешал Марте воплотить в жизнь одну идею — вот этим она и займется сейчас.

На десять утра завтрашнего дня у нее назначена встреча с доктором Джеральдом Баскином, хирургом-ортопедом. Этот врач стал знаменит еще два года назад, и с тех пор, как она слышала, его профессиональное мастерство только возросло. Люди, неспособные из-за увечий пройти два шага, благодаря его хирургическому таланту начинали ходить без костылей.

При одной мысли о том, чтоб завтра с утра ей предстоит идти на деловую встречу, Марте стало нехорошо. Но и переносить разговор с доктором Баскином она не собиралась.

В темноте Марте было легче думать о том, в чем она не могла признаться себе при ярком свете. Едва услышав о Джеральде Баскине, она преисполнилась отчаянной надеждой. Может быть, думала она, есть хоть шанс... хоть сотая доля шанса, что этот чудо-доктор поможет Джошу.

Если Джош начнет ходить без трости, если хромота его исчезнет, изменятся ли от этого их отношения? Сможет ли Марта перекинуть мост через разделяющую их пропасть?

Джош не пожалел сил, убеждая ее, что его стремление избегать серьезных отношений никак не связано с увечьем, однако Марта не верила ему. И потом, она прекрасно понимала, что значит для Джоша вновь обрести свободу движений... кататься на лыжах, танцевать, наслаждаться спортом так же, как наслаждается им сама Марта.

Разумеется, Марта не станет начинать с разговора о Джоше. Первоочередная ее задача — на высоком профессиональном уровне выполнить свою работу. А надо сказать, что обычно Марта работала очень скрупулезно.

В каком-то смысле Марта возвращалась к незаконченной работе, что было для нее нехарактерно. Два года назад, после разрыва с Джошем, она поняла, что не сможет заниматься этой темой, и вычеркнула ее из своих планов, заплатив неустойку журналисту, подрядившемуся написать сопроводительный текст.

Может быть, Джош согласится сделать материал вместе с ней? — спросила себя Марта. Но, вспомнив, как он отреагировал на предложение сделать статью о жизни инвалидов, посоветовала себе выбросить эту мысль из головы.

Марта попросила гостиничную службу, чтобы ее разбудили в восемь, заказала на завтрак кофе и бутерброды и заснула. Во сне она видела Джоша: он несся на лыжах с альпийских склонов, покорял Эверест, совершал еще тысячу немыслимых подвигов, а она следила за ним издали, и сердце ее переполнялось радостью и гордостью.

Уже утром, отхлебывая горячий кофе, Марта сообразила, что не сможет проводить Тони на самолет.

А она-то надеялась поговорить с ним в аэропорту перед отлетом!

Чувствуя досаду и стыд, Марта позвонила в отель, где остановился Тони. Ее немного удивило, что Тони заказал себе комнату в другом отеле. Она опасалась, что он захочет большей близости.

Тони никогда не стремился на нее давить, поэтому он

и снял номер в другом отеле. Тогда почему же вчера во время танца он с необычной твердостью настаивал на том, что они еще помолвлены.

«Я была с ним честной, — подумала Марта, и от этой мысли ей стало немного легче. — Тони еще в Лондоне знал — по крайней мере должен был понять, — что я ношу его кольцо только для приличия».

Однако Марта понимала, что это не совсем честно. Тони ясно дал понять, что надеется на примирение. Положим, он не говорил об этом прямо, однако Марта понимала: он надеялся, что когда она поближе приглядится к Джошу, то поймет, что у нее с Джошем нет будущего. И вернется к Тони...

Так легко отказаться от борьбы...

Телефон в номере Тони не отвечал. Марта выпила кофе, съела половину бутерброда и набрала номер еще раз. Снова длинные гудки. Марта не знала, когда Тони улетает, не помнила даже названия авиалинии. Одевшись, она позвонила еще раз — снова тот же результат. Чертыхнувшись, Марта вышла из номера и отправилась на встречу с доктором Джеральдом Баскином.

В следующие два часа Марта, увлеченная беседой с гениальным врачом, забыла обо всем на свете.

Джеральд Баскин действительно был гениален, в самом прямом смысле слова. Это признавали его коллеги — и друзья, и многочисленные завистники. Однако при этом доктор — невысокий, плотный, курчавый, с веснушками и широкой улыбкой — сохранял удивительно мальчишеский вид. Марта проговорила с ним всего десять минут, а казалось, знала его уже много лет.

Первое интервью состоялось в кабинете доктора. Джеральд Баскин сам увлекался фотографией и снимал своих пациентов: его снимки, хотя, на взгляд Марты, и безнадежно любительские, красноречиво рассказывали о творимых доктором чудесах.

— Однако есть и другая сторона медали, — говорил он, прихлебывая кофе. — Я — не чудотворец и отнюдь не всегда добиваюсь успеха. Видите ли, Марта... Многое зависит от времени. Чем раньше я начинаю работу, тем больше шансов на успех. Чем позже... сами понимаете. Иногда мне везет, и я оказываюсь в состоянии уничтожить или хотя бы немного смягчить последствия старой травмы. Но чаще все мои усилия тщетны. — Доктор Баскин грустно улыбнулся. — Порой я жалею о том, что чудес не бывает, — признался он.

Марта едва удержалась, чтобы не заговорить с ним о Джоше Смите. Возможно ли чудо для Джоша? Сможет ли этот человек хоть немного помочь ему? Выходя из кабинета доктора Баскина, Марта призналась себе, что страшится услышать ответ. Как бы там ни было, она промолчала.

Правда, времени у нее в запасе больше чем достаточно. В пятницу с утра Джеральд Баскин пригласил ее к себе в больницу. Затем хотел показать ей обследование пациентов и совещание врачей. У Баскина лечились люди всех возрастов — от младенцев до стариков, одни — с врожденными дефектами, другие — жертвы несчастных случаев. Просто клад для фотографа, думала Марта.

Кроме того, Джеральд Баскин хотел, чтобы Марта засняла ход операции. Разумеется, для всех этих снимков требовалось согласие пациентов. «Но я не думаю, что кто-нибудь откажется», — с улыбкой заверил доктор Баскин, и Марта поняла, что пациенты согласятся на любую услугу для человека, который возвращает их к полноценной жизни.

Более того, Джеральд разрешил Марте записывать все происходящее на магнитофон. Беседы с пациентами и совещания врачей будут бесценны для автора будущей статьи — кто бы это ни был.

Когда Марта вернулась в отель, на телефонном аппарате мигал огонек автоответчика, а под дверь был подсунут квадратный белый конверт.

Сперва Марта распечатала конверт и узнала четкий почерк Тони.

«Может быть, я снова что-то перепутал? — писал он. — Мне казалось, мы договорились позавтракать в де

сять у тебя в отеле, а потом ты собиралась проводить ме-
ня в аэропорт. Во всяком случае, я позвоню тебе из Лондона.
До свидания. Я люблю тебя».

Неужели она назначила свидание с Тони на десять? Вчера у Марты так раскалывалась голова, что она могла просто забыть о встрече с доктором Баскином. Но сейчас никакого разговора с Тони на эту тему она не помнила.

«Ты, похоже, скоро и вовсе свихнешься», — мрачно сказала она себе, прослушивая телефонные сообщения.

Джош звонил дважды: в десять и в половине двенадцатого. Марта взглянула на часы — 12:35. Она набрала рабочий номер Джоша. Но секретарша сообщила ей, что мистер Смит обедает с иностранными журналистами и скорее всего вернется не скоро.

Чтобы удостовериться, что Тони улетел, Марта позвонила ему в отель и узнала, что он уехал в аэропорт около двух часов назад.

Марту переполняла досада, и она видела лишь один выход своим эмоциям. Ходьба до изнеможения. Выйдя из отеля, она пошла пешком по направлению к Пятой авеню, затем свернула на север, пока не добралась быстрым шагом до стены, окружающей Центральный парк.

Марта шла все быстрее и быстрее, но ходьба, против обыкновения, не помогала ей успокоиться. Обычно быстрое движение — ходьба, игра в теннис или плавание — позволяло Марте выплеснуть отрицательные эмоции и прийти в норму. Но сейчас даже после прогулки по парку Марта была столь же взвинчена, как и два часа назад. Она уже кляла себя за то, что приехала в Нью-Йорк. И бог с ними, с заказами! Нью-Йорк — огромный город с многомиллионным населением, но для нее с Джошем он слишком тесен.

Отпивая из бокала, Джош рассеянно вслушивался в речь редактора французского журнала. Француз говорил по-английски бегло, но с сильным акцентом. Когда он сделал паузу, Джош кивнул, от души надеясь, что этот жест не оказался неуместным.

Обед тянулся бесконечно — по крайней мере дл
Джоша. Что касается гостей, они явно наслаждались аме
риканской кухней, хвалебными тостами в их честь и зво
ном бокалов.

Джош очень старался не выдавать своего нетерпения
и, кажется, притворство удалось блестяще — гости смот
рели на него с явной симпатией.

«Мне следовало пойти в актеры», — думал Джош. Не
ужели собеседники и вправду не замечают, что внутри
него бьют тревогу сотни маленьких тамтамов?

Куда, черт возьми, пропала Марта? Новое задание
Но она ничего об этом не говорила. В конце концо
прежде всего она работает на него!

Сама же говорила, что у нее ни на что нет времени
Он имеет право знать, чем она занята. Любой редактор в
его месте... тут Джош понял, что оправдывается пере
самим собой, и разозлился еще сильнее.

Он признался себе, что не сразу начал беспокоиться
таинственных планах Марты. Беспокойство пришло, ко
да ему случилось перекинуться парой слов с коллегой в
Эн-би-си. Коллега упомянул, что несколько минут наз
говорил с Тони Эшфордом из Би-би-си. Эшфорд приеха
в Штаты покататься с невестой на лыжах, а теперь улет
обратно и приглашал приятеля позавтракать втроем.

— Эшфорд — отличный парень, — заметил журналис
из Эн-би-си. — Тебе стоит с ним познакомиться — в
друг другу понравитесь.

— Мы знакомы, — коротко ответил Джош и переве
разговор на другое.

Однако утро было испорчено. Логика подсказыва
ему, что Тони Эшфорд имел полное право приехать
Нью-Йорк, чтобы покататься на лыжах с невестой. Одн
ко чувства легко заглушают голос рассудка, и Джош
удивлением обнаружил, что мечтает свернуть Эшфор
шею. Его глодала ревность, нелепая, отвратительная
опасная, словно Болотное Чудовище из телесериала.

Наконец невыносимо долгий обед подошел к конц
Мужчины пожали друг другу руки и разошлись по свои
делам.

Джош вернулся в офис, где ждала его целая пачка т

лефонных и компьютерных сообщений. Отложив в сторону бумаги, Джош принялся нетерпеливо проглядывать карточки телефонных звонков. Обнаружив среди них звонок Марты, он с облегчением перевел дух, словно все это время задерживал дыхание, и поспешно набрал номер ее отеля — только чтобы услышать, что мисс Бреннан вышла.

Джош оставил сообщение и, не обращая внимания на кучу скопившихся на столе бумаг, откинулся на спинку стула и принялся ждать. Он ждал звонка Марты Бреннан.

Глава 8

— Хорошо отдохнула? — вежливо спросил Джош.

Они сидели в баре «Алгонкин». Джош назначил встречу с Мартой на половину шестого, однако сам пришел на полчаса раньше и, когда в бар вошла Марта, допивал уже второй скотч.

Глядя в стакан с прозрачной жидкостью, Джош пытался объяснить себе, почему так по-дурацки себя ведет. Много лет назад он усвоил, что алкоголь не решает ни одной проблемы, зато создает много новых. Пьянство отвратительно и опасно. Много лет Джош помнил об этом и пил умеренно... в обычных обстоятельствах. И сейчас он напомнил себе, что в деловой встрече с Мартой нет ничего сверхъестественного, и не стоит из-за этого наливаться скотчем.

Он ждал ответа, борясь с ревностью и упрекая себя за дурацкое поведение. Какое право он имеет ревновать Марту к жениху?

«Скоро она станет женой Тони Эшфорда», — напомнил себе Джош и скрипнул зубами.

Марта задумчиво гоняла соломинкой вишенку в бокале с коктейлем. Губы ее сжались в тонкую ниточку. Как хотелось Джошу поцелуем вернуть им привычную соблазнительную округлость! «Следи за своими глазами! — предупредил он себя. — И за мыслями!»

Он поерзал на стуле, стараясь облегчить боль в ноге. В

последнее время нога болела почти постоянно: Джош догадывался, что причиной этому — постоянное внутреннее напряжение и борьба с собственными желаниями. Обычно сон освежал его: но в последние дни Джош с трудом засыпал и просыпался совершенно разбитым.

— Так ты хорошо отдохнула? — повторил вопрос Джош, подбавив в свой тон капельку сарказма.

— М-м... — неопределенно протянула Марта, подняв на него свои удивительные глаза. — А... Да, выходные прошли отлично.

Джош поднес к губам стакан и еле удержался, чтобы не вцепиться в край зубами.

— Что-нибудь особенное? — выдавил из себя он.

— Приехал Тони, и мы вместе с друзьями отправились покататься на лыжах в Белые горы, — сообщила Марта.

— И хорошо покатались? — снова спросил Джош, с усилием придавая своему голосу безразличие.

— Да, отлично. Такой роскошный снег! — ответила Марта.

— Эшфорд, я полагаю, хороший лыжник?

— Да, Тони отлично ездит.

— Лучше тебя?

— Да.

Джош почувствовал, что Марта не хочет говорить с ним о горных лыжах, и немедленно разозлился. Черт возьми, неужели она думает, ему легче от того, что она обходит «опасные темы»? Если так, то она сильно ошибается!

Да, он не может ездить на лыжах! А Марта, например, едва ли способна редактировать журнал, однако он спокойно обсуждает с ней свою работу! Беседуя с ней, он никогда не уходит от темы и не подбирает слов, чтобы ее не обидеть. Он относится к ней как к равной.

Он понимал, что Марта не хочет расстраивать его из-за своей доброты. Доброты, смешанной с жалостью?

Джош боялся, что Марта принимает жалость за любовь. Именно этот страх заставил его два года назад устроить Марте ужасную сцену и под конец потребовать, чтобы она раз и навсегда убралась из его жизни. Джошу нужна была ее любовь, но жалости он не хотел. Он и сейчас был уверен, что правильно оценил ситуацию и принял самое верное решение — пусть даже сердце его едва не разорвалось от сострадания к Марте и отвращения к себе.

Однако ее нежелание говорить о лыжах чертовски его разозлило.

— Я часто катался на лыжах, когда учился в Военно-Воздушной академии, — заметил он таким тоном, словно говорил об этом каждый день. — Мы любили взять увольнение на выходные и закатиться куда-нибудь в Аспен, а ведь получить увольнение было не так-то легко!

В этот момент Джош не смотрел на Марту — иначе заметил бы, как удивление и недоверие промелькнули в ее глазах.

Ни разу до сих пор он даже не заговаривал о годах учения в академии. Марта знала, что Джош был отличным лыжником, но эти сведения она получила от Дженнифер. Именно Дженнифер однажды показала ей любительский снимок Джоша на лыжах — очень молодого и очень красивого, хотя, по мнению Марты, все же не такого красивого, как мужчина, сидящий сейчас напротив.

На том снимке Джошу было не больше двадцати. Годы меняют не только внешность, но и характер. Страдание закалило характер Джоша: теперь он и внешне, и внутренне был тверд, как сталь.

Марта поспешно отвела взгляд, опасаясь, что Джош прочтет в ее глазах все затаенные мысли.

— Дженни не особенно увлекалась лыжами, — продолжал Джош, переходя к своей сестре, — а я только и мечтал, что отцу дадут назначение куда-нибудь в горы. Ты в эти выходные ездила во Франконию?

— Да...

— Однажды я провел там рождественские каникулы, — сообщил Джош. — Удивительное место!

— Д-да.

Марте показалось, что Джош взглядом пригвоздил ее

к месту. Прежде чем она сумела уйти от этого прямого и настойчивого взгляда, он произнес:

— Марта, не нужно так контролировать все, что говоришь.

— Что... о чем ты? — пробормотала Марта.

— Если бы ты танцевала в балете, я бы не смог составить тебе компанию. Барышниковым я бы не стал даже со здоровыми ногами. Я знаю, ты пытаешься меня, так сказать, щадить, но выходит наоборот. Мне кажется, что ты меня опекаешь, а я этого терпеть не могу.

Марта отшатнулась, словно получила удар.

— Я никогда не пыталась тебя опекать! — воскликнула она, как только вновь обрела дар речи.

— Отлично, и на будущее запомни мои слова! — прорычал Джош и затем, к удивлению Марты, попросил себе еще виски.

— Надеюсь, ты не собираешься сегодня садиться за руль, — не удержавшись, заметила она.

— Моя машина стоит в гараже, и ты это прекрасно знаешь, — ответил он.

— Нет, — возразила она, — я не знала.

— В Нью-Йорке имеет смысл ездить только на такси, — объяснил Джош. — Иначе ты будешь не столько ездить, сколько искать место для парковки, да еще, если машина хоть немного поприличней самосвала, постоянно дрожать, чтобы ее не разбили и не угнали. Поэтому в Нью-Йорке я доверяю свою жизнь славным ребятам в желтых машинах с зелеными огоньками. Все ясно?

Сам не понимая почему, он все сильнее злился на Марту и на самого себя. Неужели все из-за проклятой ревности?

Джош готов был смеяться над собой. Он всегда полагал, что есть люди, от природы лишенные чувства ревности, и он — один из них.

Взглянув наконец на Марту, Джош заметил, что губы у нее вздрагивают, словно у обиженного ребенка.

— Марта, извини, что повысил на тебя голос, — с покаянным видом произнес Джош.

— Все в порядке, — отозвалась Марта, глядя в свой полный стакан.

— Понимаешь, я просто... просто хочу, чтобы ты разговаривала со мной так же, как с любым другим, — выпалил Джош.

— Мне трудно общаться с тобой так же, как с любым другим, — невнятно проговорила Марта, — потому что...

— Почему же?

— Неважно.

— Да ладно, скажи, — настаивал Джош. Голос его был холоден, как сталь.

— Нет.

— Тогда скажу я. Потому что я калека и ты считаешь своим долгом оберегать мою израненную душу. Правильно?

Марта, пылая яростью, уставилась на него.

— Нет! — воскликнула она, не обращая внимания на посетителей. — Вовсе нет! Ты ничего не понял! Ты никогда ничего не понимаешь!

Марта схватила сумочку и порывисто вскочила из-за стола. Ее вьющиеся черные волосы рассыпались по плечам. Вздернув подбородок, она поспешно направилась к выходу. Посетители проводили глазами стройную женщину в синем пальто с широким меховым воротником.

Джош, немало удивленный, положил деньги на стол, потянулся за тростью и встал. Он знал, что Марта имеет обыкновение ходить быстро, однако собирался ее догнать. И далеко идти ему не пришлось. Марта стояла у дверей «Алгонкина», а швейцар ловил для нее такси.

Джош молча встал рядом и взял ее под руку. Марта рванулась в сторону, но он сжал ее локоть мертвой хваткой.

К тротуару подъехало такси.

— Отпусти меня, черт побери! — прошипела Марта.

— Не дождешься! — твердо ответил Джош. — Я еду с тобой.

— И что мы будем делать дальше? — вызывающе спросила Марта.

— Скажу, когда сядем в такси.

С этими словами он подвел Марту к машине. Швейцар распахнул дверцу. Марта села, и на секунду Джош испугался, что она, не дождавшись его, прикажет шоферу ехать. Обычно Джош двигался довольно быстро, несмотря на хромоту, но в минуты спешки или волнения становился неуклюжим. Давно уже он не чувствовал себя таким неловким, как сегодня.

Он назвал шоферу свой адрес на Риверсайд-драйв, откинулся на спинку сиденья и стал ждать, что скажет по этому поводу Марта.

Она молчала.

Джош украдкой взглянул на нее. Марта свирепо смотрела на него: глаза горят, полные губы приоткрыты — от одного взгляда на нее у Джоша сильно забилось сердце. Она была необыкновенно хороша, и Джош с трудом подавил желание заключить ее в объятия.

— Марта! — тихонько позвал он.

— Не понимаю, чего ты добиваешься, — резко ответила она.

— Похоже, мы оба сегодня встали не с той ноги, — заметил Джош и поморщился — это выражение напомнило ему о собственной больной ноге. — Однако нам нужно поговорить о нашем проекте.

— Да, — натянуто ответила Марта. — Мне казалось, что как раз за этим ты пригласил меня выпить в «Алгонкин».

Нет, Джош пригласил ее не поэтому. Он просто чертовски хотел ее видеть и, разговаривая с ней по телефону, не смог сдержать минутного порыва. Бар, где всегда куча народу, шум и звон стаканов, показался ему самым безопасным местом для встречи.

Как он ошибался! Для них с Мартой нет безопасных мест.

— Я разработал генеральную линию, — сказал Джош — по счастью, ему не пришлось лгать. — Если вечер у тебя не занят, может быть, обсудим это за ужином?

— Нет, вечер у меня не занят, — ответила Марта и тут же пожалела о своих словах.

В их нынешнем настроении, думала она, любой разговор — о статье или о чем-нибудь ином — превратится в битву. Слова Джоша о том, что она должна относиться к нему так же, как к прочим, задели ее за живое.

«Это невозможно! — хотела ответить Марта. — Я слишком тебя люблю!» А к любимому человеку нельзя относиться так же, как ко всем остальным.

Марта едва не произнесла эти опасные слова вслух, но вовремя сообразила, что она делает, и дала задний ход. И Джош, разумеется, извлек из ее недоговорок то, что ей самой и в голову не приходило!

Сколько раз за время их знакомства он понимал ее превратно! Марта не могла, да и не хотела припоминать все случаи — их было множество. Она понимала, что Джош глубоко страдает из-за своей хромоты и именно поэтому так старательно скрывает свои страдания, что о них догадываются только самые близкие люди.

Марте вдруг вспомнился доктор Джеральд Баскин. Как только она поглубже вникнет в проблематику ортопедической хирургии, пообещала себе Марта, она непременно поговорит с ним о Джоше. И будет молить бога, чтобы Джерри Баскин ему помог.

Войдя в квартиру, Джош первым делом приготовил кофе. Они отнесли чашки в гостиную, и Джош задернул занавески, скрыв от глаз прекрасный вид.

Марта с любопытством взглянула на него. Никогда прежде он не задергивал занавесок. Может быть, струящиеся воды Гудзона и огни на том берегу пробуждают в нем воспоминания о романтических моментах, пережитых вместе у окна?

За кофе Джош говорил сухо и только по делу. Это ее насторожило, такой тон был ему несвойствен.

Марта следила за мыслью Джоша, стараясь не слишком отвлекаться на него самого. Он сидел в кресле напротив нее и время от времени делал пометки в блокноте. Свет от настольной лампы падал на его темно-рыжие волосы, придавая им медно-красный оттенок. Он, кажется, был полностью поглощен работой — или по крайней мере хотел создать такое впечатление.

Марта позволила взгляду на минуту задержаться на лице любимого. Она страстно желала быть с ним: это желание, отдаваясь болью в сокровенных глубинах сердца, будило иную жажду — жажду, которую не мог удовлетворить никто, кроме Джоша.

Марта заставила себя сосредоточиться на работе. Джош собирался написать шесть статей; каждая будет посвящена конкретной семье. Шесть семейных пар — разных возрастов, разного социального положения, с разными причинами для переезда.

Первыми в списке шли Гранты. Эту статью Джош оставил для себя — это означало, что работать они будут вместе. При мысли об этом сердце Марты забилось быстрее. Джош с самого начала собирался писать о Грантах сам, но Марта боялась, что он сочтет за лучшее отступить и поручить задание кому-нибудь другому. Ведь во время подобной работы журналист и фотограф неизбежно проводят много времени вместе.

Закончив читать, Марта подняла взгляд и встретилась с глазами Джоша. Взгляд его был неотрывно устремлен на нее, точнее — на кольцо с бриллиантом. В непроницаемых серебристых глазах застыло непонятное Марте выражение. Сейчас она отдала бы все на свете за то, чтобы прочесть его мысли.

Марте отчаянно хотелось признаться ему, что помолвка разорвана, а кольцо — лишь дань приличиям, но она не могла. Порой Марта проклинала свою врожденную порядочность. Но слово есть слово: она заключила договор с Тони и не считала себя вправе раскрывать тайну до тех пор, пока не поговорит с ним.

Если бы только она все ему объяснила в Нью-Хэмпшире! «Нужно было воспользоваться случаем!» — корила себя Марта. И плевать на Фармингтонов и их годовщину. Она просто обязана была выбрать момент и выложить Тони все как есть.

Джош отвел взгляд от кольца и, прежде чем Марта успела отвернуться, поднял глаза. На мгновение на лице его

отразились все обуревавшие его чувства — настолько
ясно и четко, что Марта застыла на месте, не в силах по-
шевелиться или произнести хоть слово. Ей хотелось подойти к нему, обнять и, забыв о гордости, соблазнить его.

Марта вскочила в отчаянной попытке подавить это
желание. Она даже придумала предлог — налить Джошу
еще кофе. Однако вскочила слишком быстро, зацепилась
ногой за ножку стула — и полетела лицом вниз, задев рукой пустую чашку и блюдце. Посуда упала рядом с ней и
разлетелась на мелкие осколки.

Несколько секунд Марта лежала на полу, не в силах
шевельнуться. Она услышала, как Джош тихо выругался.
Он вскочил на ноги и поспешно склонился над ней.

— Ты ушиблась?

Марта медленно поднялась на ноги. Вокруг валялись
осколки чашки и блюдца — кажется, из семейного сер-
виза.

— Извини, Джош, — пробормотала она.

— Ради бога, не переживай из-за фарфора, — ворчли-
во посоветовал Джош. Он дотронулся до ее плеча — сначала мягко, затем более решительно. — Марта, ты не ответила мне. Ты не ушиблась?

— Н-не знаю, — промямлила она.

— Как так не знаешь? Где у тебя болит?

— Везде, — ответила Марта.

— Что?

— Джош, со мной все в порядке, я не так уж сильно
ушиблась, — решилась сказать Марта, — но в душе у
меня полная неразбериха.

Господи, она совершенно не собиралась этого говорить! Потемневшие глаза Джоша впились в ее лицо. Он
прислонил свою трость к стулу и потянулся к ней. И
Марта неотвратимо, словно во сне, шагнула в его объятия. Дрожащей рукой Джош откинул со лба ее вьющиеся
волосы и вгляделся в лицо. Встретив его взгляд, Марта с
трудом сглотнула. Она не могла воспротивиться тому, что
произошло дальше. Джош наклонил голову — и Марта
растворилась в его поцелуе.

Время на секунду остановилось. Так же медленно их

губы оторвались друг от друга, но только для того, чтобы Марта прижалась щекой к его плечу. Джош крепче обнял ее, легонько поглаживая спину. Он что-то бормотал, но Марта не разбирала, да и не хотела разбирать слов. Она и так знала, что он хочет сказать.

Пусть Джош никогда не признается в этом даже самому себе, но в этот миг по случайно вырвавшимся словам Марта догадалась, что нужна ему не меньше, чем он — ей. Ее чувства были столь же отрывочными и бессвязными, как и его слова.

Назавтра Марта отправилась на встречу с доктором Баскином в больницу, где он занимал должность главного хирурга.

Во время второй встречи этот человек понравился ей еще больше. После обхода, где доктор Баскин представлял Марте своих пациентов, успевая подбодрить каждого шуткой или добрым словом, он повел ее в ординаторскую, где составлял распорядок завтрашних операций. Посещение операционной Марта и Джеральд решили отложить до завтра: прежде всего она хотела сделать снимки больницы и доктора за повседневной работой.

Когда все рабочие вопросы были решены, Марта нерешительно заговорила:

— Джеральд, я знаю, что у вас очень плотное расписание, но не можете ли вы уделить мне несколько минут? Я хочу обсудить с вами один личный вопрос.

Доктор Баскин улыбнулся:

— Я сам собирался угостить вас обедом, — ответил он, — но, боюсь, сегодня мне придется удовлетвориться чизбургером, который принесет в перерыве секретарша. Может быть, завтра...

— Лучше сегодня, — улыбнувшись в ответ, настойчиво сказала Марта. — Я не отниму у вас так много времени.

— Хорошо. — Он улыбнулся. — Попрошу секретаршу принести два чизбургера, если вы дадите обещание пообедать со мной как следует как-нибудь в другой раз.

Доктор Баскин переговорил по интеркому с секретарем, затем сел во вращающееся кресло и заговорил:

— Ну-с, Марта, что же вы хотите узнать?

— Я хочу знать, сможете ли вы помочь близкому мне человеку, — честно ответила Марта и начала рассказ о Джоше.

Когда секретарша принесла в кабинет два чизбургера и два молочных коктейля с шоколадом, Марта уже рассказала доктору все, что знала о несчастном случае и его последствиях, а также описала состояние Джоша в настоящее время.

— Как видите, Джеральд, он прекрасно приспособился к жизни, — заключила она. — Он — яркий, талантливый человек. И все же, хотя сам он скорее всего станет это отрицать, я чувствую, что больная нога мешает ему жить полноценной жизнью. Я знаю, вы скажете, что вы не чудотворец, но, Джерри, я сама видела людей, с которыми вы сотворили чудо! По крайней мере для меня это чудо. Если бы вы хотя бы попытались помочь Джошу...

Джеральд Баскин отложил свой чизбургер, откинулся в кресле и окинул ее внимательным взглядом.

— Марта, этот человек много для вас значит? — спросил он.

— Да, — поколебавшись, ответила Марта.

— Тогда тем более я не имею права вселять в вас ложные надежды, — произнес он. — Я ведь объяснял при первой встрече, что, чем больше времени прошло после травмы, тем меньше шансов на успех.

Марта кивнула.

— Я помню.

— Двенадцать лет, Марта, это очень долгий срок.

— Я знаю, — торопливо ответила она. — Но во время катастрофы Джош был так молод! Ему было всего двадцать два!

— У вас есть причины полагать, что в то время ему не оказали достаточной медицинской помощи?

— Нет, — поспешно ответила Марта. — Напротив, Дженнифер, его сестра, рассказывала мне, что Джош получал все, что могли обеспечить ему родители. Его отец — генерал армии, а мать достаточно богата. Его смотрели лучшие специалисты страны, и Дженнифер говорила, что он перенес несколько операций, пока наконец не решил, что все это бесполезно. Но, Джерри, — продолжала она, — это было двенадцать лет назад! За эти годы хирургия шагнула далеко вперед... Нет нужды объяснять это вам, — напомнила она ему.

— Верно, — согласился он. — Вы правы. Со времени несчастного случая с вашим другом хирургия — в том числе и моя отрасль — добилась существенного прогресса. Но я хочу повторить вам то, что говорил в прошлый раз. Я не чудотворец. Однако, — продолжал он, — я не сдаюсь без боя. Я готов осмотреть вашего друга, поговорить с ним, изучить его историю болезни и, если он захочет, попытаться ему помочь.

Марта знала ответ на последний вопрос.

— Он не захочет, — ровным голосом ответила она.

— Но, Марта, без его согласия я никак не смогу ему помочь, — заметил Джерри Баскин.

— Знаю, — ответила она. — И еще я знаю, что Джош никогда не придет к вам по доброй воле. Но... возможно, он согласится, если узнает о вас случайно...

Мысль Марты безостановочно работала. Она перебирала и отбрасывала варианты один за другим.

Глава 9

Когда после встречи с Джеральдом Баскином Марта вернулась к себе в отель, на телефоне снова мигал автоответчик. Ее ждали сообщения от Тони и Джоша.

Марта в нерешительности остановилась у телефона. Прежде чем звонить тому или другому, ей хотелось многое обдумать. Однако на это и дня не хватило бы — не то что нескольких минут.

Тони уже говорил с Мартой сразу после прилета в Лондон. Он звонил из студии Би-би-си, и до записи программы оставалось всего несколько минут, так что ему поневоле пришлось быть кратким. И Марта благодарила за это судьбу: в тот момент она была совершенно не готова обсуждать какие бы то ни было серьезные вопросы.

Прикинув разницу во времени между Нью-Йорком и Лондоном, она позвонила Тони первому.

В Лондоне было уже почти семь вечера, однако Тони сидел в студии. Голос его звучал устало и подавленно: на заботливый вопрос Марты он ответил, что, кажется, подхватил грипп.

Марта посочувствовала, посоветовала отлежаться, чтобы не было осложнений, а потом — ибо иного выхода не видела — заговорила о помолвке. Однако Тони прервал ее:

— Прости, дорогая, боюсь, сейчас я не в состоянии затевать этот разговор. И потом, такие темы лучше обсуждать лицом к лицу. Может быть, мне прилететь на выходные в Нью-Йорк?

— Хорошо, если у тебя нет других планов, — с неохотой ответила Марта.

— Да нет. Кстати, может быть, ты позвонишь в тот отель, где я обычно останавливаюсь, и закажешь там номер на субботу и воскресенье? Тогда у нас будет время и место, чтобы все обсудить.

Марта согласилась и, прежде чем звонить Джошу, заказала номер для Тони.

Джош был на совещании, однако его секретарша сказала, что он пытался дозвониться Марте несколько раз, и пообещала, что он позвонит, как только сможет.

В ожидании звонка Марта мерила комнату шагами. После того поцелуя вчера вечером оба они вновь натянули сброшенные доспехи. Марта почти слышала звон брони, когда они возвращались на свои места. Джош ясно дал понять, что считает происшедшее лишь досадной минутной слабостью. И Марта могла поклясться, что все дело в сверкающем бриллианте у нее на пальце. В этот миг она совсем было решилась послать свое обещание ко всем чертям и объявить, что она свободна!

Но вместо этого Марта убрала осколки и ушла через несколько минут. Джош позвонил привратнику, попросив поймать такси, и проводил ее до дверей — однако не спустился вниз и не поцеловал ее на прощание. Он выглядел усталым, даже измученным, и по дороге в отель Марта тревожилась о нем.

Когда телефон наконец зазвонил, она схватила трубку сразу и услышала вежливый голос Джоша:

— Марта, извини, что не смог позвонить тебе раньше. Я хочу вместе с тобой пересмотреть наше расписание так, чтобы оно совпало со свободным временем Грантов.

Марта достала записную книжку, и вместе они разработали расписание встреч с Грантами. Первая встреча была назначена на пятницу.

А сегодня среда, с радостью отметила Марта. Она уже не знала, как сможет провести столько времени без Джоша, зная, что находится в одном городе с ним.

Она обещала редакторам нескольких журналов, что свяжется с ними, как только окажется в Нью-Йорке. Поэтому вторую половину дня Марта посвятила деловым звонкам, назначила несколько встреч на завтра, затем часок поплавала в бассейне и как следует попарилась в сауне. Но ни это, ни другие испытанные способы расслабиться сегодня не помогали.

Вернувшись в номер, Марта накинула купальный халат и задумалась, что же делать дальше. Хотелось выпить — однако Марта, хотя и считала себя женщиной эмансипированной, не привыкла ходить по барам в одиночестве.

Можно, конечно, заказать бокал вина в номер... но эта мысль Марту не привлекла. Еще меньше хотелось ей ужинать в одиночестве.

Наконец Марта призналась себе, что сейчас ей больше всего нужна компания. В Нью-Йорке у нее множество друзей. Достаточно снять трубку — и как минимум пять приглашений в гости ей обеспечены. Однако Марте нужно вовсе не это.

Она хочет быть с Джошем.

Более того — она хочет Джоша. Жаждет его прикосновения, поцелуя, умирает от желания заняться с ним любовью. Она хочет оказаться у него в квартире, сидеть рядом с ним у окна, любоваться Гудзоном и говорить обо всем на свете — ведь с Джошем можно говорить о чем угодно!

Боже, как она по нему скучает! Марта вскочила и выругалась сквозь зубы. Ее охватил внезапный гнев.

Джош создал себе уютный, налаженный мир, в котором, по странной случайности, не предусмотрел места для нее. Так он сказал ей два года назад — и Марта подозревала, что этой же позиции он придерживается и по сей день. Она не станет навязываться Джошу только для того, чтобы снова получить отказ.

— Но я могу прогрызть себе путь в его жизнь, как червяк вгрызается в яблоко, — произнесла Марта вслух. — А когда он поймет, что я сделала, будет уже поздно — он не сможет обойтись без меня!

В раздумье она подошла к окну, выходящему на шумную деловую улицу. Внизу спешили взад и вперед черные точки: каждая из них уверена, что что-то собой представляет и занимает в этом мире важное место.

«А куда иду я? — спросила себя Марта. — Что я собираюсь делать? Сидеть здесь весь вечер и оплакивать свою горькую судьбу?»

Марта решительно покачала головой и начала одеваться. Через несколько минут такси уже несло ее к дому Джоша на Риверсайд-драйв.

Этим февральским вечером Джош засиделся на работе допоздна. Ему была ненавистна мысль о возвращении в пустую темную квартиру.

В «Американском стиле жизни» всегда хватало бумажной работы. Однако вскоре Джош бросил работу — отчасти из-за назойливых мыслей о Марте, отчасти из-за вновь разболевшейся ноги. Он знал, что лучшее средство от боли — лечь и вытянуть ногу.

Дома он налил себе скотча — может быть, болеутоляющие помогли бы больше, но Джош старался не пить таблетки без крайней необходимости. В первые годы после катастрофы он принял столько пилюль и получил столько уколов, что хватило на всю оставшуюся жизнь.

Джош взял бокал с собой в ванную и долго нежился в горячей воде. Затем набросил терракотовый халат и лег.

Потягивая скотч, Джош старался расслабиться по методу аутотренинга, изученному в больнице. Это подействовало. Он уже задремал, когда послышался звонок в дверь.

Джош зажмурился и вслух пожелал непрошеному гостю убраться куда подальше. Однако визитер был настойчив. Звонок звонил, звонил, звонил, пока наконец Джош не поднялся с кровати.

Врачи советовали Джошу во время сильных болей в ноге пользоваться костылями — так на больную ногу приходился меньший вес. Сейчас Джош последовал их совету и, опираясь на костыли, заковылял по длинному коридору.

Звон прекратился, и Джош едва не повернул обратно, понадеявшись, что непрошеный посетитель убедился, что никого нет, и ушел. Однако дребезжащий звук возобновился. Джош снова чертыхнулся, вспомнив, сколько времени уже собирается заменить старомодный звонок на колокольчики или еще что-нибудь, более приятное для слуха.

Едва не скрежеща зубами от ярости, он отворил дверь... и увидел на пороге Марту.

Марта открыто смотрела прямо в ледяные серые глаза. Холодный прием Джоша не был для нее новостью. Гораздо больше ее беспокоило его осунувшееся лицо и темные круги вокруг глаз.

Затем она увидела костыли, и сердце ее болезненно сжалось.

— Что случилось? — воскликнула она.

— Ничего. А что? — спросил Джош.

Марта вспомнила, что в начале их знакомства Джош опирался на один костыль даже чаще, чем на трость. Но вскоре он перешел только на трость, и Марта радовалась, воспринимая это как знак улучшения. Она надеялась, что когда-нибудь он сможет обходиться и без трости...

— Так что же? — нетерпеливо повторил Джош.

— Я... я просто спросила, — выдавила из себя Марта.

Она ждала, что Джош отойдет в сторону и даст ей пройти, однако несколько бесконечно долгих секунд он с каменным лицом стоял у нее на дороге. Марта с трудом подавила желание повернуться и уйти.

— Извини, — сказал он наконец и отступил в сторону. — Что же ты стоишь, входи, — пригласил он.

Никогда еще Марта не слышала столь холодного приглашения, однако она прошла следом за ним в гостиную. На пути к дверям Джош зажег только одну лампу. Теперь по углам комнаты прятались зловещие тени, и Марта невольно вздрогнула.

«Слишком темно, — подумалось ей. — Здесь слишком темно. Джошу нужно больше света».

— Сними пальто, — сухо предложил Джош у нее за спиной, — а то вспотеешь, а потом, выйдя на улицу, схватишь простуду.

С тем же успехом он мог бы сказать, чтобы она выкладывала свое дело и убиралась к чертям. Но Марта молча сбросила пальто и повесила его на спинку стула. Затем торопливо села в ближайшее кресло — ноги ее не держали.

Глаза Марты были устремлены на картину на стене. Она чувствовала, что Джош стоит рядом и разглядывает ее — и не только разглядывает, но и с нетерпением ждет, когда она заговорит, когда объяснит, зачем пришла и чего хочет.

На эти вопросы у Марты не было готовых ответов. Однако нужно придумать какой-нибудь предлог!

Можно сказать, что она пришла поговорить о «Жизни на колесах»... однако, как ни старалась, Марта не могла придумать никакого срочного вопроса, который не смог бы подождать до завтра.

Джош что-то пробормотал — или это ей только показалось? Однако через мгновение он спросил громче:

— Марта, хочешь кофе?

— Нет, — ответила она. — Но не откажусь от бокала вина.

— Хорошо, — ответил он и исчез в дверях.

Давным-давно, еще в университете, играя в баскетбол, Марта повредила ногу и две недели проходила на костылях. Она хорошо помнила, каково это. Ходить на костылях и при этом что-то нести в руках невозможно.

Она вскочила на ноги и последовала за Джошем. Когда она вошла на кухню, он уже достал из шкафчика бутылку вина и бокал.

Он повернулся к ней и вопросительно поднял бровь.

— Передумала? — спросил он. — Хочешь чего-нибудь покрепче?

Марта покачала головой.

— Нет, — ответила она. — Я просто хотела тебе помочь.

Джош хмуро взглянул на нее.

— Зачем?

— Я подумала... — начала Марта, чувствуя себя неуютно под его проницательным взглядом. — Я подумала, что ты не сможешь отнести бокалы, — закончила она, убеждая себя, что не стоит впадать в отчаяние из-за такой простой фразы.

— Для таких случаев у меня есть сервировочный стол на колесиках, — сообщил ей Джош. — Очень помогает. Я просто толкаю его перед собой. Ты, кажется, об этом беспокоишься?

Марта готова была расплакаться. Однако, сделав над собой усилие, она сдержалась и постаралась сохранить обычный тон:

— Черт побери, Джош, я не имела в виду ничего для тебя обидного! По своему опыту я знаю, как трудно что-то носить, когда ты на костылях. Извини, если я задела твою гордость! — С этими словами она повернулась на каблуках и бросилась вон из кухни.

К своему удивлению, позади она услышала смех Джоша, а обернувшись, обнаружила у него на лице улыбку.

— Ты права, — признал он. — Хорошо, возьми, пожалуйста, в столовой поднос и отнеси в гостиную бутылку, бокал и немного скотча для меня.

Когда Марта несла поднос с напитками в гостиную, колени у нее дрожали, словно она только что пробежала длинную дистанцию.

Она поставила поднос на кофейный столик, села на темно-зеленый диван напротив и дрожащими руками налила себе вина. Джош отставил костыли в сторону и устроился в кресле напротив.

— Итак, Марта, — начал он, откидываясь в кресле и оглядывая ее сощуренными глазами, — что же привело тебя ко мне?

Марта не успела придумать достойного ответа и под влиянием момента сказала чистую правду.

— Мне было одиноко, — призналась она.

Джош казался олицетворением скептицизма, и Марта уже приготовилась услышать язвительное замечание. Она знала, что Джош — обычно добрый и внимательный — может быть безжалостно жестоким, особенно когда считает, что к нему испытывают жалость.

Однако, к большому ее удивлению, он ответил довольно мягко:

— Никогда бы не подумал.

Теперь настал ее черед защищаться.

— Почему ты так говоришь? — воскликнула она.

— Не знаю. — Он снова окинул ее внимательным взглядом, будто на ее лице надеялся найти ответ на свой вопрос. — Человека, который всегда в делах, всегда в движении, трудно представить одиноким.

Марта молчала.

— Я бы сказал, что у тебя просто нет времени для одиночества, — продолжал Джош. — Ты всегда куда-то бежишь, откуда-то возвращаешься, собираешься что-то делать или просто творишь очередной шедевр. Мне казалось, что в твоей жизни просто нет места одиночеству.

В голосе Джоша не слышалось осуждения. Он вовсе не хотел задеть Марту. Однако она чувствовала себя уязвленной.

— Может быть, ты ошибаешься, — сухо ответила она.

— В тебе?

— Да, во мне.

Голос Джоша звучал с обманчивой мягкостью:

— Так ты думаешь, я не прав?

— Ты видишь во мне какого-то... пляшущего дерви-ша, — с трудом ответила Марта.

Джош расхохотался.

— Дервиш в буквальном смысле слова — это мусуль-манский аскет, — сообщил он. — Если ты помнишь, дер-виши плясали и кружились на месте, чтобы достигнуть экстаза.

— И ты полагаешь, я делаю то же самое? — Марте становилось все больнее.

Джош нахмурился, затем сказал мягко:

— Марта, не принимай мою болтовню всерьез. Ты так на меня смотришь, словно я тебя ударил.

Губы Марты дрогнули, на глаза навернулись слезы.

— Я, наверно, должна поблагодарить тебя за точное определение, — с трудом ответила она.

— Послушай, — воскликнул Джош, — я же просто шучу! Милая...

Милая... Как давно Джош не называл ее этим ласко-вым именем! К горлу снова подступили слезы. «Что со мной? — сердито подумала Марта. — Я превратилась в прохудившийся водопроводный кран!»

— Не верю, — произнес Джош, не сводя с нее глаз.

Прежде чем она сообразила, что он собирается де-лать, Джош выудил из кармана халата аккуратно сложен-ный носовой платок и протянул ей.

— Не верю своим глазам! — повторил он. — И мне это не нравится. Марта, ты превратилась в комок нервов! Ты ощетиниваешься в ответ на каждое невинное замечание. Стоит кому-то высказать о тебе неверное мнение, и ты разражаешься слезами. Раньше ты не плакала из-за пус-тяков.

— Не беспокойся, — гордо выпрямляясь, отрезала Марта. — Я не собираюсь реветь.

— Не обманывай меня, — ответил Джош. — Я знаю, ты всегда тяжело работала, выкладывалась на каждом де-ле. Но в эти два года ты, кажется, решила уморить себя работой! Ты похудела, хотя вовсе в этом не нуждалась — об этом я уже говорил. Ты натянута как струна. Марта, мне это не нравится. Ты и сама знаешь, что хорошего в этом мало. Тебе надо расслабиться.

Марте хотелось посоветовать ему, чтобы сходил посмотрел на себя в зеркало. Вот у кого вид и впрямь измученный! И в эти их несколько встреч он отнюдь не был образцом непоколебимого спокойствия. Однако прежде, чем Марта успела выпалить все это, Джош отрывисто спросил:

— Когда вы с Тони Эшфордом собираетесь пожениться?

Марта окаменела. Она подчинилась своему порыву и приехала к Джошу отчасти и потому, что хотела покончить с ложью. Для всего остального мира, решила она, договор с Тони сохранит силу; но Джош сегодня узнает правду.

Может быть, узнав об этом, он выгонит ее за порог — ну и пусть! Он должен знать, что она не собирается замуж ни за Тони, ни за кого-либо еще!

Однако Марта молчала, сама не понимая почему. По-видимому, оттого, что вопрос Джоша прозвучал совершенно неожиданно.

Она хотела начать разговор о помолвке сама. Джош застиг ее врасплох: не может же Марта вдруг, без всяких объяснений, выпалить: «Мы вообще не собираемся жениться».

Прежде чем Марта успела ответить, Джош пробормотал:

— Честное слово, Марта, чем скорее ты услышишь свадебные колокола, тем лучше для тебя.

Марта изумленно уставилась на него. Неужели Джош хочет, чтобы она вышла за Тони?

— Тебе нужна спокойная, налаженная жизнь, — продолжал Джош. — Я знаю, что ты не собираешься бросать работу после свадьбы, но помнишь, что говорил Эшфорд в Вашингтоне? Что-то вроде того, что, выйдя за него замуж, ты выберешь местом работы Британские острова. И, Марта, он совершенно прав. Мне самому кажется, что ты несешься по жизни в погоне за чем-то, чего не знаешь и не осознаешь сама...

Марта села прямо и налила себе еще вина, чтобы прийти в себя после услышанной горькой правды. Она действительно носилась по свету в поисках чего-то, что сама не могла определить. Однако все ее метания в последние два года ни на шаг не приблизили ее к истинной цели — к Джошу. Ей нужен только он. Она хочет быть только с ним — здесь или в любом другом месте, неважно. Главное — навсегда.

Но Марта неслась по свету, пытаясь склеить то, что в более романтическом возрасте называется «разбитым сердцем». В этой гонке она встретила Тони Эшфорда, и тот своей любовью и вниманием залечил ее раны. Однако в тот вечер в Вашингтоне, когда неожиданно для себя Марта оказалась лицом к лицу с Джошем, старые раны открылись. Теперь Марта понимала, что никогда не остановится. И ни брак с Тони, ни переезд на Британские острова ей не помогут.

— Марта, — продолжал Джош, — ты получила от жизни то, что хотела, и теперь должна остановиться, иначе ты превратишься в развалину задолго до старости.

Джош поморщился и заворочался в кресле. Марта поняла, что у него болит нога, и сострадание охватило ее с такой силой, что она перестала слушать.

— Марта! — резко окликнул Джош, и она подняла глаза.

— Да, прости, — пробормотала она.

— Я хорошо тебя знаю и понимаю, что ты стараешься пропустить мои слова мимо ушей, — сказал Джош. — Однако я, как и Эшфорд, думаю о тебе и о твоем благополучии. Он проявляет больше терпения, чем проявил бы на его месте я. Будь я твоим женихом, черта с два отпустил бы тебя в Нью-Йорк, когда сам работаю в Лондоне!

— Тони прилетит на эти выходные, — рассеянно ответила Марта.

Брови Джоша взлетели вверх.

— Опять? Он же был здесь в прошлый уикенд.

— Да, мы ездили в горы.

— Он так и собирается летать через Атлантику, пока вы не поженитесь?

— Это не такое уж долгое путешествие, — заметила Марта. — Многие летают из Лондона в Калифорнию и даже об этом не задумываются.

— Ладно, неважно. Так, Марта, когда же вы поженитесь? Мне нужно знать, чтобы правильно распланировать работу. Честно говоря, мне следовало выяснить этот вопрос в первую очередь.

— Поверь, я тебя не подведу.

— Верю. Но ты прекрасно знаешь, что фотографу — даже такому великолепному, как ты, — часто приходится переделывать уже сделанное. Или же требуется доснять какой-то новый материал... Ты понимаешь, о чем я говорю.

— Если понадобится, я могу вернуться из Англии, — твердо ответила Марта. — Ты знаешь, Джош, для меня работа всегда стоит на первом месте.

— Я в этом и не сомневался, — ответил Джош. — Однако мне нужно знать дату твоей свадьбы. И, честно говоря, ради твоего спокойствия и счастья я готов даже передать пару сюжетов очерка кому-нибудь другому.

Марта вскочила и бросилась к окну, чтобы Джош не заметил слез у нее на глазах. «Ради твоего спокойствия и счастья... Тебе нужна спокойная, налаженная жизнь... Чем скорее ты услышишь звон свадебных колоколов, тем лучше...»

Неужели все это она слышит от Джоша?

Прокручивая в мозгу его слова, она все ясней понимала: Джош действительно спокойно относится к тому, что она выходит замуж и уезжает из страны.

Неужели любовь к ней — ведь когда-то же, черт побери, он любил ее! — оказалась для Джоша такой непосильной ношей? Неужели он настолько безразличен к ней, что останется равнодушен, увидев ее замужем за другим?

За окном шел снег. Зима в городе — и зима в ее сердце. Марта словно превратилась в ледяную статую. Даже слезы в глазах замерзли.

Она повернулась к Джошу и в первый раз в жизни сознательно солгала.

— Мы с Тони решили пожениться десятого июня, — сказала она.

Глава 10

— Марта, дорогая, — начал Тони, — у тебя усталый вид. — В голубых глазах его отражалась та же тревога, что и в голосе. — Боюсь, ты слишком много работаешь.

Они сидели в коктейль-баре у нее в отеле. Марта давно открыла, что коктейль-бар в отеле — лучшее место встреч для людей вроде нее, у которых нет дома.

— Марта... — мягко окликнул ее Тони.

— Да-да, — тряхнув головой, ответила Марта, пытаясь сосредоточиться на разговоре.

В последнее время ее уже тошнило от разговоров о том, как она похудела и какой усталой выглядит.

Особенно оттого, что об этом говорил Джош.

— Ты действительно так надрываешься на работе? — настаивал Тони.

Марта и вправду выкладывалась как только могла, но не собиралась сообщать об этом Тони. Она специально нагружала себя работой, чтобы не оставлять времени на размышления.

За эти дни она встретилась с тремя редакторами, отвергла два предложения и приняла третье, связанное с угольными шахтами, работа над которым позволит ей съездить в Пенсильванию к родителям. Собственно, на все время командировки она сможет остановиться у отца и братьев.

При мысли о семье тоска сжала ей сердце. Последний раз Марта приезжала домой год назад — на похороны. Этот серый мартовский день навсегда врезался ей в память. Как сейчас помнила она сеть морщин на растерянном лице отца и непривычно угрюмых братьев. На поминках ее братья в огромных количествах поглощали виски, однако спиртное не приносило им облегчения.

— Марта, ты не ответила на мой вопрос, — настаивал Тони. — Знаешь, у меня такое чувство, словно ты уплываешь от меня все дальше и дальше. Тебя что-то беспокоит. Что?

— Я думаю о заказе, который взяла сегодня. Он позволит мне навестить родных в Пенсильвании, — безжизненно ответила Марта.

— Ах да, — с облегчением вздохнул Тони. — Ты говорила мне, что тебе тяжело вспоминать о матери.

— Что касается остальной работы, — продолжала Марта, — я взяла заказ для журнала Джоша — об этом я тебе уже говорила. Вместе мы делаем только один сюжет, и я свою работу уже почти закончила.

Вчера они с Джошем провели у Грантов несколько часов. Марта сделала вдвое больше снимков, чем понадобится для статьи, так что работа была, в общем, закончена. На прощание Гранты пригласили их как-нибудь поужинать вместе. «Не хочется с вами прощаться», — признались старики.

Они с Джошем одновременно пробормотали что-то вроде: «Да, конечно, обязательно» — однако Марта не хуже Джоша понимала, что они никогда не примут этого приглашения. И никогда больше не будут работать вместе.

Ее план не сработал. Вчера по дороге в город Джош держался с ней холодно и отчужденно. Словно превратился в кусок льда с того самого момента, как она назвала ему вымышленную дату свадьбы. Но он ведь этого и хотел, разве нет? Хотел быть уверен, что она принадлежит другому мужчине.

Может быть, стоит превратить вымысел в реальность? Вчера, ворочаясь в постели без сна, Марта всерьез размышляла о том, чтобы выйти замуж за Тони. Сейчас замужество казалось ей тихой пристанью после долгой, изнурительной бури. Им с Тони будет хорошо вместе. Едва ли она испытает какое-то особое счастье, но кто в наши дни гонится за счастьем? И потом, она действительно любит Тони.

«На свете бывает разная любовь», — устало говорила себе Марта. Как она любит Тони? Как брата? Нет, ее чувство к Тони не похоже на родственную любовь к родным братьям. Как отца? Нет, она никогда не видела в Тони старшего, умудренного опытом мужчину. Может быть, как дядю или двоюродного брата... Или как друга.

На этой мысли Марта погрузилась в сон без сновидений.

Утром, выпив заказанную в номер чашечку кофе, Марта вновь задумалась о браке с Тони. Брак навсегда отрежет ее от Джоша. Марта никогда не нарушит клятву верности, данную перед алтарем. Скорее всего после свадьбы она никогда больше не вернется в Нью-Йорк. И будет молить бога, чтобы он избавил ее от случайной встречи с Джошем в любом другом месте.

Однако, допив вторую чашку кофе, Марта поняла, что и думать об этом не стоит. Что за идиотизм — выходить замуж за Тони, чтобы убежать от любимого! И только беспринципная женщина способна на такой низкий поступок. Марта такой не была.

— Ты снова куда-то уходишь, — послышался голос Тони.

Марта нахмурила брови.

— Что?

— Марта, я не умею читать чужие мысли. Тебя что-то беспокоит? Поделись своими тревогами со мной.

— Хорошо, — решилась Марта. Она должна быть с ним откровенной! — Я сделала глупость.

Тони вопросительно взглянул на нее.

— Вот как? Какую же, дорогая?

— Я сказала Джошу Смиту, что мы поженимся десятого июня.

Если бы Марта могла предугадать реакцию Тони, она прикусила бы себе язык. Тони просиял, словно ребенок, получивший подарок от Санта-Клауса, и воскликнул:

— Дорогая... я никак этого не ожидал!

— Тони, Тони, — вскрикнула Марта, — это же вымышленная дата!

— Почему вымышленная? По-моему, десятое июня — прекрасная дата и вполне реальная.

— Тони, я не могу выйти за тебя замуж. Ни десятого июня, ни в любой другой день. — Выпалив эти слова, Марта тут же пожалела о них, но было уже поздно.

Радость моментально сошла с лица Тони, черты его стали жесткими.

— Я не люблю играть словами, — с сильным британским акцентом произнес он, — и твоя шутка мне не нравится.

— Я не шучу и ни во что не играю, — устало ответила Марта. — Мы уже говорили об этом в Лондоне. Ты знал...

— Что ты убедила себя, что сгораешь от любви к Джошуа Смиту? — закончил за нее Тони. — Да. И из-за этого ты хотела разорвать помолвку. Но ты согласилась — я понимаю, в основном ради меня, чтобы не возбуждать толков и пересудов, согласилась носить мое кольцо и притворяться, что мы помолвлены...

— Да. И это была ошибка.

— Может быть, — согласился Тони. — По правде сказать, не знаю, стоило ли заключать такой договор. Но вот ты встретилась со Смитом, начала с ним работать, и, сказать по правде, никогда еще я не видел тебя столь измочаленной и удрученной. И это подтверждает мое предположение...

— Какое предположение, Тони? — удивилась Марта.

Тони помялся.

— Хорошо, — решился он наконец. — Я думаю, что твои чувства к Смиту — скорей увлечение, чем любовь. Плюс, конечно, сильное сексуальное влечение. И сострадание. Смит красив, обаятелен, а хромота придает ему байроновский романтический ореол. Легко представить, что он делает с чувствительными женскими сердцами! Грина Катальдо страдает от тех же чувств. Как и ты, она мечтает восполнить все, чего ему недостает в жизни. Воображает себя этакой Флоренс Найтингейл, которая своей любовью и преданностью разгладит морщины на его теле и вернет ему радость и любовь к жизни.

Наступило молчание.

— Ты кончил? — холодно спросила Марта.

Тони побагровел и закрыл лицо руками.

— Марта, прости меня! — воскликнул он. — Я сам не знаю, что говорю. Если честно, я ревную. Да, я чертовски ревную тебя к Смиту — с того вечера у Фармингтонов! Я ведь говорил тебе в тот вечер: я всегда предчувствовал, что в твоей жизни есть какая-то незаконченная любовная история. Представь же, что со мной сделалось, когда я столкнулся лицом к лицу с соперником и увидел, как ты не можешь оторвать от него глаз!

Марта хотела заговорить, но Тони жестом остановил ее.

— Однако, — продолжал он, — я не слепой и вижу, что сейчас ты глубоко несчастна. А я могу сделать тебя счастливой — если ты дашь мне шанс. Да, ты не чувствуешь ко мне такой же страсти, как к Смиту. Может быть, никогда и не почувствуешь. Но я знаю, что я тебе небезразличен. А интерес и симпатия со временем могут перерасти в любовь. Марта... ты сама назначила день десятого июня.

Гнев, охвативший Марту при предыдущих словах Тони, прошел: она была глубоко тронута его речью. Однако она решительно покачала головой:

— Я не могу, Тони, — с сожалением ответила она. — Поверь, я хотела бы согласиться — ты не представляешь, как бы я хотела! Мало того: если тебя это интересует, сам Джош хочет, чтобы я вышла замуж как можно быстрее.

— Что?!

— Ты слышал, что я сказала. Он считает, что мне нужна спокойная и налаженная жизнь. Думает, что лучше всего для меня поскорее выйти замуж и осесть в Англии.

— Тебе не приходило в голову, что он прав? — спросил Тони, поднимая на нее взгляд.

— Он не прав, — грустно ответила Марта. — Мне приходило в голову, что остаток жизни мне придется провести в одиночестве. И это мне совсем не нравится. Но, Тони, я хочу выйти замуж только за одного мужчину — за того, который ни за что на мне не женится.

Марта откинулась на спинку стула, почувствовав, что ее покидают последние силы.

— Вот так, — сказала она. — А теперь хочу попросить тебя об одном одолжении. Только не удивляйся.

— Ты знаешь, я готов сделать все, что в моих силах.

— Ты, наверно, сильно удивишься, но я хочу еще немного поносить твое кольцо.

Тони изумленно уставился на нее.

— Извини, я не очень понимаю... — заговорил он наконец.

— Неудивительно, — прервала его Марта. — Но, видишь ли... речь идет о моей гордости. Помнишь, ты в

ондоне, убеждая меня не разрывать помолвку, говорил,
о это связано прежде всего с твоей гордостью?

— Это верно, — согласился Тони, — но только отчас-
. Честно говоря, я лукавил с тобой. Ты знаешь, я наде-
ся, что твое воскресшее чувство к Смиту окажется...
еходящим. Ты поймешь, что со мной тебя связыва-
 гораздо больше, чем с ним. И... и не захочешь возвра-
ать мне кольцо. Но, — тихо закончил он, — я ошибался,
рно?

— Да, — кивнула Марта.

— Я буду только рад, если ты проносишь мое кольцо
ть до конца жизни, — заметил Тони. — Просто не по-
маю зачем.

— Чтобы спасти мою гордость, — ответила Марта. —
аша с Джошем совместная работа закончена, однако на
е остается еще пять сюжетов для статьи. Я буду рабо-
ть с другими журналистами, но мы с Джошем, несо-
енно, будем встречаться на совещаниях. Тони, я хочу,
обы кольцо было на моей руке. Джош наблюдателен.
ли он заметит, что кольца нет... я не хочу объясняться с
м на эту тему. Не хочу, чтобы он знал правду.

— Да, — угрюмо ответил Тони. — Понимаю.

— Когда работа будет закончена, я прилечу в Лондон,
ы расторгнем нашу помолвку по взаимному согласию.
одумаем, как это сделать, чтобы избежать пересудов.
.. это звучит невероятно пошло, но... Тони, я хочу,
обы мы остались друзьями.

— Я могу только повторить твои слова, — мягко отве-
л Тони. — А что касается Джоша Смита... прости,
рта, но сейчас мне очень хочется свернуть ему шею.

— Это тоже звучит довольно пошло, — слабо улыбну-
сь Марта. — Не держи зла на Джоша, Тони. Порой мне
жется, что он сам — злейший враг самому себе.

В следующий вторник Марта и доктор Баскин завтра-
и вместе в больничной столовой.

С утра Марта присутствовала при операции и видела,
 доктор дарил надежду молодой женщине, пострадав-
й в автомобильной катастрофе год назад. До сих пор

женщина передвигалась в кресле-коляске, но были все основания надеяться, что после операции она вновь сможет ходить.

— И вы еще говорите, что вы не чудотворец! — улыбнулась Марта, сжимая в руке стакан с холодным апельсиновым соком.

— Вовсе нет, — с улыбкой заверил ее доктор Баскин. — Сегодняшняя операция была довольно сложна, но это пустяк по сравнению с тем, что мне иногда приходится делать!

— М-м-м... — промычала Марта, думая о Джоше.

Доктор уже говорил ей, что устранить последствия старой травмы очень трудно — если вообще возможно. Однако...

— Джеральд, — начала она, — я рассказывала вам о своем друге, который... пострадал в авиакатастрофе двенадцать лет назад.

— Да, — кивнул доктор.

— Если я уговорю его прийти к вам, вы сможете его принять?

— Конечно, Марта, я его приму, — ответил Джеральд. — Но... я ведь уже говорил вам, какие могут возникнуть сложности.

— Знаю. Но я не хочу отказываться даже от малейшего шанса.

— Тогда назовите его имя, и я предупрежу секретаршу, чтобы та нашла для него место в моем расписании. Обычно приемы пациентов расписаны на много недель вперед.

— Еще бы!.. Его зовут Джошуа Смит. Он редактор «Американского стиля жизни» — может быть, вы знаете этот журнал.

— Последний номер лежит сейчас на столе у меня в кабинете. Но, Марта... чтобы освежить мою память, расскажите мне о той катастрофе еще раз.

Марта еще раз повторила Джеральду Баскину все, что знала о катастрофе. Закончив рассказ, она поняла, что знает очень немного, да и это узнала только от Дженнифер.

— Беда в том, что Джош страшно упрям, — закончила

..а. — Если я попрошу его позвонить вам и назначить
..тречу, боюсь, он просто откажется. Мне кажется, он
..лжен познакомиться с вами в неофициальной обста-
..овке.

— Где-нибудь в гостях?

— Например. Но я остановилась в отеле и не могу
..иглашать к себе гостей.

Джеральд улыбнулся.

— А у меня — только холостяцкая комнатка в Виллид-
..е и хибара за городом, — признался он.

— Значит, нам нужна случайная встреча.

Хирург улыбнулся еще шире.

— Нужно организовать случайную встречу?

— Вот именно.

— Знаете, сегодня вечером я как раз собирался по-
..жинать в новом ресторане на Восточной 62-й. Называ-
..ся «Лез Ами». Я пойду туда с Джин Латимер. Она фото-
..дель, возможно, вы видели ее в журналах или по теле-
..зору. Если вы пригласите своего друга Джоша туда
..ужинать...

— Постараюсь, — пообещала Марта. — Но это может
..казаться нелегко. Я не хочу возбуждать у Джоша подо-
..рения.

— Я заказал столик на четыре, — продолжал Джер-
..и. — Но я изменю заказ, и мы придем в семь. Вы с ва-
..им другом можете подойти к половине восьмого. Я объ-
..сню, что приглашал с собой еще одну пару — например,
..рача и его жену, — но они в последний момент не смог-
..и. И попрошу вас разделить с нами компанию. — Он
..асплылся в плутоватой мальчишеской улыбке. — Судя
..о тому, что я услышал от вас о Джоше Смите, вам лучше
..казать «да». И побыстрее.

Джош только что закончил диктовать деловые пись-
..а, когда секретарша сообщила ему, что на проводе
..арта Бреннан.

Джош не сразу поднес трубку к уху. Несколько мгно-
..ений он держал ее в руках, крепко сжимая гладкую
..ластмассовую поверхность. С каждым днем ему стано-

вилось все труднее общаться с Мартой, и даже разговор по телефону превращался в пытку. Все самообладание, вся сила воли требовались Джошу, чтобы не закричать в трубку, что он любит ее и не может без нее жить! «Если постоянная борьба с собой может свести человека с ума, — мрачно подумал Джош, — то я уже на пути к безумию».

— Здравствуй, Марта, — начал он, постаравшись придать голосу такое выражение, как будто она оторвала его от важного дела. — Извини, я еще не успел просмотреть снимки Грантов... — быстро добавил он, дабы усилить это впечатление.

— А я их еще и не отдала, — ответила Марта.

Джош совершил ошибку. Он должен был помнить, что Марта всегда сама проявляет и «доводит до ума» свои фотографии. У нее своя великолепно оборудованная фотолаборатория в том же здании, что и редакция журнала, хотя и на другом этаже. Сердце Джоша екнуло при мысли, что Марта была здесь, в этом доме, и он мог бы столкнуться с ней в лифте... Однако этого не случилось, и снимки еще не легли на его стол.

— Над снимками Грантов я хочу поработать завтра, — объяснила Марта. — Но сейчас я звоню не за этим.

— Зачем же?

— Джош...

В голосе Марты Джош почувствовал нерешительность. Это озадачило и насторожило его. Он никогда не знал, чего ждать от Марты в следующий миг.

— Я хотела узнать, — сказала она наконец, — не занят ли ты сегодня вечером?

Джош предположил, что Марта хочет просмотреть вместе с ним свои заготовки. Против этого он ничего не имел — при одном условии: они встретятся в редакции. Джош чувствовал, что еще одного свидания у себя дома не выдержит.

Поэтому следующая реплика Марты прозвучала для него совершенно неожиданно:

— Не хочешь ли ты поужинать со мной в новом ресторане на Восточной 62-й? Называется «Лез Ами». Ты о нем слышал?

— Слышал, — ответил Джош.

— Его очень хвалят, но я не хочу идти туда одна, — объяснила Марта.

Неужели у нее нет других друзей в Нью-Йорке? Джош едва прямо не спросил об этом, но понял, что знает ответ. У Марты были друзья повсюду. Стоит ей захотеть — и в Нью-Йорке найдется дюжина мужчин, готовых вести ее куда угодно.

— Давай встретимся там, — продолжала Марта, — в половине восьмого. Тебе так удобно?

Джош почувствовал, что ловушка захлопнулась. Нельзя же, в самом деле, сказать ей прямо, что он не хочет идти с ней ни в «Лез Ами», ни куда-либо еще...

Тем более что это будет вранье чистой воды.

Джош очень хотел увидеть Марту. Прямо сейчас. И не только увидеть...

Он зажмурился и спросил себя, надолго ли его еще хватит. Ничего, сказал он себе, терпеть осталось недолго. Джош уже окончательно решил, что десятого июня уедет из города. Запрется на ключ в каком-нибудь захолустном отеле и напьется.

Однако он не кривил душой, советуя Марте поскорей выйти замуж. От общих знакомых Джош немало слышал об Эшфорде. И все говорили о нем только хорошее, а в двух распавшихся браках винили исключительно его жен. По общему мнению, Тони Эшфорд был человеком безусловно хорошим и достойным во всех отношениях. Кроме того, ходили слухи, что он без ума от Марты.

— Джош! Ты слушаешь? — окликнула его Марта, и Джош отбросил ранящие сердце мысли.

— Да, — ответил он. — Извини, что ты сказала?

— Я спросила, согласен ли ты встретиться со мной в «Лез Ами» в половине восьмого?

— Конечно, — ответил Джош так беззаботно, как только мог. Его не оставляла тревога. Во что он ввязывается? Джош знал Марту не первый день и догадывался, что она хочет не просто сходить с ним в новый французский ресторан. Нет, у нее на уме что-то другое...

До сих пор Марта не связывала «Лез Ами» с известным отелем «Челфонт». Однако теперь она узнала, что этот отель превратил две обеденные комнаты и коктейль-бар в изящный, великолепно обставленный ресторан — в ночной клуб.

Столики стояли рядами; на каждом — лампа в виде розового бутона. Посреди располагалась танцплощадка — достаточно большая, чтобы устраивать на ней целые представления. Звучала тихая музыка, и несколько пар уже кружились в танце, когда Марта шла к зарезервированному Джошем столику.

Джош уже сидел за столиком. Однако не успела Марта подойти к нему, как услышала знакомый голос:

— Марта! Вот это встреча! Как поживаете?

Марта обернулась и увидела широкую улыбку Джеральда Баскина.

— Марта, это Джин Латимер, — представил он свою спутницу, чье хорошенькое личико Марта не раз видела на обложках журналов и в телевизионной рекламе.

Джош сидел от них за несколько столиков. Украдкой взглянув на него, Марта заметила, что он внимательно наблюдает за встречей друзей.

— Мы должны были ужинать вместе с моим коллегой и его женой, — продолжал Джеральд, — но его в последнюю минуту вызвали в больницу. Может быть, вы с вашим спутником составите нам компанию?

Доктор Баскин сильно «переигрывал». «Хирург он замечательный, — подумала Марта, — а вот актер никудышный».

Она поспешно подошла к Джошу и сказала, надеясь, что все покажется ему естественным:

— Джош, я встретила здесь друзей, которые приглашают нас к себе за столик. Не возражаешь?

— Пожалуйста, — равнодушно ответил Джош.

Он встал, опираясь на трость, и пошел к столику. Джеральд по-прежнему широко улыбался, но Марта не сомневалась, что он оценивает хромоту Джоша наметанным глазом профессионала.

У столика появился метрдотель. Джеральд объяснил ему, что произошло, и Джош с Мартой заказали вино.

Марта представила Джоша, упомянув о том, что он — редактор «Американского стиля жизни». Джош и Джин Латимер, кажется, уже встречались: по крайней мере она несколько раз позировала для журнала.

— Ваше имя, Марта, — заметила Джин, — мне знакомо, как и ваши работы. Осталось объяснить, чем занимается Джеральд. Он — хирург-ортопед с мировым именем!

— Осторожно, ты меня захвалишь! — улыбнулся доктор Баскин.

Марта заметила, как напрягся Джош, и отвернулась, чтобы не выдать себя выражением лица.

На столе появились закуски — одна другой аппетитней. Марта взяла треугольный бутерброд с икрой. Она слышала, как Джеральд расспрашивает ее спутника о журнале, и надеялась, что этим он отвлечет внимание Джоша от своей собственной работы.

Но тут, сияя профессионально-белозубой улыбкой, в разговор совсем некстати встряла Джин:

— Марта, Джеральд рассказал мне, как вы вчера были у него в больнице и фотографировали операцию. Как бы я ни любила Джеральда, — эти слова она прощебетала все тем же легкомысленным тоном, — а смотреть на операцию, наверно, не смогу! Это не для меня. Мне станет плохо при одном виде скальпеля!

Марта почувствовала, что Джош сверлит ее глазами, и по коже у нее побежали мурашки. Он наверняка подозревает их с Джеральдом в заговоре!

— Это было очень интересно, Джин, — ответила она так спокойно, как только могла. — Я, знаете ли, человек закаленный, и плановая операция в хорошо оборудованной клинике не сможет вывести меня из строя.

— Марта не раз работала в эпицентрах гражданских войн и стихийных бедствий, — заметил Джош. В его любезном голосе Марте послышалось что-то недоброе.

«Обо всем догадался, черт бы его побрал!» — в отчаянии подумала Марта.

За столом продолжалась светская беседа, но Марта улавливала двойной смысл в каждом слове Джоша. Она испытала истинное облегчение, когда Джеральд спросил:

— Не хотите потанцевать?

— С удовольствием, — ответила она и поспешно спустилась по ступеням на танцплощадку.

Джеральд оказался отличным танцором, и в другое время Марта получила бы истинное наслаждение, но сейчас ее мысли были далеки от музыки и танца.

Однако, когда ее партнер вдруг заговорил, она чуть не вздрогнула от неожиданности.

— У меня разыгралось воображение, — тихо спросил он, — или в нашей беседе действительно встречались подводные камни? — И он указал на Джоша еле заметным кивком головы.

— Боюсь, это не воображение, — ответила Марта. — Джош очень наблюдателен и чертовски хорошо соображает. Могу держать пари, он догадался, что мы с вами сговорились. И он в ярости. С виду Джош спокоен и холоден, но внутри это настоящий вулкан.

— Но почему он приходит в ярость из-за того, что вы хотите ему помочь?

— Он не хочет, чтобы я лезла в его *личные дела*, — призналась Марта, — а эта чертова нога — его самое *личное дело!* — Она вздохнула: — Простите, Джеральд, я не хотела подставлять вас под удар.

Секундой спустя она все-таки решилась спросить:

— Джеральд, ну и что вы о нем скажете?

— О Джоше Смите? Потрясающий парень, несмотря на хромоту, — ответил Джерри.

— Я имею в виду... физически, — уточнила Марта.

— Марта, я увидел только, как он прошел несколько футов и сел, — ответил доктор Баскин. — Я не ставлю диагнозы с первого взгляда!

— Но вы очень внимательно за ним наблюдали.

— Да. И, судя по тому, что мне удалось разглядеть, могу сказать, что он неплохо приспособился к своему увечью. Он научился эффективно компенсировать хромоту тростью. По всей видимости, немало времени провел в тренировочном зале и занимался с хорошими реабилитологами. По тому, как он обращается с тростью, любой — точнее, любой профессионал, — может сказать, что травма давняя. Больше я пока ничего сказать не могу.

Мне нужны история болезни, рентгеновские снимки и щательный осмотр.

Несколько минут они кружились молча. Наконец Джеральд тихо сказал:

— Марта, мне очень жаль, что я не умею предсказывать будущее..

— Не надо, Джеральд. Я понимаю, что жду чуда, а вы не раз говорили мне, что вы не чудотворец. Однако, если не удастся убедить Джоша прийти к вам, может быть...

Марта грустно покачала головой и замолчала, всецело отдавшись музыке и танцу.

Глава 11

Все душевные силы понадобились Джошу, чтобы не смотреть на танцплощадку и поддерживать беседу с Джин Латимер. Фотомодель была не только очаровательна, но и умна: в другое время Джош бы получил от разговора с ней большое удовольствие. Но сейчас он с трудом отвечал даже на самые простые вопросы.

Что означает эта «случайная» встреча? — думал он. Теперь у Джоша уже не оставалось сомнений, что Марта спланировала эту встречу заранее, и он догадывался — зачем. Ярость и отчаяние бушевали в его груди. Он всегда знал, что Марта не принимает его таким, как есть! Или, может быть, за время разлуки она превратилась в этакую записную благотворительницу — из тех, которым все равно, кого спасать: людей или вымирающих морских свинок?

Джин, извинившись, исчезла в дамской комнате. Джош одним глотком допил свой скотч и попросил проходящего мимо официанта принести еще, хотя понимал, что спиртное вряд ли поможет.

Несколько недель назад Джош мог поклясться, что чувство ревности ему совершенно несвойственно. Сейчас же выдерживал схватку уже со вторым Болотным Чудовищем. Он уже не думал о том, зачем Марта устроила встречу с этим эскулапом. Главное, что они танцуют вместе —

и танцуют прекрасно. Джош не мог оторвать от них глаз Каждое движение танцующей пары причиняло ему невыносимую боль.

Наконец он отвернулся и начал разглядывать все, что попадалось на глаза: великолепные росписи на стенах официантов, бесшумно скользящих между столиками...

Появилась Джин и озарила его ослепительной улыбкой. Сосредоточив на ней внимание, Джош отметил, как хороша эта женщина. Медно-рыжие волосы, огромные зеленые глаза, стройная фигурка, тонкое чувство юмора.. Ну почему Джош не мог влюбиться в кого-нибудь вроде Джин? Насколько проще тогда стала бы его жизнь!

Наконец музыка смолкла. Доктор Баскин и Марта вернулись к столу. Официант принес меню. Все четверо внимательно изучили его и сделали заказы.

Снова зазвучала музыка, и теперь Джеральд пригласил на танец Джин. «Он немного запоздал, — язвительно подумал Джош. — Хорошие манеры обязывают приглашать свою даму на первый и последний танец».

Впрочем, какое ему до этого дело? Джош мрачно уставился на скатерть, но тут же упрекнул себя за малодушие. Что он больше всего ненавидел — это жалость к себе.

— Джош! — нервно пробормотала Марта.

— Да?

— О чем ты думаешь? — спросила она.

— Хочешь знать, о чем я думаю? — Он выбрал тактику, хотя и не был уверен в правильности своего выбора. — О тебе. И не могу тебя понять.

— Что ты имеешь в виду?

— Ты собираешься замуж за Тони Эшфорда, а сама вьешься вокруг этого доктора, словно мотылек вокруг свечи.

Глаза Марты сузились.

— Я что-то не очень тебя понимаю. Позволь спросить еще раз, что ты имеешь в виду?

— В старые добрые времена это называлось флиртом. Баскин здесь с дамой, однако ты идешь с ним танцевать и...

— Судя по всему, ты не тот журнал редактируешь, Джош, — прервала Марта.

— Вот как?

— Именно так. Тебе нужно заниматься научной фантастикой. У тебя слишком живое воображение. Я протанцевала с Джеральдом один танец, только и всего.

— Когда ты с ним познакомилась?

— На прошлой неделе, — рассеянно ответила Марта.

— Быстро работаешь!

Глаза Марты гневно сверкнули.

— Хватит, Джош! Ты переходишь все границы! Во-первых, как ты справедливо заметил, доктор Баскин здесь с подругой! Во-вторых, хотя он и очень приятный человек, я его еще даже не знаю...

— Особенно мне нравится слово «еще», — пробормотал Джош.

— Заткнись! — прошипела Марта. — Если хочешь знать, Джеральд согласился со мной встретиться только ради тебя! — выпалила она.

Джош дернулся, как будто его ударило током, хотя он догадывался, зачем все это подстроено.

— О черт! — простонала она, закрывая лицо руками. Вид у нее был такой несчастный, что Джош на миг почувствовал жалость.

Но только на миг.

— Мне очень хотелось бы узнать, что все это значит, — произнес он.

— Джош, я делаю репортаж о работе доктора Баскина. Я говорила тебе об этом. Наверняка говорила...

— Это сейчас неважно, — холодно прервал ее Джош. — Ты наверняка не говорила, какое отношение он имеет ко мне. Так объясни, будь добра.

— Джош... Доктор Баскин уже стольким помог!

— Очень рад за него, — отрезал Джош. — Но я-то тут при чем?

— Я думала...

— Продолжай, Марта, не стесняйся!

— Я подумала, что, может быть, он сможет... помочь тебе. Я хотела, чтобы вы познакомились друг с другом. Я понимала, что ты ни за что не пойдешь сразу к нему на прием, что тебе нужен какой-то толчок...

Джош бесстрастно следил за ее мучениями.

— Какой из тебя психолог, а? — заметил он.

— Я не старалась быть психологом, Джош, я...

— Ты решила показать меня своему другу в надежде, что он сможет снова сделать из меня человека, — закончил Джош. Каждое его слово резало по сердцу, словно осколок льда.

Марта вздрогнула.

— Я сделала ошибку, — прошептала она. — Я все испортила.

— Совершенно верно, — согласился Джош.

— Благодарю за подтверждение, — усмехнулась Марта. Однако на лице ее читалась такая боль, что сердце Джоша содрогнулось от жалости. Ему казалось, что какая-то сила рвет его душу на части.

Больно было сознавать, что его подозрения подтвердились. Больно было знать, что Марта не хочет видеть рядом с собой калеку. Больно подозревать Джеральда Баскина... знать правду о Тони Эшфорде... и больнее всего понимать, что Марте нет места рядом с ним.

Джош напомнил себе, что это для него не новость. Еще два года назад он пришел к убеждению, что у их с Мартой отношений, какая бы страсть ни пылала между ними, нет будущего. Однако, несмотря на доводы рассудка и опыта, Джош не мог поверить в происшедшее. Но это правда: Марта решилась на хитрость, «случайно» столкнула его с хирургом, за которым прочно закрепилась слава чудотворца, потому что не принимает Джоша таким, как он есть.

Но с другой стороны... он ведь никогда не рассказывал Марте ни об аварии, ни о том, что последовало за ней. Марта не знает, что травма заставила его пересмотреть свою новую жизнь и найти в ней рядом с минусами и немало плюсов.

Своими переживаниями Джош не делился ни с кем — даже с Дженнифер... хотя догадывался, что его любимая сестра умеет читать между строк и, возможно, знает о нем даже больше, чем он сам. Однако говорить о своих чувствах Джош не мог даже двенадцать лет спустя. Но сейчас он жалел, что был так скрытен с Мартой. Он должен был рассказать ей о себе.

Впрочем, Джош думал не только об этом. В голове у него мелькала безумная мысль. В первый раз за эти два года ему подумалось, что он может во многом ошибаться...

Марта и Джеральд Баскин танцевали еще несколько танцев. Во время танца Марта рассказала Джеральду о своем невольном признании.

— Он меня поймал, — уныло сказала она. — Следовало знать, что Джоша обманывать бесполезно!

— Мне он понравился, — заметил Джеральд. — И Джин такого же мнения о вашем друге.

— Он умеет нравиться женщинам, — мрачно ответила Марта. — Но сам он этого не замечает.

— Марта, мне не хотелось бы бередить ваши раны, но... он много для вас значит?

— Я не могу без него жить, — не колеблясь, ответила Марта.

— Вы носите его кольцо? — спросил Джерри.

— Э... нет, — поколебавшись, ответила Марта. — Я помолвлена... с Тони Эшфордом... он живет в Англии.

— У вас жених в Англии? — не скрывая удивления, повторил Джеральд. — Марта, вы сами-то понимаете, как странно это звучит?

— Да. Однако это правда. Джеральд, пожалуйста, не заставляйте меня все это объяснять!

— Не буду, хоть вы и раздразнили мое любопытство. Послушайте, Марта...

— Что?

— Постарайтесь уговорить Джоша прийти ко мне на прием. Я хочу посмотреть на него повнимательнее. Буду с вами честен. Как я уже говорил, обстоятельства против меня. Однако если есть хоть малейший шанс...

— Я сделаю все, что в моих силах, — твердо пообещала Марта. Хотя и знала, что ее сил может оказаться недостаточно.

Настала пора прощаться. Джеральд и Джин ушли первыми, Джош и Марта — вскоре за ними. Джош подозвал такси. Марта думала, что он уедет и предоставит ей возвращаться домой в одиночестве, однако Джош ее удивил. Он распахнул дверь и назвал водителю адрес ее отеля.

У дверей отеля он удивил ее еще сильнее — вошел с ней сперва в холл, затем в лифт.

— Какой этаж? — спросил он.

— Седьмой, — ответила Марта, испытывая недоумение. Ей казалось, что ее поступок должен вызвать у Джоша приступ ярости, а он как ни в чем не бывало провожает ее до номера.

Джош заговорил уже у нее в номере:

— У тебя есть что-нибудь выпить?

Марта покачала головой.

— Ничего, — призналась она. — Ни спиртного, ни безалкогольного.

— Что ты предпочитаешь?

— Если ты будешь делать заказ, закажи мне, пожалуйста, светлого пива.

— Хорошо, — отозвался Джош и заказал то же для себя.

Вскоре их заказ был выполнен. Как только они остались одни, Джош заговорил отрывисто, словно только что пришел к важному решению:

— Я хочу поговорить с тобой начистоту и расставить все точки над i. Хватит недомолвок и скрытности.

Марта не знала, что ответить. Подобного предложения она от Джоша никак не ожидала.

Присев на краешек кровати, Марта молча ждала, начнет ли он снова обвинять ее во флирте с Джеральдом Баскином или в чем-нибудь столь же смехотворном. Ею овладели самые разнообразные чувства — любопытство, раздражение, сострадание и невероятная нежность.

Джош сел в единственное в номере кресло и медленно произнес:

— Я начинаю понимать, что сегодня ты не имела в виду ничего дурного.

— И на том спасибо! — кивнула Марта. Господи, ну почему ей все время приходится защищаться?

— Послушай, Марта... мне трудно говорить об этом. Я никогда до сих пор об этом не говорил. Но, поверь мне, после катастрофы врачи сделали для меня все, что могли.

Джош не собирался так сразу брать быка за рога. Эти слова вырвались у него как-то помимо воли.

Он беспокойно заерзал в кресле.

— Поначалу все шло хуже некуда. Речь шла не о ноге, а вообще о спасении моей жизни. Я лежал в больнице... очень долго. И потом несколько лет таскался из одного реабилитационного центра в другой, — рассказывал он, мрачно уставившись в пол. — Как видишь, у меня было время подумать, — продолжал Джош. — Больше времени, чем у многих за всю жизнь. Много месяцев я лежал, уставившись в потолок, и думал. Доктора не скрывали от меня правду. Я скоро узнал, что моя травма неизлечима.

Марта, они делали все, что могли. И сам я делал все, что мог. Я послушно выполнял все их предписания... делал то, что, казалось, было мне не по силам. Короче говоря, мы сделали все, что могли, и мне еще очень повезло. Результаты могли быть гораздо хуже.

Джош замолчал и сделал большой глоток пива.

— И все это время — а времени прошло немало — я думал и задавал себе вопросы. Я спрашивал, почему это случилось именно со мной, чем я заслужил такое наказание. Мне казалось, что сама судьба против меня. А потом... не могу сказать, что в один прекрасный день я смирился со своим увечьем и перестал бороться. Нет, я просто сумел взглянуть на происшедшее как-то иначе. А что, если физическая полноценность — не самое важное в жизни? Ты понимаешь, о чем я говорю?

— Да, — прошептала Марта еле слышно.

— И я начал заниматься новыми, совершенно непривычными для себя вещами. Я изучал различные религиозные учения, философию, психологию — об этом ты, может быть, догадываешься. Я читал и занимался все время, свободное от тренировок и процедур... Я начал вести дневник...

— И где он теперь?

— Лежит на верхней полке книжного шкафа, — слабо

улыбнувшись, ответил Джош. — Я уже много лет в него не заглядывал. И не собираюсь. А потом...

— Что потом?

— Ну, в старших классах я писал статейки в школьную газету.— воображал себя будущим светилом журналистики. В десятом классе даже ее редактировал. Я понимал, что должен выбрать себе занятие, не требующее физической нагрузки и активного движения, — спокойно продолжал Джош, — и начал заниматься журналистикой и редакторским делом. Когда я наконец встал на ноги, первым делом отправился к старинному другу отца, заведующему издательством в Нью-Йорке. Он согласился просмотреть мои статьи и принял меня на работу. Через некоторое время мне стали поручать редактуру статей и книг — большую часть работы я делал на дому. Через некоторое время, после того как я отредактировал книгу по архитектуре, меня пригласили в «Американский стиль архитектуры»... Остальное ты знаешь.

Она внимательно слушала, не перебивая.

— Вот так, Марта, я приспособился к своей новой жизни, — закончил Джош. — Я хочу, чтобы ты об этом знала. Я приспособился целиком и полностью. Я доволен тем, что имею, и смело смотрю в будущее. Мне нравится моя жизнь. Вот почему я, хоть и благодарю тебя за заботу, очень прошу больше такой заботы не проявлять. И во мне говорит не упрямство или что-нибудь в том же роде, а обыкновенный здравый смысл.

Марта тщетно старалась отвести взгляд, но глаза ее были прикованы к Джошу. Никогда еще она не слышала от него такой длинной речи и никогда даже не ожидала услышать от него речь на такую тему.

Два года назад Марта решила бы, что Джош открыл ей дверь в свое сердце. Но жизнь научила ее осторожности.

— Джош, я не сражаюсь с ветряными мельницами, — осторожно заметила она. — Я просто видела, что доктор Баскин делает с пациентами. Что тебе стоит сходить к нему и пройти осмотр?

Джош покачал головой.

— Спасибо, но с меня уже хватит докторов.

— Джош, это было много лет назад.

— Неважно. Время от времени я захожу к врачу — для профилактики. Он говорит, что с моим сердцем я доживу по крайней мере до восьмидесяти. Все остальное тоже в полном порядке. А больше мне и не надо.

— Откуда ты знаешь, что может сделать Джеральд, если даже не хочешь с ним поговорить? — воскликнула Марта.

— Я проходил через это много раз, — ответил Джош.

— Но, Джош, это было давным-давно! Ты наверняка знаешь, что за последние двенадцать лет ортопедическая хирургия добилась колоссальных успехов!

— Я, знаешь ли, не слежу за успехами ортопедической хирургии, — холодно сообщил Джош. — Был бы очень рад и слова такого никогда не слышать.

— Джош, до чего же ты упрям!

Джош нахмурился.

— Марта, Баскин сказал тебе, что может избавить меня от трости? — прямо спросил он. — Он взглянул на меня пару раз и заверил тебя, что двумя взмахами своего волшебного скальпеля сделает меня олимпийским чемпионом?

— Господи, ты можешь хоть раз обойтись без иронии? — взорвалась Марта. — Разумеется, он ничего такого не говорил! Он хочет тебя увидеть, это все.

— Очень мило с его стороны, — пробормотал Джош.

— Послушай, Джош, — возразила Марта, — Джеральд ни в чем не виноват. Он согласился посмотреть тебя только потому, что я попросила об этом. Я говорю только...

— Я уже слышал все, что ты говоришь, — оборвал ее Джош. — И ни в чем не виню Джеральда. Я слишком хорошо знаю, что значит пасть жертвой твоего очарования.

— Ты? Жертвой моего очарования? — Марта саркастически рассмеялась: — Джош, по-моему, ты что-то путаешь.

— Едва ли, — бесстрастно заметил Джош и, помолчав, добавил: — Марта, меня не так легко одурачить. Я прекрасно знаю, что ты заинтересуешься мной лишь в одном случае: если я начну бегать, прыгать, танцевать, кататься на лыжах и мотаться как угорелый по всему миру, как это делаешь ты.

Марта застыла как вкопанная. Она всегда подозревала, в чем заключается проблема Джоша, но слышать подтверждение из его собственных уст было для нее слишком больно. Она вспомнила о часах и днях, проведенных вместе, — днях, которые сама считала квинтэссенцией любви и страсти. Ей казалось, она достаточно ясно показала Джошу глубину своего чувства. Однако, судя по его словам, он так ничего и не понял.

Джош встретился с ней взглядом, и саркастическая улыбка стерлась с его губ.

— Не надо, — хрипло пробормотал он. — Не смотри так... потерянно...

Он встал и шагнул ей навстречу. Губы Марты дрогнули; сердце билось так, словно готовилось выскочить из груди. Она потянулась к нему — и в его объятиях забыла обо всем.

Джош целовал ее в лоб, в глаза, в кончик носа, пока наконец не достиг губ, и Марта крепче прижалась к нему, страстно отвечая на поцелуй. Ей казалось, что кровь ее кипит и все тело охвачено огнем. Она извивалась в объятиях Джоша, а его руки гладили ее грудь, талию, бедра...

Мгновение назад они стояли посреди комнаты — и вдруг оказались на кровати. Джош потянул за «молнию» белого шерстяного платья, и Марта помогла ему закончить начатое. За платьем последовал лифчик. Джош жадно приник губами к одному соску, затем к другому и начал томительно-сладостную ласку, всегда сводившую Марту с ума.

Марта поняла, что настала ее очередь. Она медленно расстегнула на Джоше рубашку, покрывая поцелуями обнажавшуюся грудь и плечи. Наконец, освободившись от одежды, Джош снова лег рядом, и они начали упоительное исследование, лаская друг друга, дразня, возбуждая, возводя к вершинам наслаждения.

Марта забыла о себе: она растворилась в Джоше и с радостью уступила ему ведущую роль. Но он вел Марту так умело и нежно, что в их слиянии не было ни ведущего, ни подчиненного. Они вместе поднимались к вершинам страсти, пока все счастье мира не окутало их своим дыханием и двое не стали единым целым.

Они одновременно достигли высшей точки, и Марту наполнило удивительное умиротворение. Она положила голову ему на плечо и закрыла глаза, чувствуя на груди его сильную руку. Она слышала его глубокое ровное дыхание, чувствовала жар его сильного тела и думала о том, как беззаветно она его любит.

Вскоре она заснула безмятежным сном.

Когда Марта проснулась, Джоша рядом не было. Она поняла это, даже не открывая глаз. Едва проснувшись, она ощутила холод одиночества, и на глазах ее выступили слезы.

«Может быть, Джош в ванной?» — подумала Марта. Но его не было и там. Она растерянно оглянулась. Ни одежды, ни записки, ни хоть какого-нибудь знака. Никаких следов. Как будто этой ночи не было вовсе.

Марта приняла душ и заказала кофе в номер. Тупо уставившись в стену, она глотала обжигающий горький напиток. На сегодня у Марты было назначено немало дел, но она никак не могла сосредоточиться.

Покончив с кофе, Марта достала из сумочки блокнот и просмотрела записи. Сегодня с утра ей предстоит встреча с редактором, которому она обещала репортаж об угольных копях. Затем нужно позвонить отцу и предупредить, что на выходные она приедет домой.

Потом — обед с приятельницей, Гертрудой Сандерс, которую Марта знала со времен жизни в Сохо. Эта мысль напомнила ей о Сохо и о том, как Джош однажды ни с того ни с сего приревновал ее к Стену, товарищу по дому. Тогда это показалось Марте смешным...

Марта приказала себе забыть о Джоше и снова углубилась в блокнот. После обеда она идет в больницу к Джеральду Баскину — пациентка, прооперированная вчера, согласилась на интервью. Это интервью Марта собирается записать на магнитофон и отдать журналисту, который напишет текст для очерка.

— Вы уверены, что завтра она будет готова к беседе? — спросила Марта после операции.

— Конечно, — широко улыбнулся Джеральд. — Почему бы и нет? Мои пациенты быстро поправляются.

Но это воспоминание снова вернуло ее к Джошу и к его монологу прошлым вечером — монологу, который она назвала бы почти исповедью. Если бы она могла записать слова Джоша на магнитофон и послушать еще раз! Марта была уверена, что смогла бы немало прочесть между строк. Однако большая часть его речи твердо запечатлелась в ее памяти: Марта могла бы дословно цитировать его слова.

Если бы он только не закончил этим ужасным замечанием: «Я прекрасно знаю, что ты заинтересуешься мной лишь в одном случае: если я начну бегать и прыгать...» — Марта смогла бы продолжить разговор. И, возможно, перед ними открылись бы новые горизонты...

Если бы он этого не сказал, они не занялись бы любовью. Одно вытекает из другого.

Что же дальше?

Марта взглянула на часы — и обрадовалась, что ей надо спешить на встречу с редактором. Сейчас она не могла думать больше ни о чем.

В течение этого дня Марта трижды звонила в отель, спрашивая, не было ли для нее сообщений. Она была уверена, что Джош позвонит. Должен позвонить. Не может же он просто уйти и закрыть за собой дверь, как будто этой ночи не было!

Но Джош не звонил.

Отправляясь в больницу на интервью с пациенткой доктора Баскина, Марта чувствовала, что нервы ее взвинчены до предела.

По счастью, беседа с пациенткой ее немного отвлекла. Женщина в кокетливой розовой пижаме, с накрашенными губами и тщательно причесанными волосами была оживлена и разговорчива. Трудно поверить, что всего сутки назад эта женщина лежала на операционном столе!

Словоохотливая пациентка подробно рассказывала

Марте о своей травме и ее лечении. Все ее рассказы неизменно сводились к похвалам доктора Баскина. Автокатастрофа и последовавшие за ней месяцы страданий и томительной неопределенности теперь стали для этой женщины далеким прошлым.

Рассказ ее снова напомнил Марте о Джоше. Однако благодаря искусству Джеральда история этой женщины получила хороший конец. Она сможет свободно двигаться и путешествовать по всему миру...

Когда Марта вышла из палаты, к ней подошел Джеральд.

— Не хотите кофе? — предложил он.

— С удовольствием, — ответила Марта.

Он повел ее в кабиент, где уже кипела кофеварка. Разливая кофе по чашкам, Джеральд заметил:

— Я знаю, что потребляю слишком много кофеина, однако кофе меня подбадривает... особенно в это время дня.

— Меня тоже, — согласилась Марта. — Хотя, стоит мне выпить больше обычного, я начинаю нервничать.

— Мне кажется, — заметил Джеральд, — вчера вечером вы начинали нервничать всякий раз, как мы с Джин оставляли вас с Джошем вдвоем. И еще мне показалось, что, когда я танцевал с вами, он был от этого не в восторге.

— Он пылал праведным гневом, — саркастически ответила Марта и добавила: — Джерри, это долгая история.

— Связанная с кольцом на пальце?

— Да.

— И с Тони, с которым вы помолвлены?

— Да. Я знаю, это звучит совершенно безумно. Это и есть безумие. Я расскажу вам об этом... как-нибудь потом, — уклонилась она от ответа.

Джеральд улыбнулся:

— Вас понял, умолкаю.

— Спасибо. Я просто не готова говорить об этом сейчас.

— Тогда я задам другой вопрос, — предложил Джеральд. — Если ваша помолвка несерьезна и с Джошем Смитом вас ничто не связывает, может быть, поужинаете со мной, пока вы в городе?

— А Джин?

— Мы с ней просто друзья, — ответил Джеральд и снова улыбнулся: — Впрочем, это слово таит в себе бездну оттенков!

— Да, пожалуй. Джеральд, я с удовольствием поужинаю с вами. Если...

— Если я пообещаю оставаться для вас «просто другом»? — лукаво усмехнулся доктор Баскин.

Марта улыбнулась в ответ.

— Вот именно.

— Даю слово. Как насчет субботнего вечера?

— Отлично. В воскресенье я улетаю в Пенсильванию. Несколько дней меня не будет.

— Опять какой-нибудь фоторепортаж?

— Да, и, кроме того, я хочу навестить семью. Точнее, отца и братьев. Моя мать умерла.

— Марта, прошлым вечером Джош говорил Джин что-то о вашем возвращении в Лондон. Вы там живете?

— Жила последние два года.

— Еще он сказал, что в начале лета вы выйдете замуж. За того самого английского друга?

— Джеральд! — с осуждением посмотрела на него Марта. — Мне кажется, мы договорились...

— Знаю, знаю, — рассмеялся он. — Но, Марта, вы дразните мое любопытство.

— Честно говоря, — ответила Марта, — я действительно собираюсь в Лондон, но ненадолго. И не знаю, что будет дальше.

— Перед вами — целый мир, — с завистью заметил Джеральд Баскин.

Марта улыбнулась в ответ, но улыбка вышла слабой и тут же погасла.

Глава 12

Городок Эстертаун, штат Пенсильвания, располагался почти в центре квадрата площадью четыреста восемьдесят квадратных миль, где находились богатейшие в мире залежи антрацита.

Город стоял на углу в буквальном смысле слова. От угля шло его благосостояние, от угля же — и все его беды. Марте вспомнились слова отца: он рассказывал, что во времена его детства во всем городе не было ни одной семьи, где бы не погиб в шахте муж, брат или сын.

Сейчас шахтерское дело стало гораздо безопаснее, чем в те времена, когда семнадцатилетний Джереми Бреннан впервые пришел на работу в Белденовские шахты. Однако, несмотря на технический прогресс, опасность существовала, и время от времени происходили несчастья. Пятнадцать лет назад Бреннаны потеряли одного из шестерых мужчин в семье. Джо, старший из братьев Бреннанов, погиб под обвалом в двадцать три года; Марте тогда было семнадцать. Она очень любила брата и до сих пор не могла вспоминать о нем без глубокой душевной скорби.

Мысли о Джо и его гибели невольно потянули за собой мысли о матери. Мэри Бреннан так и не оправилась после смерти старшего сына. Из нее как будто ушла жизнь. Когда Марта была маленькой, эта веселая розовощекая женщина была настоящей душой большого дома. Но после смерти Джо она стала молчалива, замкнута и бледна, как привидение, — может быть, оттого, что почти не выходила из дому. Однажды она призналась Марте, что не может смотреть на возвышающиеся над городом башни шахт.

Погода в Эстертауне в этот раз была нисколько не лучше, чем в предыдущий ее приезд. На фоне грязно-серого неба четко вырисовывались обнаженные черные кроны деревьев. Река катила свои стальные воды по неизменному руслу.

В последний раз Марта летела сюда из Лондона. Братья Джим и Хенк встретили ее в аэропорту в Филадельфии и довезли до места на машине. Сегодня же ей пришлось нанять машину и отправиться в путь самой. Хотя холод стоял поистине зимний, на дорогах не было ни снега, ни льда, и Марта без всяких приключений добралась до Эстертауна.

На последних милях на Марту нахлынули воспоминания. В этом городе она провела детство и отсюда уехала сразу после окончания школы.

Марта была очень огорчена, когда ее братья Джим, Хенк и Том пошли по стопам отца и Джо и сразу после окончания школы устроились на шахту. Только Берт нарушил семейную традицию. На следующий день после выпускного вечера он записался в армию и вернулся домой, только получив сержантские погоны. И снова уехал. Это случилось около восьми лет назад, и с тех пор никто из семьи не видел Берта. Он присылал письма, изредка звонил, но не приехал даже на похороны матери. Сейчас его часть, кажется, размещалась где-то в Германии.

Проезжая по сумрачному городу, Марта вспоминала картины детства и юности и интерпретировала их с новой, профессиональной точки зрения. За прошедшие годы ее мастерство достигло высот, о которых она не могла даже мечтать: что ж удивительного в том, что многое теперь виделось ей по-другому?

Марта любила черно-белые снимки. Подобно многим фотографам, она полагала, что они требуют от автора больше искусства, чем цветные. Хотя редактор в Нью-Йорке просил ее сделать цветной фоторепортаж, сейчас Марта решила, что постарается склонить его к черно-белому варианту. Возможно, на ее решение повлиял пасмурный день, окрасивший город в серый цвет. Одинаковые серые домики. Закопченные вышки на горизонте. И блестящая жирная чернота антрацита.

Размышления о работе помогли ей одолеть последние несколько ярдов. Однако, когда Марта подъехала к дому — своему дому, — воспоминания о матери нахлынули на нее с новой силой. Марта не раз приезжала домой, но впервые мама не встречала ее на пороге...

Хенк Бреннан женился, обзавелся дочкой и домом в нескольких кварталах отсюда. Однако Том и Джим до сих пор жили вместе с отцом.

Джереми, сорок пять лет проработавший на Белденовских шахтах, вышел на пенсию только полгода назад, достигнув шестидесяти двух лет. На этом настоял врач предприятия, обнаруживший при профилактическом осмотре, что у Джереми пошаливает сердце — сам старик ни за что бы в этом не признался.

Оставшись без работы, отец взял на себя почти все домашнее хозяйство; однако, как вскоре увидела Марта, он так и не привык к «безделью».

— Я бы продержался еще как минимум года три! — говорил Джереми, когда они с дочерью сидели на кухне за завтраком. — И денег было бы больше...

Марта попыталась обратить разговор в шутку.

— Папа, да зачем тебе деньги? — ласково спросила она.

— Как это зачем? — бросился в бой Джереми. — Для чего, по-твоему, людям нужны деньги? Один дом сжирает уйму долларов!

Марта знала, что за дом, купленный в рассрочку, семья расплатилась много лет назад. Том и Джим зарабатывали достаточно, чтобы обеспечить безбедную жизнь и себе, и отцу. Джереми никогда не был мотом. В молодости ему приходилось считать каждый цент, и с того времени в нем навсегда сохранилась бережливость. Марта догадывалась, что отец просто скучает по шахте. «Нельзя ли, — подумала она, — найти ему какую-нибудь работу на полставки — разумеется, на поверхности? Тогда отец будет ближе к шахте, которая стала для него родней родного дома».

Марта решила спросить об этом Фреда Белдена, когда с ним встретится. С Фредом она училась в одном классе. Было время, когда они гуляли вместе, и младшие братья Марты дразнили их «женихом и невестой». Но Фред после школы уехал учиться, а Марта, крепко сжимая в руках камеру, подаренную родителями к окончанию школы, отправилась в Нью-Йорк. Она увлекалась фотографией с десяти лет, когда брат Джо подарил ей детский фотоаппарат «Броуни». Уезжая из дому, Марта твердо решила оставить свой след в фотографии, и это решение поддерживало ее в трудные минуты на пути к успеху.

Встреча с Фредом Белденом была назначена на два. К этому времени Джереми Бреннан познакомил дочь со всеми местными новостями. Фред взял управление на себя три года назад, после того, как его отец перенес инсульт.

— Фред перевернул вверх дном всю контору, — рассказывал Джереми. — Поставил стеклянные двери, компьютеры и всякое такое... Избаловался мальчишка в городе!

Эти слова вспомнились Марте, когда она входила в элегантный офис Белдена с толстым ковром на полу, мебелью светлого дерева и яркой абстрактной росписью на стенах.

Сам Фред, в сером пиджаке, белоснежной рубашке и красном с серебристыми полосами галстуке представлял собой типичного «яппи». Время обошлось с ним сурово: волосы сильно поредели, а лицо утратило юношеское очарование. «Впрочем, жизнь в Эстертауне и управление шахтами может сделать с человеком еще и не такое», — с сочувствием подумала Марта, вглядываясь в его лицо.

Покончив с приветствиями и общими воспоминаниями, они поговорили об одноклассниках, и Фред рассказал Марте немало интересного об общих знакомых, живущих в городе, — Марта приступила к главной цели своего визита.

— Фред, для репортажа мне необходимо спуститься в шахту, — сказала она.

— Это невозможно, — с виноватой улыбкой ответил Фред.

— Почему?

Он рассмеялся.

— Ты всегда и во всем старалась докопаться до сути! Хорошо, объясню. Несмотря на последние технические новшества — и, должен заметить, здесь шахты Белденов на высоте, — спускать вниз посторонних, когда в шахте идет работа, слишком опасно.

Марта нахмурилась.

— Фред, я бы не назвала себя посторонней. Мужчины из моей семьи много лет работали на ваших шахтах. На вашей шахте погиб мой брат Джо...

Фред нахмурился, но ответил твердо:

— Знаю, но это не меняет дела.

— И решение целиком зависит от тебя?

— Марта, я принимаю все решения, касающиеся Белденовских шахт, — мягко ответил Фред.

— Я хотела бы поговорить с твоим отцом, — заявила Марта. — Он сейчас имеет хоть какой-нибудь голос в делах управления?

— После инсульта папа потерял речь, — ответил Фред.

— Ох, прости! — поспешно воскликнула Марта, преисполненная искреннего сочувствия. Отец Фреда ей всегда нравился.

— Он полностью парализован. Просто чудо, что еще жив. Так что, сама понимаешь, я не хочу, чтобы кто-то тревожил его.

— Успокойся, Фред, я не собираюсь врываться к нему в спальню, — ответила Марта. Она говорила спокойно, но огонь в темных глазах указывал, что она едва владеет собой.

Фред расхохотался:

— Ты совсем не изменилась! И слава богу! Почти все, кого я знаю с детства, за это время изменились до неузнаваемости — и едва ли к лучшему.

— Ты тоже, Фред. Раньше ты не был циником.

— Может быть. А ты стала еще красивее, с тех пор, как я видел тебя последний раз на выпускном балу.

— Это когда ты подарил мне букет гардений?

— Вот именно.

— А ты, Фред? Ты сильно изменился?

— А как ты думаешь?

— Ну... — осторожно начала Марта, — ты стал старше... Впрочем, это никого из нас не миновало. И потом, на тебе лежит такая ответственность... Ты женат?

— В разводе, — коротко ответил Фред. — Я познакомился с ней в колледже. Она с самого начала была не в восторге от Эстертауна, а когда из-за болезни отца мне пришлось взять всю работу на себя, это ей не понравилось еще больше... Три года назад мы развелись.

Помолчав, Фред добавил негромко:

— Марта, прими мои соболезнования... насчет твоей

матери. Меня не было в городе, когда это случилось. Вернувшись, я узнал, что ты приезжала на похороны...

— Да.

— Жаль, что мы тогда разминулись.

Марте стало неуютно под сочувственным взглядом Фреда. Она не привыкла к чужой жалости. Поэтому вернулась к прежней теме:

— Фред, что касается спуска в шахту...

Фред улыбнулся и покачал головой.

— Ты всегда была настойчивой.

— Сейчас я гораздо настойчивей, чем в школе. Профессия фотографа не позволяет стесняться и робеть. Пойми, Фред, я хочу сделать по-настоящему интересный репортаж. Статью о городе и о шахтах, которыми он живет.

Фред сдвинул брови.

— Что ты хочешь сказать?

— Я хочу рассказать людям, что такое наш город, шахты, добыча угля... ведь здесь — одно из величайших угольных месторождений в мире! Фред, я хочу сделать такой репортаж, какого никогда еще не делала! — продолжала Марта, сама загораясь своей идеей.

— Марта, я видел твои репортажи, — признал Фред. — И, должен признать, они великолепны. Но, скажу тебе по совести, мне не хочется, чтобы ты обращала свое профессиональное внимание на Эстертаун и Белденовские шахты.

— Ты боишься, что мой репортаж отпугнет читателей?

— В общем, да, — согласился Фред.

— Нет, Фред, я вовсе этого не хочу. Я собираюсь лишь рассказать о самоотверженности шахтеров и о том, какое важное дело они делают. Конечно, твои шахты, как ты говоришь, механизированы, однако люди все равно работают под землей и собственными руками...

Фред кивнул.

— Ты права. И...

На лице его отразилось колебание; затем он слегка улыбнулся и произнес:

— Я догадываюсь, что сейчас ты снова попросишься в шахту. От тебя так легко не отделаешься!

Марта улыбнулась в ответ.

— Верно, — признала она.

— Честно говоря, Марта, я боялся, что твой репортаж создаст шахте дурную славу, но ты меня убедила. Наоборот, то, что ты собираешься сделать, будет для нас хорошей рекламой — если только ты не начнешь подчеркивать трагические стороны нашей жизни.

— Я буду беспристрастна и правдива, — пообещала Марта.

— Отлично.

— Так ты разрешишь мне спуститься в шахту?

— Нет, ездить в вагонетке я тебе все равно не позволю! Зато во всем остальном обещаю полное содействие. У тебя будет столько материала, что и спускаться под землю не придется.

— Выходит, мне не стоит об этом даже мечтать? — спросила Марта.

— Совершенно верно, — ответил Фред.

Марта попрощалась с Фредом, когда еще не было трех. Она пообещала ему начать работу с завтрашнего утра.

— Первым делом приходи сюда, — наставлял ее Фред. — Я познакомлю тебя с рабочими и объясню, что ты собираешься сделать. Можешь быть уверена, тебе будет обеспечена всеобщая поддержка, — заметил он, провожая ее до дверей.

Они дружески попрощались, и Марта вышла на улицу. Голова ее была занята мыслями о работе. Она надеялась, что со временем Фред станет уступчивей и в конце концов пустит ее в шахту.

Марта обещала отцу и братьям, что сегодня приготовит ужин сама. Она решила порадовать семью жарким по-гречески. Этот рецепт Марта узнала на островах Эгейского моря, где была в командировке прошлой весной.

По дороге Марта зашла в продуктовый магазин и через полчаса, нагруженная покупками, подходила к дому. Она отворила дверь в тот самый момент, когда на одной из Белденовских шахт послышался зловещий вой сирен — произошел обвал, крупнейший за последние двадцать лет.

Предчувствие беды витало в воздухе, поэтому Марта даже не особенно удивилась, когда отец встретил ее словами:

— На шахте обвал.

Но, когда он продолжил: «Насколько я понимаю, Том и Хенк сейчас там», Марта застыла, пораженная ужасом. У нее было дурное предчувствие, однако она не могла даже предполагать, что на этот раз беда коснулась ее семьи.

Через несколько минут Марта и ее отец уже мчались к шахте. Меньше чем через час после прощания с Фредом Марта снова стояла рядом с ним, готовая помочь всем, чем сможет, и полная решимости спуститься вместе с ним в шахту.

У Джоша сегодня все шло наперекосяк. Начать с того, что журналист, которому Джош доверял как самому себе, не сдал в срок обещанную статью. Джош вызвал коллегу к себе «на ковер», готовясь устроить грандиозный разнос.

Один внимательный взгляд позволил ему поставить диагноз: подчиненный страдал от тяжкого похмелья. В разговоре по душам выяснилось, что жена незадачливого репортера три недели назад укатила на Виргинские острова с каким-то музыкантом, и с тех пор бедняга пьет не переставая.

— Представляете себе? — бормотал журналист, глядя на Джоша красными от спиртного и недосыпания глазами. — Двенадцать лет вместе... и хоть бы «до свидания» сказала! А через неделю я получаю извещение, что она подала на развод в Сан-Томасе. И вот, — закончил он, — с того времени я могу по пальцам пересчитать дни, когда приходил домой трезвым.

Джош ощутил сочувствие к брошенному мужу. Ему самому в последние дни слишком часто хотелось залить горе скотчем. Однако в журнале зияла дыра на месте несданной статьи.

Весь день Джош провел в отчаянных стараниях заткнуть эту дыру любым мало-мальски подходящим материалом. Обедал он с Триной Катальдо, прилетевшей в

Нью-Йорк на съемки. Трина пригласила его поужинать вместе, но Джош прямо ответил, что не сможет — хотя подозревал, что этим сильно ее обидел.

Уже после шести он вышел из офиса, на такси вернулся домой и, войдя в квартиру, первым делом налил себе стакан виски. Несколько секунд он рассматривал прозрачную жидкость в стакане. Ему вовсе не хотелось идти по стопам журналиста, топящего горе в вине. Однако он опрокинул стакан одним глотком, ибо чувствовал, что сейчас ему поможет только спиртное.

Весь день, несмотря на напряженную работу, он не мог выкинуть из головы мысли о Марте. Он знал, что она отправилась в Пенсильванию делать репортаж о шахтах, и понятия не имел, когда она вернется. Еще он знал, что должен был ей позвонить. Он ведет себя непростительно. Однако подойти к телефону и набрать номер Марты ему сегодня было еще труднее, чем тому бедолаге-журналисту — протрезвиться и взяться за работу.

Джош вошел в гостиную и устало опустился в кресло у окна. Он придумал тысячи объяснений, почему никак не мог позвонить Марте, но сам понимал, что все эти объяснения гроша ломаного не стоят. Единственная причина — стыд и чувство вины за то, что произошло этой ночью. Джош желал бы, чтобы этой ночи не было, но в то же время понимал: если бы время вернулось вспять, он поступил бы так же.

Зазвонил телефон. Для удобства Джош держал в доме несколько телефонных аппаратов: сейчас ему довольно было протянуть руку.

— Джош Смит? — послышался в трубке голос с британским акцентом. — Это Тони Эшфорд.

Удивленный этим неожиданным звонком, Джош ответил:

— Здравствуйте. Вы в Нью-Йорке?

— Нет, я звоню из Лондона.

Джош взглянул на встроенные в телефон часы. В Лондоне сейчас почти полночь. Поздновато для дружеского звонка.

— Что случилось, Тони? — спросил он, страшась, что Тони сейчас произнесет имя Марты.

— Вы смотрели новости? — спросил Тони.

— Нет. Я только что вернулся и еще не включал телевизор.

— Вы, возможно, знаете, — начал Тони, — что Марта в Пенсильвании, в местечке Эстертаун, делает репортаж об угольных шахтах. Точнее сказать, о шахтах Белденов, где много лет работал ее отец и сейчас работают трое из четырех ее братьев...

— И что же?

— Сегодня в три часа по вашему времени на одной из этих шахт произошел обвал, — ответил Тони. — Я не знаю, была ли Марта в шахте, знаю только, что она где-то там. Насколько я понял, в ловушке оказался по крайней мере один из ее братьев... а вы, должно быть, знаете, что пятнадцать лет назад ее старший брат погиб таким же образом.

Джош замер с открытым ртом. Он никогда ничего об этом не слышал.

— Джош! — позвал Тони.

— Да.

— Я в студии. Нет нужды говорить, что я слежу за всеми новостями, приходящими из Штатов. Но из Эстертауна почти ничего не сообщают. Думаю, у вас известно больше. Пожалуйста, постарайтесь узнать подробности.

— Конечно, — не раздумывая, ответил Джош. — Я перезвоню вам где-нибудь через полчаса.

Повесив трубку, Джош несколько секунд сидел не двигаясь. Он был потрясен. Потрясен тем, что Марта никогда не рассказывала ему о гибели брата. Был в страхе оттого, что трагедия может повториться. И в настоящем ужасе оттого, что сама Марта может быть погребена под обвалом.

«Господи, ответь, где она сейчас? Что с ней?»

Джош поспешно включил телевизор и нашел программу новостей. И тут же, словно по велению судьбы, на экране появился репортер с микрофоном в руках на фоне входа в шахту. Джош слушал репортаж, боясь пропустить хоть слово.

— В настоящую минуту команда спасателей спускается в штольню, где погребены под обвалом пятеро шахтеров, — вещал репортер. — С ними — Фред Белден, владелец шахты, и Марта Бреннан, фотограф с мировым именем. Бреннан приехала в Эстертаун, где живут ее отец и братья, чтобы сделать фоторепортаж о добыче угля в Пенсильвании. Двое ее братьев, Томас Бреннан и Хенри Бреннан, находятся в числе пятерых пострадавших. Специалисты опасаются дальнейших обвалов, угрожающих не только пятерым шахтерам, но и спасателям...

Он говорил что-то еще, но Джош ничего не слышал. Он бросился к телефону и начал звонить всем подряд знакомым журналистам на радио, телевидение, в редакции газет. Эти друзья, приятели или просто добрые знакомые превратились для него в бесценные источники информации.

Прошел почти час, прежде чем Джош набрал номер Тони Эшфорда. Он чувствовал вину за то, что заставил его мучиться неизвестностью.

— Мне пришлось ждать, пока мне перезвонят, — объяснил он извиняющимся тоном.

— Что вы узнали?

— Ничего утешительного. Вы знаете Марту. По всей видимости, она настояла, чтобы владелец шахты, парень по имени Фред Белден, взял ее с собой вниз. Кажется, они вместе учились в школе. Черт побери, о чем этот Белден думал? Я знаю, что Марта умеет убеждать, но...

— Я тоже знаю, — невесело рассмеялся Тони.

— Специалисты опасаются новых обвалов. Господи, что же делать? — простонал Джош. Затем, взяв себя в руки, он заговорил тверже: — Я понимаю, каково вам сейчас. Ведь вы...

— Что я?

— Ведь Марта — ваша невеста.

В трубке наступило молчание. Наконец Тони хмуро произнес:

— Сейчас не лучшее время обсуждать этот вопрос, но я не хочу держать вас в заблуждении.

— Что?!

— Марта больше не моя невеста. Месяц назад, вскоре после встречи с вами в Вашингтоне, она прилетела в Лондон и разорвала нашу помолвку.

— Но она носит кольцо!

— Я сам попросил ее поносить его еще немного. Надеялся, что она передумает и вернется ко мне... Тогда я не понимал, какое место занимаете вы в ее сердце.

— Понятно.

— Нет, Смит, боюсь, что вам ничего не понятно. Впрочем, оба мы сейчас едва ли способны мыслить здраво. У меня перед глазами так и стоит Марта в этой чертовой шахте...

— У меня тоже, — мрачно ответил Джош.

Шахтеры живы... Эту радостную весть принесли спасатели из своего первого путешествия по одноколейке в вагонетках.

Марта родилась и выросла возле шахты, однако даже не представляла, что внизу существует целый подземный город. Город, наполненный сложными машинами, дорогами, используемыми для откатки, обеспеченный электрическим освещением, радио и телефонной связью.

Однако, несмотря на все технические новинки, работа шахтера оставалась опасной, как и в старину. Об этом знала Марта; об этом помнил Фред, поэтому и не хотел брать ее с собой вниз.

Несмотря на грызущую сердце тревогу, Марта захватила с собой фотоаппарат и теперь делала снимки подземного города. Она фотографировала в спешке, понимая, что Фред может в любую минуту скомандовать подъем. Именно Марта первой увидела возвращение спасателей и первой услышала, что из-за обвалившегося свода раздается стук — условная шахтерская азбука. Это означало, что пятеро погребенных под обвалом живы. Или по крайней мере жив кто-то из них... Но Марта запретила себе думать об этом и продолжала снимать.

Наконец она услышала голос Фреда: «Марта, поднимаемся», и поняла, что сейчас не время спорить. Она так с трудом убедила его взять ее с собой и догадывалась, что он жалеет о своем решении. Но и отказать Марте он не мог: ведь в завале томятся ее братья... а еще один брат погиб в этой же шахте пятнадцать лет назад.

У входа в шахту волновалась толпа родных и друзей шахтеров. Марта снова принялась за работу: она делала снимки, утешала, подбадривала людей и изо всех сил гнала прочь собственный страх.

Наконец спасатели проникли в завал и доставили шахтеров на поверхность. В глазах у Марты все расплывалось от слез, но она продолжала снимать, пока не увидела братьев — Тома и Хенка. Бросив камеру, Марта поспешила к братьям, вернувшимся из подземного мира в мир живых. Ей страшно было подумать, что все могло бы обернуться совсем по-другому...

Застрекотали телекамеры, и журналист запечатлел Марту, со слезами на глазах обнимающую братьев.

Волосы ее разметались по плечам, по осунувшемуся от тревоги лицу текли слезы.

Таким увидел ее Джош в полуночных новостях. И понял, что любит ее гораздо сильнее, чем прежде.

Глава 13

— Марта, тебя спрашивает какой-то парень. Говорит, что он Джош Смит, — сообщил Том Бреннан.

Он подходил к телефону. Остальное семейство собралось на кухне вокруг старого дубового стола. Было два часа ночи. Джереми пожарил сосиски и сварил яйца на всех. Марту поразило, что Джим и Хенк накинулись на еду, словно после обычного трудового дня. Самой ей кусок не лез в горло.

Одному из шахтеров камнем раздробило ногу. Четверо остальных выбрались из завала невредимыми, что само по себе было чудом.

Последние одиннадцать часов казались Марте каким-то сном. И слова Тома только усилили чувство нереальности. Откуда у Джоша ее телефон? Он едва ли знает даже название ее родного города!

И вдруг ей пришло в голову, что, хотя два года назад они вели долгие беседы, казалось бы, обо всем на свете, друг о друге они почти ничего не знают.

— Марта, так ты будешь с ним говорить? — напомни
Том.

— Да, — ответила Марта и медленно вышла в прихо
жую, все еще не веря, что это происходит наяву.

— Алло? — пробормотала она в трубку и тут же услы
шала голос Джоша:

— Марта, с тобой все в порядке?

— Все прекрасно, — автоматически ответила Мар
та. — Но почему... я хотела сказать, как ты узнал...

— Почему? — прервал ее Джош. — Потому что
чертовски за тебя перепугался! Оба мы с ума сходили о
страха.

— Оба? — Марта нахмурилась. — Джош, как ты узна
мой телефон?

— Мне сказал Тони Эшфорд.

— Тони?!

— Несколько часов назад он позвонил из Лондона. Я
обещал ему, что сам тебе позвоню. Нет нужды говорить
что он не сомкнул глаз, а ведь ему делать утреннюю пере
дачу!

— Ничего не понимаю, — слабым голосом произне
сла Марта.

— Тони в Лондоне получил известие об обвале. О
знал, что ты в Эстертауне. Он позвонил мне в надежде
что я смогу узнать все подробности. И я услышал... Гос
поди боже, до сих пор поверить не могу... узнал, что ты
спускалась в шахту!

— Джош, там были мои братья.

— Понимаю. Но теперь они в безопасности?

— Да, все хорошо.

— А ты... Марта, ты уверена, что с тобой все в по
рядке?

Как ни странно, Джош даже не пытался скрыть трево
гу. Марта попыталась представить, что бы почувствовала
она, услышав, что Джош спустился в шахту, где только
что произошел обвал. Наверно, она начала бы рыдать
рвать на себе волосы. Но они с Джошем такие разные!

Она устала. Она ничего больше не понимала. И хоте
ла одного: чтобы Джош оказался рядом, обнял ее, прижал
к себе и утешил, как напуганного ребенка.

— Марта... — начал Джош.

— Честное слово, со мной все в порядке, — ответила Марта, стараясь, чтобы голос звучал как обычно.

— Когда ты возвращаешься в Нью-Йорк?

— Через пару дней, — ответила Марта. — А что? Ты хочешь еще поработать с Грантами?

— Может быть, но сейчас я думаю не об этом...

— А о чем же?

Марта так хорошо знала Джоша, что могла в точности представить себе выражение его лица. *Стоит или не стоит говорить?* — думает он, сидя у телефона. И наконец решает, что не стоит.

— Позвони мне, когда приедешь в город, хорошо? — попросил он. — Нам нужно поговорить.

— Конечно, — ответила Марта. — Да. Обязательно. — И с этими словами повесила трубку.

Джош положил трубку и мысленно выругался. Он всей душой желал рассказать Марте о своих чувствах, но сурово подавил это желание. Черт побери, он так привык подавлять свои желания, что делает это уже помимо воли! И впервые за много лет Джош подумал, что его характер оставляет желать лучшего.

Зазвонил телефон. Это была Дженнифер — она звонила с Род-Айленда.

— Джош, я пытаюсь до тебя дозвониться уже несколько часов! — начала она. — У тебя все время занято! Ты смотрел новости?

— Несколько часов только новости и смотрел, — ответил Джош.

— Так ты знаешь, что Марта в безопасности?

— Да.

— Я видела, как она встречала братьев, — сказала Дженнифер. — Тут я не выдержала и сама заревела.

Джошу самому хотелось плакать, но, как обычно, он подавил свои чувства.

— Послушай, — продолжала Дженнифер, — ты не знаешь, когда Марта возвращается в Нью-Йорк?

— Кажется, через пару дней.

— Ты еще будешь с ней работать?

— М-м... да.

— Джош, пожалуйста, привези ее с собой к нам в Уотч-Хилл! Керри говорит, можете приезжать и в будни — он выкроит время. Мы оба хотим на вас посмотреть. Я особенно хочу поговорить с Мартой, прежде чем она вернется в Лондон. Ты не знаешь, когда она выходит замуж?

— Она говорила, десятого июня, — ответил Джош, нимало не погрешив против истины.

Слова Тони Эшфорда стучали у него в мозгу. Джош не понимал, что происходит. Может быть, из Пенсильвании Марта вернется без кольца — тогда в этом будет хоть какой-то смысл. Но пока...

Они встретились в «Л'Оберже». Джош, несмотря на печальный прошлый опыт, снова заказал столик в зале с камином на втором этаже.

Марта была бледна, под глазами залегли темные тени. Джошу подумалось, что она еще немного похудела. И, кажется, стала еще красивее, чем прежде. При одном взгляде на нее его охватило жгучее желание.

Она рассказывала о происшествии на шахте, а Джош молчал и слушал. Он чувствовал, что ей необходимо выговориться. В отличие от него Марта не умела скрывать своих чувств. «Может быть, — грустно подумал он, — поэтому ей и лучше живется».

— Принято считать, — говорила Марта, — что с техническим прогрессом работа в шахте стала совершенно безопасной. Но это не так. На мой взгляд, механизация, напротив, повышает риск.

— Почему? — удивился Джош.

— Говоря попросту, прогресс касается только машин, а человек и его физическая сила, играющая в шахте главную роль, остается прежней. Поэтому возрастает риск обвалов, подобных тому, который произошел позавчера.

— Ты говоришь любопытные вещи, — сказал Джош. — Если бы ты не была связана договором с нашими конкурентами, я попросил бы тебя сделать эту статью для «Стиля жизни».

— Джош, я с удовольствием отдала бы репортаж тебе, — задумчиво ответила Марта. — Мне кажется, что не делала еще ничего лучше этих снимков.

Прежде чем Джош успел обдумать эти ее слова, Марта быстро перевела разговор на другое:

— Что с Грантами? — спросила она. — Ты всем доволен?

— Что касается их дома, да, — ответил Джош. — Но произошло кое-что... Одним словом, Марта, это одна из причин, по которым я хотел с тобой встретиться. Я решил оставить эту работу.

Марта откинулась на стуле, темные глаза недобро сузились.

— Может быть, объяснишь мне, почему? — спросила она.

— Да. Для этого я и пригласил тебя пообедать. Я хочу объяснить, почему я так решил.

— Ну?

— Я начал работать над статьей о Грантах... собственно, написал уже больше половины. И вдруг понял, что остальные пять глав просто не нужны. Это куча лишнего материала. То, что мы хотим показать, можно показать только на Грантах.

— Как ты можешь так говорить! — запротестовала Марта. — Ведь другие пары, с которыми ты собирался работать — совершенно иные люди! Возраст, образование, социальное положение — все иное!

— Знаю. Может быть, я вернусь к этой мысли позже... Например, опубликуем фотографии с подписями или даже отдельные заметки. Этим мы адекватно передадим все разнообразие выбранной темы. Но нам нужно ориентироваться на читателя. Людям будет интересна одна история жизни, но шесть разных историй их просто утомят.

— Джош, мне кажется, тебе самому не очень интересна эта работа.

— Напротив, иначе я не затеял бы этот проект, — негромко ответил Джош.

Он не лгал, но и не говорил всей правды. Джошу было

стыдно перед Мартой, но он не мог признаться ей в главной причине, из-за которой решил похоронить изначальный проект. Дело в том, что, веди он дело так, как было задумано, им с Мартой пришлось бы едва ли не каждый день встречаться на совещаниях, а Джош боялся, что этого не выдержит.

Первое, что он заметил, когда Марта вошла в зал и села за столик напротив него, — сверкающий бриллиант на безымянном пальце ее левой руки.

Этот символ молчаливо утверждал, что Марта все еще помолвлена. И сама она говорила, что свадьба состоится десятого. А Тони утверждает, что они расторгли помолвку несколько недель назад... Кто-то из них лжет.

Если Марта летала в Лондон, чтобы разорвать помолвку, почему, ради всего святого, она не сказала об этом Джошу?

С другой стороны, почему Тони вдруг начал с ним откровенничать?

Тони отнюдь не равнодушен к ней — чтобы понять это, Джошу хватило двух телефонных разговоров. В голосе Тони с британским акцентом звучала глубокая и искренняя тревога, а когда Джош сообщил, что Марта в безопасности, Тони даже не пытался скрыть радости и облегчения.

Да, Тони не на шутку беспокоился о ней... но, возможно, ее не любил. По крайней мере не так, как должен любить мужчина, намеренный жениться. Тони старше Марты, хотя и ненамного. В его биографии есть уже два неудачных брака. Может быть, когда время приблизилось к дате венчания, он испугался и решил дать задний ход?

— Не хочешь объяснить мне, о чем ты думаешь? — нетерпеливо спросила Марта. — У тебя сейчас очень интригующее выражение лица!

— Я думаю о тебе, — честно ответил Джош.

— О том, что тебе вообще не стоило со мной связываться? — предположила Марта.

— Нет, — поспешно возразил Джош, — вовсе нет... Однако вернемся к Грантам.

— Послушай, Джош, — решительно заговорила Марта, — хотя наша договоренность о шести репортажах чисто устная, я не позволю тебе разорвать контракт без всяких объяснений.

— Марта!

— Я серьезно. Не думай, что тебе удастся меня улестить!

— Ну...

— Я серьезно!

— Хорошо, ты серьезно.

— Я ничего у тебя не прошу, — раскрасневшись, продолжала Марта. — Но если ты хочешь предложить мне Грантов как какую-то панацею...

Джош невольно улыбнулся.

— Марта, я вовсе не собираюсь предлагать тебе панацею. Панацея в точном смысле слова — это средство от всех болезней. Ты говоришь скорее о плацебо.

Марта покраснела еще гуще.

— Ненавижу, когда ты вот так придираешься к словам! — буркнула она. — Это оскорбительно! Ты разговариваешь со мной, словно с идиоткой, которая и в школе-то не училась!

Джошу понадобилось все его самообладание, чтобы не вскочить и не сжать ее в объятиях. Вместо этого он заговорил мягко, но не вполне искренне:

— Марта, меньше всего на свете я хочу тебя оскорбить. Пожалуйста, выслушай меня спокойно, а потом решай.

— Слушаю.

— На следующей неделе Гранты собираются посвятить пару дней поискам дома в городе. Насколько я понимаю, они намерены продать деревенский дом и полностью переселиться в город. По правде сказать, твои снимки их дома, как мне кажется, впервые заставили их осознать, в каком прекрасном месте они живут. Миссис Грант рассматривала твои фотографии со слезами на глазах.

Итак, — продолжал Джош, не дождавшись ответа от Марты, — я хочу, чтобы ты с фотоаппаратом сопровождала Грантов в их экскурсии по городу и делала снимки.

Если они остановятся на каком-нибудь одном доме, вер
нись туда вместе с ними и осмотри его повнимательней.
Если же они отвергнут саму мысль о переезде, ты должна
обосновать их решение своими фотографиями. Как по
твоему, есть в этом смысл?

— Пожалуй, — неохотно согласилась Марта.

— И ты это сделаешь?

— Сделаю.

— Кстати, у меня к тебе еще одно предложение.

— Какое же?

— Мне звонила Джен. Она видела новости и, как и
все остальные, тревожилась за тебя, пока не услышала,
что ты в безопасности. Они с Керри приглашают нас с
тобой на пару дней в Уотч-Хилл. Чем скорее, тем лучше,
и в любом случае это надо сделать до...

— До чего? — спросила Марта, когда Джош вдруг
умолк.

— До того, как ты вернешься в Англию, — ответил
Джош и не в силах больше отводить взгляд уставился
прямо на ее кольцо.

Работа Марты — в том числе беготня по городу вместе
с Грантами — занимала все ее время. Март пролетел незаметно, и лишь в конце месяца Марта смогла выкроить
время, чтобы поехать вместе с Джошем в Уотч-Хилл.

Стоял чудесный ясный день, с безоблачного неба
ярко сияло весеннее солнце. Когда автомобиль проехал
Коннектикутскую заставу, Марта распахнула окно и полной грудью вдохнула теплый воздух.

Джош мельком взглянул на нее.

— Тебе жарко? — спросил он.

— Нет, — ответила Марта, снова закрывая окно. — Не
жарко. Просто хочется вдохнуть запах весны.

— Деревья еще голые.

— Не все — на ивах уже листва. А во дворе вон того
домика, кажется, цветет фортиция.

— Ты все придумываешь, — поддразнил ее Джош и
без труда отвел взгляд.

В своем ярко-желтом плаще Марта казалась вестницей весны. За последние дни ей приходилось много работать, но красота ее от этого нимало не пострадала. Напротив, для Джоша Марта была желанна как никогда.

— Так ты чувствуешь запах весны? — мягко спросил он.

— Ага, — кивнула Марта.

— И чем же она пахнет?

— Неужели не знаешь? — Она, кажется, и вправду удивилась.

— Ну, знаешь ли, — замялся Джош, — честно говоря, никогда не принюхивался. Мне кажется, с приходом весны что-то такое разливается в воздухе — но это не запах.

— Это приходит позже. Сначала — теплый, земляной запах весны. Весна пахнет землей. Новой землей.

— Земля всегда одна и та же.

— Не цепляйся к словам!

Джош рассмеялся. Слова Марты казались ему наивным детским лепетом, но как нравилось ему болтать с Мартой о пустяках и поддразнивать ее, зная, что она не обидится!

Может быть, он действительно педант и буквоед, а Марта — творческая натура; хотя и Джош был вовсе не таким буквоедом, как привыкла думать Марта, и в ее характере он временами замечал практическую жилку... Как бы то ни было, они прекрасно уравновешивали и дополняли друг друга. Очень во многом...

Украдкой косясь на Джоша, Марта читала на его лице вовсе не характерную для Джоша смену эмоций. Много бы отдала она, чтобы узнать, о чем он думает! На лице его играла знакомая Марте улыбка. Джош был не из тех, кто щедро раздает улыбки всем встречным: но, когда он все же улыбался, сладкая дрожь пронизывала Марту с головы до пят. Для нее Джош и так был прекраснее всех на свете: улыбка же делала его просто неотразимым.

Весеннее солнце играло в его кудрях, превращая их рыжий цвет в оттенок античной бронзы. Автомобиль мчался вперед, а Марта смотрела на Джоша и все не могла наглядеться.

Словно почувствовав ее пристальный взгляд, Джош вдруг сказал:

— Плачу пенни.

— За что?

— Чтобы узнать, о чем ты думаешь.

Непонятное волнение охватило Марту, но она ответила беззаботно:

— В наше время, Джош, на пенни много не купишь.

Джош театрально вздохнул, но не стал развивать эту тему.

Они остановились у придорожной закусочной, чтобы выпить кофе. Джош заказал гамбургер и недовольно следил за Мартой, хрустящей ореховыми крекерами.

— Когда ты научишься как следует питаться? — спросил он.

— Может быть, когда осяду и начну размеренную жизнь, — беззаботно ответила Марта.

Эти слова вырвались у нее без всякой задней мысли, однако лицо Джоша потемнело.

— Это, кажется, случится скоро, — мрачно заметил он.

— Джош... — начала Марта и умолкла.

Она уже готова была признаться в обмане, но понимала, что сейчас не время и не место для столь серьезного разговора. А на легкий разговор можно не надеяться. Джош не только хороший редактор — он и журналист отличный. Он не успокоится, пока не вытянет из нее всю правду о том, почему она носит это чертово кольцо.

— Ладно, поехали, — прервал ее мысли Джош.

И Марта уныло поплелась за ним к машине, чувствуя, что над их хрупкими отношениями вновь нависла черная туча.

В обстановке и убранстве дома Гундерсенов счастливо сочеталось архитектурное мастерство Керри и дизайнерский талант Дженнифер.

Пару лет назад, когда молодые супруги только что перестроили старый дом, они не знали отбоя от туристов.

Теперь любопытство несколько схлынуло, и семья могла без помех наслаждаться уединением.

И муж, и жена были дома и радостно приветствовали Джоша и Марту. Дженнифер тут же повела подругу наверх, в уютную комнату для гостей.

— Знаешь, — с увлечением рассказывала она, — когда я обставляла дом, то не собиралась делать спальню на первом этаже, ведь на втором этаже их было пять. Но потом я подумала, что нелишне будет устроить на первом этаже комнату с кроватью, гардеробом и смежной ванной. Как видишь, я оказалась права: там мы и поселим Джоша. Лестница на второй этаж, конечно, хороша, но уж больно много там ступенек!

— Но ведь, когда ты обставляла дом, — лукаво улыбнулась Марта, — ты, конечно, знала, что будешь здесь жить и, конечно, приглашать сюда Джоша!

— Что ты! Мне и в голову не приходило! — с фальшивым негодованием запротестовала Дженнифер. И вдруг, резко посерьезнев, спросила: — Марта, ты действительно десятого июня выходишь за Тони Эшфорда?

Вопрос, захвативший Марту врасплох, поразил ее, по избитому выражению, словно удар молнии. Особенно когда она поняла, что Дженнифер этот вопрос очень занимает — не зря же она заговорила об этом, едва осталась с Мартой наедине!

Марта взглянула подруге в глаза и ответила честно:

— Джен, я не выйду замуж за Тони.

Дженнифер тихо ахнула.

— А Джош это знает? — спросила она.

— Нет.

— Почему ты ему не сказала? И зачем тогда носишь обручальное кольцо?

— Джен, это длинная и сложная история. Мне не хотелось бы рассказывать ее сейчас, — взмолилась Марта. — Ну хорошо... Тони попросил меня об одолжении, и я согласилась. В то время мне казалось, что это лучше для нас обоих.

— И из таких соображений ты собиралась за него замуж? — недоверчиво спросила Дженнифер.

— Нет, нет... Джен, я приняла предложение Тони, по-

тому что он мне очень нравился... И сейчас нравится. Я
даже... в каком-то смысле люблю его. Я думала, что мы
хорошо уживемся вместе. И никак не ожидала снова
встретить Джоша! Я думала, что не увижусь с ним много
лет... до старости... пока огонь не угаснет. — Марта нервно провела рукой по волосам. — Ах, черт! — простонала
она. — Джен... прости, мне тяжело об этом говорить.

К удивлению Марты, Джен улыбнулась и ответила
мягко:

— Хорошо, не будем. Марта, я знаю, что ты редко
принимаешь решение, не подумав. Вообще, по моему
мнению, ты удивительная женщина. И я нисколько не
виню брата за то, что он безнадежно в тебя влюблен. А теперь, — с улыбкой закончила Дженнифер, — пойдем-ка
вниз к мужчинам!

«Я нисколько не виню брата за то, что он безнадежно
в тебя влюблен». Эти слова Дженнифер звенели в ушах
Марты весь остаток дня.

Неужели Джош действительно ее любит? И, что гораздо важнее: любит ли он хоть вполовину так сильно,
как она его?

Марта напомнила себе, что эти вопросы для нее не
новы. Со времени новой встречи с Джошем она задавала
их себе много раз и даже не надеялась когда-нибудь получить ответ. Марта знала, что Джоша физически влечет к
ней не меньше, чем ее к нему, но она понимала, что секс
это не главное.

Марта украдкой взглянула на Джоша. Он сидел у камина, о чем-то беседуя с Керри. Двух мужчин связывала
крепкая дружба. В жизни их было много общего. Керри
стал архитектором с мировым именем. Джош, занявший
ведущую позицию в «Американском стиле жизни», не за-
бывал и журнал-спутник — «Американский стиль архитектуры». Их дружба началась с делового знакомства,
была подкреплена родственной связью и схожестью инте-
ресов и увлечений. Сейчас оба оживленно обсуждали
шансы «Бостонских Кельтов» на победу над НБА. Керри, ирландец по матери, яростно болел за «Кельтов»,
Джош — за их соперников.

«И этого я тоже не знала», — грустно подумала Марта.

Джош никогда не рассказывал ей о своем увлечении баскетболом. Она сама играла в баскетбол в школе и очень любила эту игру. Кто знает, может быть, однажды вечером они с Джошем отправятся смотреть игру в Мэдисон-Сквер-Гарден?

Как узнать, что еще в жизни и характере Джоша скрыто от нее за семью печатями?

Хотя Керри и Дженнифер и держали домработницу, оба они любили готовить. Сегодня ужин готовил Керри, пока Дженнифер с помощью Марты кормила близнецов и укладывала их спать.

И снова, как в прошлый раз, пухлый мальчуган по имени Джош больно задел сердце Марты.

— Он растет не по дням, а по часам, — заметила она.

— Каролина тоже, — ответила Дженнифер, — хотя Джош и верно крупнее ее.

— Ну он же мальчик, — ответила Марта. Ей казалось, что маленький Джош не только больше, но и красивей сестры, хотя оба малыша были очаровательными. — Дженнифер, у тебя нет фотографий маленького Джоша? — внезапно спросила она.

— Странно, что ты об этом спросила, — удивленно ответила Дженнифер. — Как раз вчера, разбираясь в старых вещах, я нашла семейный альбом родителей. Фотографировала в основном я: но, боюсь, тебе мои снимки покажутся жалкой мазней дилетанта. Однако там есть забавные фотографии Джоша. — Дженнифер улыбнулась. — Думаю, нет нужды спрашивать, хочешь ли ты на них посмотреть.

— Очень хочу! — с готовностью призналась Марта.

— Отлично. Тогда пойдем наверх, я достану альбом и принесу его к тебе в комнату, — предложила Дженнифер. — Позже ты сможешь листать его столько, сколько душе угодно. И, если захочешь свистнуть оттуда пару фотографий... я возражать не буду.

И Дженнифер рассмеялась.

— Только ничего не говори Джошу, — предупредила она, вновь становясь серьезной. — Он не любит своих фотографий до катастрофы — как он говорит, «из того времени», — и едва ли ему понравится, если их увидишь ты.

Глава 14

Был уже поздний вечер, когда Марта, Джош, Керри и Дженнифер разошлись по своим комнатам. Поднимаясь по красиво изогнутой лестнице на второй этаж, Марта на мгновение обернулась и увидела, как Джош сворачивает в коридорчик, ведущий в его комнату. Марта невольно вцепилась в перила: ее охватило жгучее желание последовать за ним.

Джош шел, гордо расправив плечи, однако двигался медленно и показался Марте потерянным и одиноким...

«Он не более одинок, чем я сама», — сухо сказала себе Марта и пошла наверх.

Едва войдя в комнату, она заметила семейный альбом. Да и трудно было не заметить. Дженнифер положила его на самое видное место — на кровать, застеленную пушистым оранжевым покрывалом.

Марте хотелось немедленно раскрыть альбом, однако она подавила это желание и заставила себя сначала принять ванну. Фарфоровая ванна была достаточно велика для двоих... и мысль о совместном купании с Джошем подействовала на Марту так, что она пулей вылетела из воды и, схватив огромное полотенце, начала поспешно вытираться.

Она вытиралась, а в голове бродили самые разные мысли. Вечер прошел хорошо. Все четверо играли в «Счастливый случай», и Джош выиграл три раза подряд. Марта никогда не переставала удивляться его познаниям. Эта мысль напомнила ей о тех счастливых вечерах, что проводили они вместе перед окном с видом на Гудзон. Они потягивали вино и говорили обо всем на свете, пока наконец не решили, что пора в постель...

Марта пыталась не думать о прошлом, но это было нелегко. Только мысль об альбоме, лежащем на кровати, вернула ее в настоящее. Марта свернулась калачиком на постели, подложила под голову подушку и начала перелистывать страницы.

Слезы потекли по ее щекам задолго до того, как она перевернула последнюю страницу альбома.

Досмотрев до конца, Марта вернулась к началу альбома и, вспомнив предложение Дженнифер, вынула оттуда две фотографии. Первая изображала Джоша в возрасте своего нынешнего тезки — нескольких месяцев от роду. Марта готова была поклясться, что Джош Первый и Джош Второй похожи, как две капли воды.

«Джошу Второму повезло, — подумала Марта, — конечно, если он и в зрелом возрасте будет походить на дядюшку».

Вторая фотография, выбранная Мартой, изображала пятилетнего Джоша — прелестного мальчугана с широкой улыбкой на лице. Он выглядел бы чистым ангелочком, если бы не озорной огонек в глазах.

Порой Марте казалось, что такой же лукавый огонек прячется в глубине его глаз и теперь. Многое отдала бы она, чтобы вернуть Джошу веселье и радость жизни! Увы, сейчас он часто бывал слишком мрачен.

Марта листала страницы дальше. Вот фотографии школьных времен, когда Джош был восходящей спортивной звездой. Он, как и Марта, играл в баскетбол и был гордостью школьной команды. Одна из фотографий показывала его на водных лыжах на горном озере где-то в Швейцарии. Марта вспомнила рассказ Дженнифер о том, что, когда часть их отца располагалась в Германии, они ездили на каникулы в Швейцарию.

А вот Джош в форме курсанта военно-воздушного училища. Марта задержала дыхание — так он был красив, так шла ему форма! Фотографий того времени в альбоме было немного; в основном они относились к отпускам, когда Джош приезжал домой. Последним шел снимок Джоша в кресле пилота. Под ним подписано рукой Дженнифер: «За неделю до аварии».

Остальные страницы были пусты.

Марта перелистнула альбом назад и нашла фотографию, где вся семья генерала Смита, в том числе и Джош, приехавший на каникулы, — плескалась в бассейне.

Джош стоял на трамплине, готовясь прыгнуть в воду. Он выглядел юным, загорелым и удивительно красивым. Фотография ясно показывала мощные мускулы и гордую стать молодого атлета. Повинуясь внезапному импульсу,

Марта вынула и эту фотографию и положила в сумочку к двум первым.

Наконец Марта погасила свет, но заснуть не могла. В голову лезли неотвязные мысли о Джоше. И все ясней понимала Марта, что она ничего, ничего не может сделать. Если бы она смогла уговорить Джоша сходить к Джеральду Баскину! Если бы Джеральд совершил с ним то же чудо, какое ежедневно совершает с другими пациентами!..

Если, если... Вся жизнь состоит из этих «если». Чувство собственной беспомощности вселило в Марту такую тревогу, что она не могла больше лежать, дожидаясь сна.

Она выскользнула из кровати, накинула халат, вышла из спальни и направилась вниз — в комнату Джоша.

Джош не спал и даже не пытался заснуть. Прощание с Мартой возле лестницы едва не свело его с ума. Лучше бы он поднялся вместе с ней по ступенькам! Это было бы легче, чем знать, что она спит здесь, совсем рядом...

Господи, как он хотел ее!

Желание разрывало его на части, путало мысли, не давало сосредоточиться. Джош взял в руки бестселлер, предложенный Керри, однако вскоре отложил книгу в сторону, хотя обычно его привлекала в качестве разрядки подобная литература. Он выключил свет и растянулся на кровати, понимая, что, если продолжит чтение, все равно не поймет ни слова.

В доме было удивительно тихо. Даже ветер не шумел за окнами. Тихо скрипнула дверь, и инстинкт подсказал Джошу, кто вошел в его спальню.

Он был не готов к этой встрече.

Джош закрыл глаза и притворился спящим, стремясь выиграть несколько секунд и восстановить оборону.

— Джош! — услышал он тихий голос Марты.

Он не отвечал.

— Джош! — позвала она громче.

Джош молчал. Марта подошла ближе и коснулась его плеча. Это прикосновение заставило его подскочить.

— Прости, я не хотела тебя пугать, — извинилась Марта.

Джош потянулся к ночнику и включил его. Бледно-розовый свет озарил Марту, сделав ее еще прекрасней. От ее красоты у Джоша перехватило дыхание.

Марта присела на краешек кровати.

— Я хотела тебя увидеть, — прошептала она.

Джош молил небеса о самообладании.

— Ну вот и увидела, — хрипло выдавил он из себя.

— Мне нужно с тобой поговорить, — уточнила Марта. — Кое-что тебе сказать.

— Это так важно, что не может подождать до утра? — проворчал Джош, тщетно стараясь отвести взгляд от шелковых кружев, прикрывающих ее высокую грудь.

— Я не могу больше ждать, — ответила Марта, бросив взгляд на свои руки.

Джош заметил, что на руке у нее нет кольца.

— Я знаю, — произнес он. — Ты потеряла кольцо и боишься признаться Эшфорду.

Марта покачала головой.

— Нет, кольцо лежит у меня в спальне на туалетном столике.

— Ты сняла его на ночь?

— Нет, навсегда.

— Марта, что ты хочешь сказать?

— Именно то, что говорю.

Джош почувствовал, что его самообладание испаряется на глазах. Он отчаянно цеплялся за его остатки.

— Ты хочешь сказать, что разорвала помолвку?

— Джош, я разорвала помолвку два месяца назад.

Джош откинулся на подушку и закрыл глаза. Слушать ее и одновременно на нее смотреть — для него слишком большое испытание. Чтобы разговаривать с Мартой, он не должен ее видеть.

Однако образ Марты не исчез, даже когда он зажмурился. Джош отчаянно старался придумать какую-нибудь подходящую реплику, но, так ничего и не придумав, выпалил:

— Я знаю. Эшфорд мне рассказал.

Наступило молчание. В тишине Джош отчетливо слышал биение собственного сердца: оно барабанным боем отдавалось у него в ушах.

Не выдержав томительной паузы, он открыл глаза. Марта застыла на месте, глаза ее расширились.

— Тебе сказал Тони? — недоверчиво повторила она.

— Ты мне не веришь? — огрызнулся Джош, чувствуя полную растерянность и не зная, что делать дальше. — Да, Эшфорд рассказал мне об этом.

— Когда?

— Когда ты полезла в шахту и мы оба с ума сходили от беспокойства.

— Почему же ты не рассказал мне, когда я вернулась в Нью-Йорк? — воскликнула Марта.

Джош выпрямился в кровати.

— Почему я тебе не рассказал? — повторил он. — Ну, видишь ли, мне показалось, что это не мое дело. Это твоя помолвка. Что бы ни говорил Эшфорд, ты носила его кольцо. Конечно, может быть, ты так любишь бриллианты, что никак не могла с ним расстаться. Однако я слышал от тебя самой, что вы с Эшфордом собираетесь пожениться десятого июня.

— Я сказала это, чтобы... чтобы избавиться от тебя.

— Разве я к тебе приставал?

— Джош, прекрати свои грязные шуточки!

— Это что-то новое, — заметил Джош. — В грязных шуточках ты меня еще никогда не обвиняла.

Марта вскочила и бросилась к окну, затем вернулась обратно. Сейчас она напоминала Джошу мечущегося в клетке тигра, или, может быть, пантеру. Грациозная, полная энергии... и очень опасная.

— Знаешь, я не уверена, что смогу тебе это простить, — выговорила она наконец.

— Простить что? — спросил Джош, изумленный до глубины души.

— То, что ты не рассказал мне о разговоре с Тони. Впрочем, Тони тоже ничего мне об этом не говорил.

— И правильно сделал, — отозвался Джош. — Может быть, он решил, что ты заслуживаешь маленькой мести.

К его удивлению, глаза Марты вдруг наполнились слезами. До недавнего времени Джошу не случалось видеть Марту плачущей — и снова, как несколько дней назад, это зрелище глубоко его тронуло.

— Послушай... — смущенно начал он.

— Хватит! — рявкнула Марта. — У нас с Тони были причины для этого соглашения...

Она запнулась и замолчала.

— Какие же? — сухо поинтересовался Джош.

Но Марта вскочила и молча подошла к окну.

Перед ней чернела непроглядная ночь. Никакого волшебного пейзажа, залитого серебристым лунным светом, чтобы она могла сделать вид, что любуется им. Откуда-то издалека, словно за тысячу миль, доносился шум прибоя: сразу за оградой владений Гундерсенов берег обрывался в волны залива Блок-Айленд.

Марта стояла и смотрела в черное окно — она не могла повернуться и встретиться глазами с Джошем.

Какой жестокой истиной звучали для нее сейчас стихотворные строчки Вальтера Скотта: «О, что за сеть ты для себя плетешь, когда впервые допускаешь ложь!»

Марта чувствовала, что попала в сеть и, пытаясь вырваться, запутывается все сильнее. Не поворачиваясь, она произнесла:

— Я не надеюсь, что ты меня поймешь, так что просто прими к сведению: мы с Тони договорились, что я буду носить кольцо, поскольку это выгодно для нас обоих.

— Вот как? — вежливо отозвался Джош. — И чем же это так выгодно?

— Не вижу нужды углубляться в объяснения.

— Почему же? — протянул Джош. — Я, например, сгораю от любопытства. И меня не оставляет чувство, что этот розыгрыш с кольцом задуман для... для отпугивания мужчин, скажем так. Марта, неужели ты так боялась, что я стану тебя преследовать? — резко закончил Джош.

— Нет, — поспешно ответила Марта. — Ты никогда меня не преследовал.

— Разве? А кто кого преследовал два года назад?

Марта вернулась к кровати, однако не села на свое прежнее место. Вместо этого она уселась в кресло на приличном расстоянии от Джоша.

— Джош, я предпочитаю думать, что никто из нас не

преследовал друг друга, — сказала она наконец. — Для меня преследование слишком тесно связано с охотой и тому подобным.

— С таким определением можно и не согласиться, — заметил Джош. — Ну хорошо, сойдемся на том, что я тобой... весьма интересовался.

— По-моему, мы оба... весьма интересовались друг другом, — выдавила из себя Марта.

— Ладно, пусть так. Да, конечно, мы оба интересовались друг другом. Мы испытывали друг к другу... назови это сексуальным влечением, физиологической реакцией...

— Джош, неужели обязательно на все приклеивать ярлыки?

— Может быть, и нет. — Он коротко рассмеялся. — Мы оба знаем, о чем говорим и в определениях не нуждаемся. Но...

Марта жестом прервала его.

— Не продолжай, — посоветовала она. — Я догадываюсь, что ты скажешь. Это я уже слышала — два года назад. Ты хочешь сказать, что такого влечения недостаточно для прочных и продолжительных отношений.

— Правильно, — ответил Джош, старательно разглядывая занавеску. — Именно это я и хотел сказать.

— Но я не хочу повторения сцены двухлетней давности! — произнесла Марта.

— И я не хочу, — ответил Джош. — И не надо. По-моему, сейчас мы в состоянии спокойно все обсудить.

Действительно, два года назад о спокойном обсуждении и речи не было. При первых же словах Джоша в душе Марты вспыхнул неуправляемый гнев. Оба кричали, обвиняли друг друга, а потом Марта выбежала из его квартиры, хлопнув дверью. Ей до сих пор больно вспоминать об этой безобразной сцене.

— Марта, нам хорошо в постели, но это не значит, что нам будет так же хорошо в жизни, — заговорил Джош, и Марта ощутила, как растет в душе все та же разрушительная ярость. — Мы — слишком разные люди.

Усилием воли Марта подавила гнев и смятение.

— Я не думаю, что мы такие уж разные, — заявила она.

— У нас с тобой совершенно различный стиль жизни. Я никогда не привыкну к твоей жизни, а ты — к моей. Со мной ты просто умрешь от скуки, — закончил он.

— Ты всегда этого боялся, верно? — выпалила Марта, решившись наконец на вопрос, который следовало задать еще два года назад.

— Дело не в том, боюсь я или нет, — тихо ответил Джош. — Я знаю, что это так. Ты не сможешь жить со мной всю жизнь, день за днем. Поверь мне, — устало закончил он, — я обдумал все это еще два года назад, и с тех пор обстоятельства не изменились.

Отчаяние придало Марте безумной отваги, и, не подумав, она высказала мысль, мучившую ее все это время:

— Пожалуйста, — воскликнула она, — пожалуйста, сходи к доктору Баскину!

На скулах Джоша вздулись желваки, глаза приобрели стальной блеск. Марта поняла, что совершила ошибку.

Он печально кивнул, словно Марта подтвердила его худшие опасения.

— В этом-то все и дело, — произнес он. — Ты уверена: стоит Джеральду Баскину поколдовать надо мной своим чудодейственным скальпелем, и все наши проблемы решатся. Я смогу танцевать, кататься на лыжах и ездить по всему свету вместе с тобой.

Тон его стал ледяным.

— Ты ошибаешься, Марта, — продолжал он. — Я не говорю, что стал равнодушен к лыжам и танцам. Вовсе нет. Но я не собираюсь терять время на бесплодные сожаления и мечты о несбыточном. Я уже давно научился жить реальной жизнью и благодарен судьбе за этот тяжкий урок. Благодаря катастрофе я узнал о людях и жизни гораздо больше, чем мог бы...

— Но ты же любишь баскетбол!

— Конечно, люблю, — согласился Джош. — Почему бы и нет?

— Ты сам играл в баскетбол... когда учился в школе.

Глаза Джоша сузились.

— Откуда ты знаешь?

— Неважно.

— Черта с два неважно! Что еще тебе наговорила Дженнифер? Я-то думал: хотя бы моя сестра понимает, как изменилась моя жизнь после катастрофы! Хоть она не будет досаждать мне и окружающим слезливыми воспоминаниями!

— Она ничего такого не делает! — резко ответила Марта. — Пожалуйста, не трогай Джен! Она тебя обожает, и ты это знаешь. И так вышло, что она — моя лучшая подруга...

— И что же?

— О Джош! — Марта почувствовала, как в уголках глаз вновь собираются предательские слезы. — Не будь таким педантом!

— Педантом? — удивленно протянул Джош. — Ты, кажется, считаешь, что это синоним «упрямца» или «зануды». Но это слово значит совсем другое...

— Хорошо, хорошо, — простонала Марта. — Я опять неточно выразилась. Тебе, похоже, нравится роль ходячего словаря.

— Я просто хочу, чтобы ты говорила то, что думаешь, — возразил Джош. — И дело не в определениях. Я хочу, чтобы ты прекратила вилять и без обиняков высказывала все, что у тебя на уме. Но, похоже, этого от тебя не дождешься!

— Неправда!

— Черта с два неправда! — гневно отозвался Джош. — Вот сейчас, например, взгляни мне в глаза и отвечай прямо, какой чушью потчует тебя Дженнифер?

Марта негодующе фыркнула.

— Для человека, который столько значения придает словам, ты чертовски грубо выражаешься!

— Может быть. Но ты знаешь, что я хочу сказать. Так не увиливай от ответа.

— Я не увиливаю. Мы с Дженнифер уже... уже очень долго не говорили о тебе.

Произнеся эти слова, Марта едва не прикусила язык: ей вспомнилась фраза Дженнифер, сказанная только сегодня вечером.

«Он безнадежно в тебя влюблен...»

Марта почувствовала, что щеки ее запылали.

— А уши горят! — удовлетворенно констатировал Джош. — Ну что ж, если не хочешь выдавать подругу, ради бога. Видимо, я должен восхититься твоей верностью.

— Ты опять ничего не понял! — с трудом промолвила Марта, собравшись с силами после долгого молчания. — Как всегда!

— Да неужели?

— Джош, не издевайся надо мной! Да, как всегда. В тот день, когда ты услышал обрывок нашего разговора у тебя дома, ты тоже ничего не понял.

— Это когда ты говорила о том, что может Эшфорд и чего не могу я?

— Да, — кивнула Марта. — На самом деле разговор шел так... Впрочем, это неважно, — уклончиво закончила она. — Вернемся к сегодняшнему дню. Сегодня я помогала Джен с близнецами, дала Джошу бутылочку и... и спросила, похож ли он на тебя, когда ты был маленьким.

Джош вскинул брови.

— Ты серьезно?

— Конечно, серьезно. Я... мне действительно стало интересно.

— Младенцы все одинаковые, — проворчал Джош.

— Тебе лучше знать. — Марта не собиралась отклоняться от темы, раз уж они начали этот разговор. — Так вот... я спросила Джен, нет ли у нее твоих детских фотографий.

— И что же? — Марта едва расслышала этот вопрос.

— Она ответила, что у нее есть семейный альбом и я могу его посмотреть. Она принесла альбом ко мне в комнату, я стала рассматривать фотографии и...

— И что?

— И... и случилось все это.

Джош поднял глаза. Он смотрел ей прямо в лицо, но смотрел так, как будто ее не видел.

— Послушай, Марта, — сказал он ровным голосом. — Не знаю, как ты, а я устал. И хочу спать. Если ты не возражаешь...

Он отсылал ее прочь. Марта поднялась и молча вышла из комнаты. Она едва сдерживала слезы.

Глава 15

Хотя Керри и Дженнифер по-прежнему играли роли радушных хозяев, Марта понимала: они догадываются, что между их гостями не все гладко.

Гундерсены старались не оставлять Марту и Джоша наедине. Они развлекались только всей компанией: вчетвером смотрели старые черно-белые фильмы по каналу Ви-си-а, играли в скрэббл, вчетвером сидели у камина и болтали. Разговор в основном вел Керри, а Дженнифер поддерживала его, заполняя все паузы. Джош отвечал, только когда его спрашивали. Марта тоже старалась говорить как можно меньше.

Накануне отъезда в Нью-Йорк все четверо смотрели вместе программу новостей. Новостью дня стало землетрясение на одном из греческих островов, причинившее множество разрушений. Города лежали в развалинах; сотни людей погибли, тысячи остались без крова. Рассказ еще не кончился, а Марта уже знала, о чем будет ее следующий репортаж.

Два дня спустя Марта была на месте стихийного бедствия. Попасть сюда было нелегко: Марте пришлось освежить старые связи с важными афинскими чинами, с которыми она познакомилась в свой первый приезд в Грецию. Без «нужных людей» ей не удалось бы попасть на остров. Теперь же она получила и номер в афинской гостинице, и место в самолете.

В последующие четыре дня Марта почти не вспоминала о Джоше. Зрелище человеческого горя и страданий заслонило личные проблемы. По возвращении в Афины Марта была истощена до предела — и физически, и духовно.

На телефонном аппарате в номере мигал огонек автоответчика.

Служащий сообщил Марте, что в течение последних трех дней ей каждые несколько часов звонил джентльмен из Нью-Йорка. Имя джентльмена — мистер Джошуа Смит.

Марта взглянула на часы. По афинскому времени — пять после полудня, значит, в Нью-Йорке сейчас около полуночи. Может быть, Джош уже лег... Однако Марта набрала его номер.

Никто не брал трубку.

В течение вечера Марта пыталась дозвониться до него еще дважды — с тем же результатом. Наконец она бросила свое занятие и легла в постель. Джоша нет дома... Где же он может быть?

Весь следующий день Марта провела в работе, а вечером ужинала вместе со своими греческими друзьями. Греки, как обнаружила Марта, любят есть поздно и долго. Она вернулась в отель уже после полуночи и, войдя в номер, заметила на телефоне мигающий красный огонек.

Марта устала и была внутренне опустошена. Друзья задавали ей множество вопросов о землетрясении. Чтобы полностью удовлетворить их любопытство, Марте пришлось снова пережить события тех ужасных трех дней. Руины городов и людское горе и сейчас явственно стояли у нее перед глазами.

Марта упала на кровать, подняла телефонную трубку и связалась с телефонисткой. Сегодня вечером мистер Смит звонил дважды. Марта подсчитала разницу во времени между Афинами и Нью-Йорком. В Нью-Йорке сейчас раннее утро: Джош должен быть дома. На этот раз он снял трубку после первого же звонка.

— Джош! — заговорила Марта, услышав в трубке его тяжелое дыхание.

Однако голос его звучал, как обычно, сухо.

— Ты вернулась в Афины?

— Да, вчера.

— А почему не позвонила мне сразу?

— Я звонила. Но ты, похоже, вчера поздно вернулся домой.

— Я обедал с коллегами, — объяснил Джош. — Марта... с тобой все в порядке? — В голосе его Марте послышалась странная неуверенность.

— Да.

— Марта, мне не нравится твой голос.

— Джош, я... мне было очень тяжело.

— Могу себе представить, — пробормотал Джош.

— Впрочем, все не так страшно, как могло бы быть. Землетрясение на Занте в 1953 году причинило гораздо больше разрушений.

— На Занте?

— Это тоже остров в Греции. Тогда землетрясение поразило и два других острова — Итаку и Кефалонию.

— Понятно, — Джош коротко и безрадостно рассмеялся. — Прости, я не такой опытный путешественник, как ты.

— Джош, пожалуйста, — воскликнула Марта, — я не хочу снова с тобой препираться!

— Я тоже. Марта... ты, наверно, измучена.

— Сейчас мне уже лучше, — ответила Марта. — Очень тяжело смотреть, как страдают люди. — Она поняла, что лучше сменить тему. — Зато я много узнала о землетрясениях.

— Вот как?

— Мы привыкли думать, — торопливо заговорила Марта, — что Земля — я имею в виду всю нашу планету — это что-то надежное и устойчивое. Но это не так. Под поверхностью Земли происходит постоянное движение. Земные слои движутся, изгибаются, рвутся и сталкиваются друг с другом...

Сама того не замечая, Марта говорила все быстрее и быстрее. Опомнилась она, лишь когда услышала голос Джоша:

— Марта, ты прочла мне целую лекцию! Когда ты вернешься домой?

Домой? А где ее дом? — спросила себя Марта. В Нью-Йорке? В Лондоне? В Эстертауне, штат Пенсильвания? Может быть, у нее и вовсе нет дома?

— Я прилечу в Нью-Йорк через три-четыре дня, — ответила она. — У моих друзей в Афинах есть фотолаборатория, которой они мне разрешили пользоваться. Так что начальную работу я выполню здесь.

— Надеюсь, если тебе что-то не понравится, ты не полетишь в Грецию снова! Я слыхал, что за одним землетрясением часто следуют другие.

— Я знаю. Нет, назад я не вернусь. Я сделала столько снимков, что не думаю, что захочу чего-то еще. Впрочем, посмотрим...

Джош повесил трубку и задумался. Несколько минут он серьезно размышлял, не полететь ли за Мартой в Афины. Но беда в том, что она может оттуда уехать. Что, если на острове случится еще одно землетрясение и Марта бросится туда?

Джош понимал, что не вынесет еще одного разочарования.

Он снова поднял телефонную трубку и набрал номер Тони Эшфорда. Именно Тони первым увидел Марту среди дымящихся развалин в выпуске новостей. Марта была фотографом с мировым именем, и неудивительно, что о ее работе в районе бедствия сообщали по телевидению. Тони позвонил Джошу и взял с него обещание, что Джош перезвонит ему, как только свяжется с Мартой.

— С ней все в порядке, — сказал Джош, едва Тони снял трубку. — Устала, конечно, но в остальном все нормально.

— Спасибо за звонок, — вежливо поблагодарил Тони.

Марта вернулась в Нью-Йорк в тот самый апрельский день, когда Миссисипи в своем нижнем течении вышла из берегов и затопила равнины Южной Луизианы.

Марта вошла в отель только для того, чтобы принять ванну, переодеться, захватить с собой смену белья и запас пленки. Затем она отправилась в аэропорт и купила билеты на самолет в Нью-Орлеан.

Джош в этот день вышел из офиса вскоре после пяти, приехал домой, налил себе скотча и хотел сесть в любимое кресло у окна. Однако он не мог сидеть спокойно. Джош редко впадал в беспокойство, однако сегодня словно какие-то демоны терзали его душу.

Со времени последнего разговора с Мартой прошла почти неделя. «Она должна быть дома!» — сказал себе Джош, как говорил уже сотню раз. Господи, почему же она не звонит? Сам он уже звонил в отель, где она останавливалась в прошлый раз, и узнал, что она там не зарегистрировалась.

Черт возьми, хотел бы он стать ясновидящим! Тогда бы он знал, где Марта и что она делает.

Зазвонил телефон. Джош схватил трубку и услышал британский акцент Тони Эшфорда.

— Не хотелось бы беспокоить тебя, старина, — заговорил Тони, — но... ты смотрел последние новости?

— Нет, я только что вошел.

— Я видел вечерний выпуск. Похоже, что юго-восточные районы Соединенных Штатов серьезно пострадали от наводнения.

— Я читал об этом в утренней газете, — ответил Джош.

— Из-за весеннего паводка и дождей уровень воды увеличился. Согласно последним новостям в Луизиане множество жертв. Тысячи людей остались без крова. Судя по всему, вам грозит настоящее национальное бедствие!

— Не хочу показаться легкомысленным, — заметил Джош, — но для Штатов наводнение — обычное дело. Наши юго-восточные области каждый год страдают от паводков.

— Я знаю, — ответил Тони. — Но дело в том, что в Луизиане сейчас Марта.

Это было уже слишком!

— Ты не шутишь? — простонал Джош.

— В новостях я видел короткое интервью с ней, — сообщил Тони. — Она в команде спасателей. Судя по ее виду, она не только фотографирует, но и вместе с ними лазит в воду.

Тони помолчал.

— Она не говорила, что поедет в Луизиану?

— Нет, не говорила, — угрюмо ответил Джош. — Последнее, что я слышал, что она в Афинах и собирается в Нью-Йорк.

— Иногда, — заметил Тони, — я спрашиваю себя, куда она бежит?

Эти слова эхом отдавались в голове Джоша и после окончания разговора. Как он не замечал, что последние два года Марта действительно провела в беспрерывном метании по свету?

Конечно, она и раньше ездила в командировки. Но по сравнению с нынешним... нет, никакого сравнения быть не может.

Даже говорит она, думал Джош, торопливо, как будто куда-то спешит и боится опоздать. Особенно когда говорит о работе. Может быть, вся ее работа — только бегство от себя?

Но почему Марта бежит от себя? Почему это бегство началось два года назад? Она и до этого много работала — но все же не так!..

Неужели это связано с ним?

Впервые за долгое время Джош действовал не раздумывая. Он позвонил в аэропорт и заказал билет на самолет до Нью-Орлеана.

Марта вошла в небольшой отель во французском квартале Нью-Орлеана, где один здешний знакомый обещал заказать для нее номер. Она совершенно промокла, с волос и с одежды текла вода, в ботинках хлюпало.

Портье у регистрационного столика улыбнулся и заговорил:

— А, мисс Бреннан! Номер с двумя спальнями. Для вас все готово и...

— С двумя спальнями? — удивленно прервала Марта. — Это какая-то ошибка! Мне достаточно одной комнаты...

— Мы зарезервировали для вас однокомнатный номер, — объяснил портье, — но прибывший джентльмен изменил заказ. Он настоял...

— Благодарю вас, я сам все объясню, — послышался сзади знакомый голос, и Марта обернулась в изумлении.

Джош был так спокоен, словно встреча с Мартой в холле нью-орлеанского отеля — для него дело привычное.

— Пошли, Марта, — приказал он и властно повел ее за собой к лифту.

Краем глаза потрясенная Марта заметила, что персонал в холле провожает их понимающими улыбками. Коридорный, очевидно, прямой потомок французских поселенцев, донес ее чемодан до дверей углового номера, распахнул дверь и театрально воскликнул:

— Voila!

Марта вошла в номер, обставленный в роскошном стиле Людовика Пятнадцатого. Через приоткрытую дверь она видела спальню, отделанную с той же роскошью. Второй спальни не было видно.

Однако Марта прекрасно видела бутылку шампанского в серебряном ведерке на кофейном столике и цветы — огромные букеты желтых роз. Боже правый, как в отеле узнали, что это ее любимые цветы?

— Желаю вам счастья, месье, — сказал коридорный, уходя, и, взглянув на Марту, добавил: — И вам тоже, мадам.

Коридорный вышел. Дверь мягко закрылась за ним.

— Что все это значит? — хмуро спросила Марта.

Джош пожал плечами.

— Французская галантность, — ответил он.

— Тебе не кажется, что он слишком галантен? — спросила Марта. — По-моему, он принял нас за новобрачных.

Эти слова соскользнули с ее языка сами собой. Марта взглянула на шампанское, на цветы, затем вновь на Джоша.

— Все здесь принимают нас за молодоженов! — утвердительно сказала она. — Джош, нужно исправить это недоразумение. Мы не должны жить в одном номере, и цветы и шампанское тоже ни к чему...

Вместо ответа Джош двинулся к столику. Прежде чем Марта успела спросить, что он делает, он уже откупорил шампанское и разлил его по двум хрустальным бокалам.

— Держи, — произнес он, протягивая ей бокал.

Марта знала, что Джошу трудно стоять, не опираясь на трость, а тем более — при этом держать что-то в руках. Почти автоматически она подошла к нему — и с удивлением заметила, что его пальцы, сжимающие бокал, дрожат.

— Выпьем молча, без тостов, — предложил Джош. — Ладно?

— Хорошо.

Они чокнулись, и Марту вновь поразило лицо Джоша, особенно выражение глаз. Они были непроницаемы, как всегда, и все же Марта чувствовала, что Джош не уверен в себе. Это было непривычно. Она могла по пальцам пересчитать случаи, когда Джош плохо владел собой. Разве что наутро после ночи любви...

Марта с усилием отогнала эти мысли прочь.

— Где ты остановился? — спросила она Джоша.

— Здесь, — невинно ответил он, и это простодушное лукавство было вовсе не похоже на прежнего Джоша. — Ты сама сказала, что тебе хватит одной комнаты.

— Джош, ты прекрасно знаешь...

Джош улыбнулся. И сердце Марты остановило свой бег — как всегда, когда он улыбался.

— Знаешь, — сказал он, — вид у тебя совершенно... остолбенелый.

— Благодарю покорно, — выдавила из себя Марта. — Ты умеешь говорить комплименты!

— А ты их заслуживаешь, — отозвался Джош, и Марта подозрительно вскинула глаза, ожидая какого-то подвоха. — Ты, как всегда, прекрасно выглядишь, однако в данный момент есть в тебе что-то от мокрой курицы. Возможно, мне это только кажется: я ведь знаю, что ты целый день барахталась по горло в воде, а сверху тебя полило дождиком.

— Убить бы того, кто изобрел телевидение! — горько пробормотала Марта.

— Если бы не было телевидения, я бы не смог следить за твоими передвижениями, — заметил Джош. — Вот что, Марта... ты хочешь сначала принять ванну и переодеться, или мы сперва поговорим?

— О чем?

— К чему такое раздражение? О многом. Нам найдется о чем поговорить. Хотя, возможно, разговор продлится недолго. По крайней мере я на это надеюсь. О главном поговорим сейчас, а детали можем обсудить и потом... — Джош остановился, сообразив, что еще секунда — и он скажет лишнее.

— Ладно, — ответила Марта, — давай сначала поговорим.

— Хорошо, давай, — ответил Джош.

Марта заметила, что он нервничает.

Одним глотком он осушил бокал шампанского налил себе еще.

— Ты едва прикоснулась к вину, — заметил он, взгля нув на ее бокал.

— Я сегодня почти не ела, — ответила Марта. — Бо юсь опьянеть натощак.

— Марта, скажи лучше, когда ты в последний раз ка следует обедала? Наверно, перед отлетом в Грецию.

— Нет. Я прекрасно питалась в Афинах. Греческа кухня великолепна. Я очень ее люблю.

Марта опустилась в кресло, внезапно ощутив, чт ноги ее не держат. И дело не в голоде. Дело в Джоше. О очень внимательно ее рассматривал. И улыбка сошла лица. Марта редко видела Джоша настолько серьезным это ее пугало.

Джош по-прежнему не сводил с нее глаз.

— Хорошо, — начал он наконец, — начнем с послед него эпизода. У тебя не было времени, чтобы позвонит мне из Нью-Йорка и сообщить, куда ты направляешься?

— Джош, честное слово, не было, — ответила Мар та. — Я услышала о наводнении прямо в аэропорту и... поняла, что должна лететь туда.

— Марта, ты считаешь своим долгом посетить райо любого стихийного бедствия? Неужели ты воображаеш себя этаким летописцем людских несчастий? — вызыва ще спросил Джош.

— Нет, конечно, нет, — твердо возразила Марта. Но... ты же знаешь, что у меня на фотографиях получае ся лучше всего. Люди... и то, что с ними происходит.

— Ясно. Ты, конечно, сделала множество фантасти ческих снимков — утопленники, дома без крыш...

— Джош, прекрати! — прервала его Марта. — Ты д лаешь из меня какую-то садистку!

— Нет, — угрюмо ответил он. — Вовсе нет. Я зна что твое сердце откликается на людскую боль. Знаю, ч ты... страдаешь вместе со страждущими. И всегда ост нешься такой. Но, по-моему, за последние двадца шесть месяцев ты слишком увлекаешься катастрофам бедствиями, чужим горем...

Марта отчаянно стремилась вернуть самообладание.

— Не понимаю, о чем ты, — произнесла она. — Кста... ты знаешь, я узнала много нового о наводнениях...

Марта остановилась, набрала воздуху в грудь и про-лжала, боясь посмотреть ему в глаза:

— Честно говоря, наводнение не произвело на меня кого же впечатления, как землетрясение. Не знаю поче-у, но землетрясение страшнее. Когда земля колеблется д ногами, людей охватывает какой-то древний, перво-iтный ужас...

— М-м-м... — ответствовал Джош.

— Джош, да ты меня не слушаешь! — возмутилась арта.

— Очень даже слушаю, — ответил он. — И пытаюсь бъяснить для себя то, что слышу. Твои слова только под-ерждают суждение Тони, которое он высказал сегодня в лефонном разговоре.

— Тони?

— Да. Мы с ним договорились, что будем отслеживать вои передвижения и сообщать друг другу, в какую дыру I полезла на этот раз.

— И что сказал тебе Тони? — подозрительно спросила арта.

— Тони сказал, что не понимает, куда ты бежишь. Так н определил твою жизнь. Бег. Я согласен с этим опреде-нием. Но для точности добавлю суффикс. Бегство. ейчас, например, ты бежишь от разговора.

— М-м... Ты прав, мне действительно лучше сначала ринять ванну!

— Ванна подождет, — ответил Джош. — Наш разго-эр займет всего несколько минут.

Марта нерешительно покосилась на него и вдруг просила:

— Как ты меня нашел? Как вообще узнал, что я в ью-Орлеане?

— При помощи логики, — ответил Джош. — Мне по-азалось логичным, что после всех сегодняшних испыта-ий ты приедешь передохнуть в Нью-Орлеан. Возможно, кого-нибудь из твоих бесчисленных друзей здесь найдется лаборатория, где ты будешь проявлять пленку... I важно. Главное, что ты остановишься здесь. Чтобы у нать, в каком ты отеле, я посадил всю редакцию на тел фоны и заставил их обзванивать все гостиницы. Одно парню повезло с одиннадцатой попытки. Ему сказал что тебя еще нет, но ждут с минуты на минуту. Спаси реактивному двигателю — мне удалось тебя опередить.

Итак, — продолжал Джош, поднося к губам шампа ское, — я позвонил и спросил, найдется ли у них подх дящий номер. Мне предложили номер для новобрачны

— И все здесь, — закончила Марта, — думают, что м только что поженились.

— Марта, я понятия не имею, что они думают. Я пр сто хочу посидеть с тобой в этом номере и кое-что обс дить.

— Но ты заказал шампанское и розы?

— Да.

— Но зачем, Джош, зачем? — воскликнула Марта. Я ничего не понимаю!

— Ну, может быть, я мечтаю использовать номер д. новобрачных по назначению, — задумчиво протян Джош.

— Что?

— Что слышала.

— Ты... ты понимаешь, что говоришь?

— О да! — заверил ее Джош. — Каждое свое слов Но, прежде чем я задам роковой вопрос, мне нужно ко что выяснить.

— Ничего не понимаю! — повторила Марта, встрях вая головой. — Ну хорошо, что ты хочешь узнать?

— После этого замечания Тони о том, что ты в время бежишь, я задумался — крепко задумался, — и м пришла в голову странная мысль: может быть, ты бежи от меня? Ведь началось это после того, как мы раз шлись...

— После того, как ты меня бросил, — отозвала Марта, не скрывая горечи.

— Пусть будет так. И еще мне пришло в голову: мож быть, ты бежишь от меня без остановки, потому что... п тому что меня любишь? Из-за любви люди способны на самые безумные поступки. Бог свидетель, я люблю тебя — и из-за этого совершил немало глупостей. Может быть, с тобой происходит то же самое? — Марта хотела заговорить, но Джош предостерегающе поднял палец. — Прежде чем ты заговоришь, уясни себе, что я говорю о любви. Не о физическом влечении, каким бы фантастическим оно ни было. О глубоком, сильном чувстве, которое не убывает с годами и живет вечно.

На последнем слове голос его дрогнул. Марта смотрела на него во все глаза. Ей хотелось, чтобы он повторил свою речь — и не потому, что она чего-то не расслышала: нет, она просто не могла поверить...

— Да, еще одно, — продолжал Джош, уставившись в пустой бокал. — Пока ты была в Греции, я записался на прием к Джеральду Баскину... и сходил к нему.

Марта наклонилась вперед и впилась в него взглядом.

— Я заранее знал, что это бесполезно, — продолжал он, не отрывая глаз от бокала. — И тебе говорил, но ты не хотела слушать. Все, что можно было для меня сделать, врачи сделали много лет назад. И Джеральд с этим согласился. Он сказал мне то же, что говорили те ортопеды, к которым я ходил сразу после катастрофы. Вот так. А это значит...

Джош помолчал, не поднимая глаз.

— Это значит... — повторил он, и голос его невольно задрожал, — если ты хочешь... жить со мной, тебе придется принять меня таким, какой я есть, и смириться с тем, что таким я останусь навсегда.

Марта молча смотрела на него, не в силах вымолвить слово. В груди ее вздымалась жаркая волна гнева.

— Значит, по-твоему, я посылала тебя к Джеральду Баскину ради себя? — воскликнула она, вскочив на ноги.

Джош наконец поднял глаза. Его серые глаза были непроницаемы.

— А разве нет? — спросил он.

— Нет, черт тебя побери! — завопила Марта. — Только ради тебя, потому что я чувствовала, что все твои проблемы связаны с этим! Что, скажешь, неправда?

Джош молчал.

— Да мне плевать на твою ногу! — заорала Марта.

Одно бесконечно долгое мгновение Джош смотрел на нее все с тем же непроницаемым лицом. Затем по лицу его расплылась широкая улыбка.

— Вот такой язык мне нравится! — произнес он. — Да мы с тобой, пожалуй, сумеем договориться!

И Марта бросилась к нему — прямо в его объятия. Сердце ее билось, словно птица в силке. Она хотела уронить голову ему на грудь, но Джош поднял ее лицо и заглянул в глаза. Его взгляд лучился радостью и тревогой.

— Мы начинаем все сначала, — хрипло произнес он. — Ты не пожалеешь об этом?

— Хочешь проверить? — с улыбкой ответила Марта.

Закат окрасил небо Нью-Орлеана в яркие цвета. Солнце упало за горизонт, и небо словно затянулось черным бархатом с золотым шитьем из звезд. Около полуночи Джош заказал в номер ужин и еще шампанского.

Дежурный не стал объяснять ему, что система обслуживания кончает работу в десять. Для новобрачных отель был готов на все услуги.

Джош и Марта поели и выпили шампанского, любуясь друг другом в полумраке, и в глазах их отражался лунный свет. Потом снова занялись любовью.

А много-много веков спустя, когда они тихо лежали рядом, обнявшись, Джош вдруг спросил:

— Хочешь, мы завтра поженимся?

— Завтра? Так быстро? Разве в Луизиане так можно?

— Сказать по правде, я еще не заглядывал в местный брачный кодекс, — ответил Джош, — но, по-моему, было бы желание, а возможность найдется!

— Да...

— А ты вернула Тони кольцо?

— Нет еще, — ответила Марта.

Джош приподнялся на локте и вгляделся в ее лицо.

— Не можешь с ним расстаться?

— Конечно, могу! Просто не хочу отсылать его по почте.

— Давай на медовый месяц отправимся в Лондон, — задумчиво предложил Джош. — Знаешь... мне почему-то кажется, что Тони будет рад за нас.

— Да, он очень благородный человек, — пробормотала Марта.

— Осторожней! — предупредил Джош. — А то мое Болотное Чудовище снова вылезет на свободу!

— О чем это ты?

— Неважно... Да, забыл сказать.

— Что?

Джош улыбнулся, и от его улыбки у Марты, как всегда, перехватило дыхание.

— Дай мне знать, когда тебе снова захочется надеть кольцо с бриллиантом.

СОДЕРЖАНИЕ

Литературно-художественное издание

Мэгги Чарльз
СПУСТИТЬСЯ С НЕБЕС

Редакторы *Н. Иванова, Н. Любимова*
Художественный редактор *А. Мусин*
Технический редактор *Н. Носова*
Компьютерная верстка *Е. Мельникова*
Корректор *В. Назарова*

Налоговая льгота — общероссийский классификатор
продукции ОК-005-93, том 2; 953000 — книги, брошюры.

Подписано в печать с готовых диапозитивов 22.02.2001.
Формат 84х108 $^1/_{32}$. Гарнитура «Таймс».
Печать офсетная. Усл. печ. л. 20,16.
Тираж 7 000 экз. Зак. № 3474.

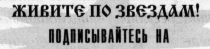